le jardin secret

**Castor Poche
Collection animée par
François Faucher et Martine Lang**

Titre original :

THE SECRET GARDEN

Une production de l'Atelier du Père Castor

FRANCES HODGSON BURNETT

le jardin
secret

traduit de l'anglais par
CAROLE GRATIAS

illustrations de
ARCADY

Castor Poche Flammarion

Frances Hodgson Burnett, l'auteur, est née en Angleterre, à Manchester, en 1849. Elle émigre aux Etats-Unis avec sa famille et épouse en 1873 le docteur Swan Burnett. C'est après la naissance de son second fils Vivian, qu'elle écrit son premier roman pour les enfants : *Le petit lord Fauntleroy*. De retour en Angleterre, Frances Hodgson Burnett connut un considérable succès littéraire pendant plusieurs années avant de repartir pour les Etats-Unis où elle mourut en 1924.

Avraham Moshnyager, dit **Arcady,** l'illustrateur de l'intérieur, est né en Union soviétique en 1946. Il étudie le dessin à la faculté des Arts Graphiques de Lvov (Ukraine).

Installé en France depuis 1980, Arcady a progressivement abandonné l'illustration pour se consacrer à la peinture. Marié à Paris, il est père de deux jeunes enfants auxquels il voue une tendre admiration, de même qu'à tous les enfants...

Le jardin secret :

Seule survivante d'une épidémie de choléra aux Indes, Mary arrive en Angleterre pour vivre chez son oncle dans un immense manoir isolé.

L'oncle Archibald est un homme étrange qui passe presque tout son temps en voyages. Dans cette demeure emplie de mystères, Mary va de surprise en surprise et découvre l'existence d'un jardin secret, fermé depuis la mort de sa tante...

CHAPITRE 1

IL NE RESTE
PLUS PERSONNE

Lorsque Mary Lennox fut envoyée au manoir de Misselthwaite pour vivre chez son oncle, tout le monde s'accordait à dire qu'on n'avait jamais vu d'enfant plus disgracieuse. Ce qui était la stricte vérité. Elle avait un petit visage étroit sur un petit corps malingre, le cheveu rare et fin, et l'air revêche. Ses cheveux étaient jaunes, et son teint l'était aussi, parce qu'elle était née aux Indes et qu'elle avait toujours, d'une façon ou d'une autre, été malade.

Son père travaillait là-bas dans l'administration britannique ; il était toujours très occupé et constamment souffrant, lui aussi. Quant à sa mère, femme d'une grande beauté, sa seule préoccupation consistait à sortir et à se distraire en bonne compagnie. Elle n'avait pas voulu d'enfant, et quand Mary était née, elle l'avait confiée aux bons soins d'une ayah, à qui elle avait bien fait comprendre que, pour plaire à la

Memsahib, le mieux qu'elle pût faire était de garder l'enfant aussi éloignée de sa vue que possible. C'est ainsi que le vilain bébé souffreteux et maussade qu'elle avait été fut toujours tenu à l'écart, comme le fut ensuite la vilaine petite créature souffreteuse et maussade qu'elle était devenue. Elle n'avait d'autre souvenir familier que celui des visages basanés de son ayah et des autres domestiques indigènes, et comme ces derniers lui obéissaient en tout et lui laissaient faire ses quatre volontés — la Memsahib aurait été fâchée d'être dérangée par ses cris — Mary, à six ans, était la plus tyrannique et la plus égoïste des sales petites pestes de la création.

La jeune gouvernante anglaise qui vint lui apprendre à lire et à écrire, la prit tellement en grippe qu'elle abandonna son poste au bout de trois mois, et lorsque d'autres gouvernantes vinrent pour tenter de remplacer la première, elles tinrent encore moins de temps qu'elle. Si Mary n'avait pas vraiment décidé, un beau jour, qu'elle avait envie de lire des livres, jamais elle n'aurait appris son alphabet.

Par un matin d'une chaleur effroyable — elle allait alors avoir neuf ans — Mary se réveilla d'une humeur massacrante, et cette humeur ne s'améliora pas lorsqu'elle constata que ce n'était pas son ayah qui attendait au pied de son lit.

— Que faites-vous là? dit-elle à l'inconnue. Allez-vous-en. Et dites à mon ayah de venir.

La femme avait l'air très effrayé, mais elle parvint à balbutier que son ayah ne pouvait pas venir, et quand Mary, entrant dans une colère noire, se mit à la battre et à lui donner des coups de pied, la pauvre femme ne put que répéter, d'un air encore plus effrayé, qu'il était impossible à son ayah de venir chez Mademoiselle.

Il y avait du mystère dans l'air, ce matin-là. Rien ne se passait comme d'habitude. Plusieurs domestiques indigènes semblaient être absents, tandis que ceux que Mary croisait l'évitaient ou passaient en hâte, l'air épouvanté et la mine sombre. Mais personne ne lui adressa la parole, et son ayah ne vint pas. La matinée passa sans qu'on se souciât d'elle, et elle finit par sortir dans le jardin pour jouer seule sous un arbre, près de la véranda. Elle fit semblant de construire un parterre de fleurs et planta des hibiscus rouges dans de petits tas de terre. Plus le temps passait, et plus sa colère grandissait; elle se marmonnait à elle-même les choses qu'elle allait dire à Saidie, et les insultes dont elle l'accablerait dès son retour.

— Porc! Porc! Fille de porc! disait-elle, car il n'y avait pire injure pour une indigène.

Grinçant des dents, elle ne cessait de répéter ces mots, lorsqu'elle entendit sa mère sortir sur la véranda en compagnie de quelqu'un. Elle était avec un jeune homme blond et ils parlaient tout bas d'une voix étrange. Mary connaissait ce jeune homme qui avait l'air d'un gamin. Elle avait entendu dire que c'était un très jeune officier fraîchement arrivé d'Angleterre. L'enfant le regarda, mais c'était surtout sa mère qu'elle contemplait. Elle ne manquait pas une occasion de le faire, car la Memsahib — c'était ainsi que Mary l'appelait le plus fréquemment — était une personne extrêmement belle, grande et mince, et elle portait de si jolies toilettes. Elle avait des cheveux soyeux et bouclés, un petit nez délicat qui avait l'air dédaigneux, et de grands yeux rieurs. Ses robes étaient légères et mouvantes et Mary disait qu'elles étaient « couvertes de dentelles ». Jamais il n'y en avait eu tant que ce jour-là, mais ses yeux ne riaient pas le moins du monde. Grands ouverts, remplis de frayeur, ils étaient levés, implorants, vers le visage du jeune officier blond.

— C'est si grave? Oh, vraiment? l'entendit dire Mary.

— Terriblement grave, répondit le jeune homme d'une voix tremblante. Terriblement, madame Lennox. Il y a déjà deux semaines que vous auriez dû partir pour les collines.

La Memsahib se tordait les mains.

— Oh, je sais que j'aurais dû, s'écria-t-elle. Je ne suis restée que pour assister à cette soirée ridicule. Comme j'ai été stupide!

Juste à cet instant, un tel concert de lamentations leur parvint du quartier des domestiques que la Memsahib saisit le bras du jeune homme, et Mary se mit à trembler de la tête aux pieds. Les hurlements augmentaient de violence.

— Que se passe-t-il? dit Mme Lennox d'une voix haletante. Que se passe-t-il?

— Quelqu'un vient de mourir, répondit le jeune officier. Vous ne m'aviez pas dit que vos domestiques étaient atteints.

— Je l'ignorais! s'écria la Memsahib. Venez, accompagnez-moi. Venez vite!

Et faisant demi-tour, elle se précipita dans la maison.

Après cela, il se produisit des choses épouvantables, et tous les mystères de la matinée s'expliquèrent. Une épidémie de choléra s'était déclarée sous sa forme la plus mortelle, et les gens mouraient comme des mouches. L'ayah avait été atteinte durant la nuit, et c'était parce qu'elle venait de mourir que les autres domestiques s'étaient mis à hurler dans leurs cabanes. Trois d'entre eux succombèrent le jour même, et d'autres s'enfuirent, terrorisés. Partout, c'était la panique, et dans toutes les maisons à l'entour, les gens mouraient.

Le deuxième jour, fuyant le désordre et la grande confusion qui régnaient, Mary se réfugia dans la nursery où elle fut oubliée de tous. Personne n'eut une pensée pour elle, personne ne la demanda, et d'étranges événements se déroulèrent dont elle ignora tout. Mary passa son temps à pleurer et à dormir. Elle ne savait qu'une chose : les gens étaient malades, et elle entendait des bruits mystérieux qui l'effrayaient. A un moment, elle se glissa dans la salle à manger. La pièce était déserte, bien que la table fût encore couverte d'assiettes et de plats à moitié pleins, comme si les convives, repoussant leur chaise, étaient partis précipitamment, pour une raison inconnue. La fillette mangea

quelques fruits et des biscuits, puis, assoiffée,
elle but un verre de vin qui était presque plein.
C'était doux, mais c'était fort, ce que Mary
ignorait. Très vite, elle eut terriblement sommeil
et elle regagna la nursery où elle s'enferma,
effrayée par les cris venant des huttes et par tous
les bruits de pas précipités. Le vin l'avait

tellement étourdie qu'elle avait du mal à garder les yeux ouverts et elle s'allongea sur son lit, ignorant pendant un long moment tout ce qui se passait autour d'elle.

Il se produisit de nombreux événements pendant les heures où elle dormait si profondément, mais elle ne fut pas troublée par les gémissements et le bruit des objets que l'on sortait ou que l'on apportait dans la maison.

A son réveil, elle resta allongée sur son lit à fixer le mur. La maison était parfaitement silencieuse. Jamais elle n'avait connu un tel calme. Pas une voix, pas un bruit de pas. Mary se demanda si tout le monde avait été guéri du choléra et si tous les ennuis étaient enfin terminés. Elle se demanda également qui allait s'occuper d'elle maintenant que son ayah était morte. Elle allait avoir une nouvelle ayah qui connaîtrait peut-être de nouvelles histoires. Mary commençait à se lasser des anciennes. La mort de sa nounou ne lui fit pas verser une larme. Ce n'était pas une enfant sensible et elle ne s'était jamais attachée à personne. Pendant l'épidémie, elle avait eu peur des bruits, de la précipitation et des cris, et elle avait été vexée de constater que personne ne semblait se rappeler son existence. Tout le monde était bien trop effrayé pour se soucier d'une petite fille que nul n'aimait. Quand les gens ont le choléra, on dirait qu'ils ne pensent qu'à eux. Mais si tout le monde était guéri, quelqu'un allait sûrement se souvenir d'elle et venir la chercher.

Mais personne ne vint, et tandis qu'elle restait allongée sur son lit, la maison semblait de plus en plus silencieuse. Elle perçut un frémissement sur le tapis, et se penchant, elle vit un petit serpent qui avançait en se tortillant, tout en la fixant de ses yeux brillants comme des diamants. Elle n'eut pas peur, car c'était une petite bête inoffensive qui ne risquait pas de la piquer. Il avait l'air pressé de quitter sa chambre, et sous son regard, il se faufila sous la porte et s'enfuit.

« Comme c'est étrange! Et quel calme! se dit-elle. On dirait qu'il n'y a plus que moi et ce petit serpent dans la maison. »

Mais, à la minute même, elle entendit des bruits de pas dans la cour, puis sur la véranda. C'étaient les pas d'hommes qui pénétraient dans la maison en parlant à voix basse. Personne ne vint à leur rencontre, ni ne leur adressa la parole, alors qu'apparemment, ils étaient en train d'ouvrir les portes pour jeter un regard dans chaque pièce.

— Quelle désolation! entendit-elle dire. Une femme si jolie! Je suppose que l'enfant aussi... J'ai entendu dire qu'elle avait un enfant, mais personne ne l'a jamais vu.

Mary était debout au milieu de la nursery

19

lorsqu'ils ouvrirent la porte quelques minutes plus tard. Elle avait l'air d'une vilaine petite chose, la mine renfrognée et furieuse car elle avait faim et se sentait affreusement négligée. L'homme qui entra le premier était un officier corpulent qu'elle connaissait pour l'avoir vu parler avec son père. Il paraissait las et soucieux. Mais lorsqu'il la vit, il fut si étonné qu'il fit presque un bond en arrière.

— Barney, s'écria-t-il. Il y a une enfant, ici! Une fillette, seule. Dans un endroit pareil! Grand Dieu, mais qui est-ce?

— Je suis Mary Lennox, répondit la petite fille, se redressant avec raideur.

Elle pensa que c'était un bien grossier personnage d'oser appeler la maison de son père « un endroit pareil ».

— Je me suis endormie quand tout le monde a eu le choléra et je viens seulement de me réveiller. Pourquoi n'y a-t-il personne?

— C'est l'enfant qu'on n'a jamais vue! s'exclama l'homme en se tournant vers ses compagnons. Elle a effectivement été oubliée.

— Pourquoi donc ai-je été oubliée? fit Mary en tapant du pied. Pourquoi n'y a-t-il personne?

Le jeune homme qui s'appelait Barney la fixa d'un œil triste. Mary crut même le voir cligner des yeux comme s'il cherchait à en chasser des larmes.

— Pauvre petite fille, dit-il. Il ne reste plus personne.

Et ce fut de cette façon étrange et brutale que Mary apprit qu'elle n'avait plus ni père ni mère, que ses parents étaient morts et qu'on les avait emmenés pendant la nuit et que les quelques domestiques qui n'avaient pas succombé avaient fui la maison le plus vite possible — aucun d'eux ne se souvenant qu'il restait une petite demoiselle. C'était pour cette raison que la maison était si calme. Elle ne s'était donc pas trompée : il ne restait plus qu'elle dans la maison, elle et le petit serpent frémissant.

CHAPITRE 2

MADEMOISELLE
MARY CHAGRIN

Si Mary avait bien aimé contempler sa mère de loin et l'avait trouvée jolie, il ne fallait pas s'attendre, étant donné qu'elle la connaissait fort peu, à ce qu'elle l'aimât ou souffrît de sa disparition. En fait, sa mère ne lui manqua pas le moins du monde et en petite fille foncièrement égoïste, Mary ne pensa qu'à elle-même, comme elle l'avait toujours fait. Si elle avait été plus âgée, elle aurait sans aucun doute été fort inquiète de rester seule au monde. Mais elle était très jeune, et comme on s'était toujours occupé d'elle, elle se dit que tout allait continuer ainsi. Elle aurait bien aimé savoir si on allait l'envoyer chez des gens qui seraient gentils avec elle et la traiteraient avec égard, lui laissant faire ses quatre volontés, comme son ayah et les autres domestiques en avaient eu l'habitude.

Elle savait qu'elle n'allait pas rester chez ce pasteur anglais chez qui on l'avait d'abord emmenée. Elle n'en avait pas du tout envie. Le pasteur était pauvre et avait cinq enfants, presque tous du même âge, qui portaient des vêtements élimés et ne cessaient de se chamailler et de se disputer leurs jouets. Mary ne pouvait supporter le désordre de leur maison et elle sut se montrer si désagréable qu'après un jour ou deux, aucun d'eux ne voulut plus jouer avec elle. Le deuxième jour, ils lui donnèrent un surnom qui la mit en rage.

Ce fut Basil qui y songea le premier. C'était un petit garçon aux yeux bleus insolents, au nez retroussé, et Mary le détestait. Elle jouait seule sous un arbre, comme le jour où le choléra s'était déclaré, amassant de petits tas de terre et dessinant des allées pour faire un jardin, lorsque Basil s'approcha d'elle et se mit à la regarder. Au bout d'un moment, il commença à s'intéresser à son jeu et, tout à coup, émit une suggestion.

— Pourquoi ne mets-tu pas un tas de pierre, ici, pour faire comme une rocaille? dit-il. Là, juste au milieu.

Et il se pencha pour lui montrer l'endroit.

— Va-t'en, s'écria Mary. Je n'aime pas les garçons. Va-t'en!

L'espace d'un instant, Basil eut l'air furieux, puis il se mit à la taquiner. Il passait d'ailleurs son temps à taquiner ses sœurs. Tout en tournant autour d'elle, il faisait des grimaces et riait et chantait :

Mademoiselle Mary Chagrin
Comment va votre jardin?
Et vos iris et vos zinias,
Et vos rangées de pétunias?

Et il reprit ce refrain jusqu'à ce que les autres enfants l'entendent et se mettent à rire à leur tour. Et plus Mary était en colère, plus ils chantaient fort « Mademoiselle Mary Chagrin ». A la suite de cet incident, tout le temps qu'elle resta chez eux, ils l'appelèrent entre eux « Mademoiselle Mary Chagrin », s'adressant même souvent à elle de cette façon.

— A la fin de la semaine, on va te renvoyer chez toi, dans ton pays, lui dit Basil. Et on est bien content.

— Moi aussi, répondit Mary. Où est-ce, mon pays?

— Elle ne sait même pas où est son pays! fit Basil avec tout le mépris de ses sept ans. L'Angleterre, voyons. Notre grand-mère habite là-bas, et depuis l'année dernière, notre sœur Mabel vit avec elle. Toi, tu ne vas pas chez ta grand-mère. D'abord, tu n'en as pas. Tu vas aller chez ton oncle, M. Archibald Craven.

— Je ne sais rien de lui, dit-elle sèchement.

— Je m'en doute bien, rétorqua Basil. Tu ne sais rien. Les filles ne savent jamais rien. J'ai entendu papa et maman parler de lui. Il habite à la campagne, dans une grande maison, énorme, très vieille et très triste, et personne ne met jamais les pieds chez lui. Il est tellement méchant qu'il ne veut voir personne, et même s'il le voulait, les gens ne viendraient pas. C'est un bossu, et il est affreux.

— Je ne te crois pas, lui dit Mary.

Et se bouchant les oreilles, elle lui tourna le dos pour ne pas en entendre davantage.

Mais cela lui donna à réfléchir, et lorsque Mme Crawford lui annonça ce soir-là que, dans quelques jours, elle allait prendre le bateau pour aller en Angleterre, où elle vivrait chez son oncle, M. Archibald Craven, qui habitait le manoir de Misselthwaite, Mary accueillit la nouvelle avec un tel air d'indifférence et avec un tel manque d'intérêt que les Crawford ne surent que penser d'elle. Voulant faire preuve de gentillesse, Mme Crawford essaya de l'embrasser, mais Mary détourna le visage, et lorsque M. Crawford lui tapota l'épaule, elle se raidit.

— C'est une enfant vraiment ingrate, dit plus tard Mme Crawford qui avait pitié d'elle. Et pourtant sa mère était une femme si ravissante. Elle avait des façons absolument charmantes alors que Mary est la fillette la plus rebutante que j'aie jamais vue. Les enfants l'appellent « Mademoiselle Mary Chagrin », et bien que ce ne soit pas très gentil de leur part, on ne peut s'empêcher de les comprendre. Si sa mère, avec son joli minois et ses belles manières, s'était un peu plus souvent occupée d'elle, Mary serait peut-être aujourd'hui plus facile à vivre. Il est bien triste de penser, maintenant que la pauvre femme est morte, que la plupart des gens ignoraient même jusqu'à l'existence de son enfant.

Mme Crawford soupira.

— Je crois qu'elle s'en désintéressait totalement. Quand son ayah est morte, personne n'a eu une pensée pour la pauvre petite. Dire que les domestiques se sont tous enfuis en laissant Mary toute seule dans la maison vide! Le colonel McCrew m'a avoué qu'il avait senti ses cheveux se dresser sur sa tête lorsqu'en ouvrant la porte, il l'avait découverte seule, debout au milieu de la pièce.

Pour accomplir le long voyage qui devait la mener en Angleterre, Mary fut confiée aux bons soins d'une femme d'officier qui allait mettre ses enfants en pension. Cette dame avait déjà fort à faire avec ses propres enfants et ce fut avec soulagement qu'une fois à Londres, elle remit la fillette entre les mains de la personne que M. Archibald Craven avait envoyée à sa ren-

contre. Il s'agissait de Mme Medlock, la gouvernante du manoir de Misselthwaite. C'était une
forte femme, aux joues bien rouges et aux yeux
noirs et perçants. Elle portait une robe rouge vif,
un manteau de soie noire garni de franges de
jais, et un chapeau noir surmonté de fleurs de
velours rouge qui se dressaient en tremblant au
moindre de ses mouvements. Mary ne le trouva
pas du tout à son goût. Mais comme il était rare
que quelqu'un lui plût, cela n'avait rien d'étonnant. De toute évidence, Mme Medlock, pour sa
part, ne pensait guère mieux d'elle.

— Ma parole, mais c'est un véritable laideron! fit-elle. Et on dit que sa mère était une
vraie beauté. Elle ne lui en a pas légué grand-
chose, vous ne trouvez pas, madame?

— Elle s'arrangera peut-être en grandissant,
dit gentiment la femme de l'officier. Si elle

n'avait pas ce teint jaune et cet air aussi revêche... Ses traits sont plutôt fins. Les enfants changent tellement.

— Il faudrait qu'elle change beaucoup, répondit Mme Medlock. Et le manoir de Misselthwaite n'est pas l'endroit idéal pour cela, si vous voulez mon avis.

Elles ne se doutaient pas que Mary les écoutait, car elle se tenait un peu à l'écart, près de la fenêtre de l'hôtel où elles s'étaient rendues. Elle regardait passer les autobus, les fiacres et les gens dans la rue, mais elle entendait fort bien, ce qui ne faisait qu'accroître sa curiosité au sujet de son oncle et du lieu où il vivait. De quoi M. Craven pouvait-il avoir l'air et quel sorte d'endroit était le manoir? Qu'était-ce qu'un bossu? Elle n'en avait jamais vu. Peut-être n'y en avait-il pas aux Indes?

Depuis qu'elle avait commencé à vivre chez des étrangers et sans ayah, Mary se sentait souvent seule et s'était mise à songer à de drôles de choses qui lui étaient inconnues jusqu'alors. Elle s'était d'abord demandé pourquoi elle n'avait jamais eu le sentiment d'appartenir à qui que ce soit, même lorsque ses parents étaient encore en vie. Les autres enfants avaient l'air d'appartenir à leurs parents, mais on aurait dit qu'elle n'avait jamais été la petite fille de personne. Elle avait eu des domestiques, avait été nourrie et bien vêtue, mais personne ne s'était soucié d'elle. Elle ignorait que c'était à cause de son mauvais caractère, mais, en fait, elle ne savait même pas qu'elle avait mauvais caractère. Elle trouvait souvent les gens désagréables, mais elle ne se doutait pas qu'elle l'était elle-même.

A son avis, Mme Medlock était la personne la plus déplaisante qu'elle eût jamais vue, avec son visage commun, haut en couleur, et son petit chapeau ordinaire. Le lendemain, quand elles se mirent en route pour le Yorkshire, Mary traversa la gare la tête haute, essayant de se tenir aussi loin d'elle que possible, car elle ne voulait pas avoir l'air de voyager en sa compagnie. Elle aurait été furieuse à l'idée que l'on puisse supposer un seul instant qu'elle était la petite fille de Mme Medlock.

Mais Mme Medlock ne se souciait guère de Mary et de ce qu'elle pensait. Ce n'était pas le genre de femme à s'en laisser conter par une enfant. Du moins, c'est ce qu'elle aurait dit si on lui avait posé la question. Ce n'était pas par plaisir qu'elle était venue à Londres, juste au moment du mariage de la fille de sa sœur Maria, mais elle avait, en tant que gouvernante au manoir, une bonne situation bien rémunérée. La seule façon de conserver sa place était de faire exactement ce que M. Craven lui demandait, et jamais elle ne se permettait de poser la moindre question.

— Le capitaine Lennox et sa femme sont morts du choléra, lui avait-il dit de sa voix froide et coupante. Le capitaine était le frère de ma femme, et je suis le tuteur de leur fille. L'enfant va venir ici. Vous voudrez bien aller à Londres et la ramener.

Elle avait alors bouclé sa valise et fait le voyage.

Mary était assise dans un coin du compartiment, l'air chagrin et maussade. N'ayant rien à lire ni à regarder, elle gardait ses mains gantées de noir posées sur ses genoux. Le noir de sa robe faisait encore ressortir davantage son teint jaune, et son chapeau de crêpe noir laissait échapper quelques mèches de ses pauvres cheveux filasse.

« Jamais de ma vie je n'ai vu une fillette aussi grinchue », se dit Mme Medlock. (Grinchue était une de ses expressions favorites, signifiant revêche et maussade.)

Elle n'avait jamais vu une enfant rester assise aussi immobile, sans rien faire. Et se lassant en fin de compte de ce spectacle, elle se mit à parler d'une voix forte et brusque.

— Je suppose que je ferais aussi bien de vous parler de l'endroit où vous allez, dit-elle. Connaissez-vous votre oncle?

— Non, fit Mary.

— Vous n'avez jamais entendu vos parents parler de lui?

— Non, répondit Mary, l'air irrité.

Et elle se renfrogna, se rappelant que son père et sa mère ne lui avaient jamais parlé de quoi que ce soit en particulier. En fait, ils ne lui avaient jamais rien dit.

— Hum, marmonna Mme Medlock, fixant son petit visage étrange et rébarbatif.

Elle se tut pendant quelques instants, puis reprit son bavardage.

— Je pense qu'il vaut mieux que je vous en parle — pour vous prévenir. Vous allez dans un drôle d'endroit.

Mary ne dit pas un mot, et Mme Medlock eut l'air plutôt surpris de son apparente indifférence, mais reprenant sa respiration, elle poursuivit.

— C'est vrai, c'est une grande maison imposante, mais elle est sinistre — et M. Craven en est fier, à sa façon — ce qui n'arrange rien. La maison a six cents ans. Elle est située juste au bord de la lande, et il y a à peu près une centaine de pièces, dont la plupart sont fermées, et à clé. Il y a des tableaux, de beaux meubles anciens et des choses qui sont là depuis une éternité, et puis, il y a un grand parc tout autour, et des jardins, et des arbres dont les branches touchent terre — enfin, certains.

Faisant une pause, elle reprit son souffle.

— Mais il n'y a rien d'autre, conclut-elle brutalement.

Malgré elle, Mary s'était prise à écouter. Tout cela était tellement différent de ce qu'elle avait connu aux Indes et avait pour elle l'attrait de la nouveauté. Mais elle ne voulait surtout pas avoir l'air intéressé. C'était un des côtés déplaisants de son mauvais caractère. Aussi garda-t-elle le silence.

— Eh bien, fit Mme Medlock. Qu'en pensez-vous?

— Rien, répondit Mary. Je n'ai jamais vu d'endroit semblable.

Mme Medlock eut un petit rire.

— Ça, alors! dit-elle. Mais vous parlez comme une vieille femme. Cela vous est égal?

— Cela ne change rien, expliqua Mary, que ce me soit égal ou non.

— Pour ça, vous n'avez pas tort, répondit Mme Medlock. Cela ne change rien. J'ignore pour quelle raison on va vous garder à Misselthwaite. Pour M. Craven, c'est sans doute la solution la plus pratique. Mais ce n'est pas lui qui se fera du souci pour vous, c'est sûr et certain. Il ne s'en fait jamais pour personne.

Elle s'interrompit brusquement, comme si elle venait juste à temps de se rappeler quelque chose.

— Il est bossu, ajouta-t-elle. Cela l'a aigri. Jeune homme, il était déjà amer, ne profitant pas de son argent, ni de sa grande demeure, jusqu'à son mariage.

Malgré son désir de ne pas avoir l'air d'écouter, Mary se tourna vers Mme Medlock. Elle n'avait pas pensé que le bossu pût être marié, et elle fut quelque peu surprise. Mme Medlock s'en rendit compte et comme elle était bavarde, elle poursuivit de plus belle. C'était une façon comme une autre de passer le temps.

— C'était un adorable petit bout de femme, et pour elle, il aurait décroché la lune. Personne ne pensait qu'elle se marierait avec lui, mais c'est pourtant ce qu'elle a fait, et les gens ont dit qu'elle l'avait épousé pour son argent. Mais ce n'est pas vrai, ah ça non, ce n'est pas vrai, je peux vous l'assurer. Quand elle est morte —

Mary eut un léger sursaut involontaire.

— Oh, elle est morte? laissa-t-elle échapper sans le vouloir.

Cela lui rappelait un conte de fées qu'elle avait lu un jour. C'était l'histoire d'un pauvre bossu, qui s'appelait Riquet à la Houppe, et d'une merveilleuse princesse; et brusquement, elle en éprouva de la peine pour M. Craven.

— Oui, elle est morte, répondit Mme Medlock, et il est devenu plus bizarre que jamais. Il ne s'intéresse à personne et veut rester seul. La plupart du temps, il est en voyage, et quand il est au manoir, il s'enferme dans l'aile ouest et refuse de voir qui que ce soit, excepté Pitcher. Pitcher est un vieux bonhomme qui s'est occupé de lui quand il était enfant, et il sait comment le prendre.

Cela ressemblait à une histoire comme on en trouve dans les livres et Mary ne se sentait guère rassurée. Une maison avec une centaine de pièces, fermées pour la plupart, et qui plus est à clé — une demeure au bord de la lande — et qu'est-ce que cela pouvait bien être qu'une lande? Tout cela n'avait rien de réjouissant. Avec, en plus, un homme au dos tout tordu qui restait tout le temps enfermé! Les lèvres pincées, elle regardait fixement par la fenêtre et il lui sembla tout naturel que la pluie se soit mise à tomber en longues traînées grises le long des vitres du compartiment. Si la jolie Mme Craven avait encore été en vie, les choses auraient sans doute été plus agréables. Elle aurait pu en quelque sorte lui rappeler sa mère, allant et venant et sortant, comme elle, pour se rendre à des soirées, vêtue de robes « couvertes de dentelles ». Mais elle n'était plus de ce monde.

— Ne vous attendez pas à le voir; vous ne le verrez sans doute pas, j'en mettrais ma main au feu, dit Mme Medlock. Et ne vous attendez pas non plus à trouver quelqu'un d'autre pour vous faire la conversation. Il ne faudra compter que sur vous, même pour jouer. On vous montrera les pièces où vous pourrez aller et celles qui vous seront interdites. Il y a bien assez de jardins. Mais si vous restez à l'intérieur, n'allez pas fouiller et fureter dans tous les coins. M. Craven ne le tolérera pas.

— Je n'en ai pas l'intention, fit la petite Mary d'un ton aigre.

Et aussi vite qu'elle avait éprouvé de la pitié pour M. Craven, elle cessa de le plaindre et se prit à le trouver suffisamment déplaisant pour mériter tout ce qui lui était arrivé.

Tournant alors le visage vers les vitres ruisselantes du compartiment, elle se mit à contempler les flots de pluie grise qui semblaient ne pas vouloir cesser. Elle les regarda pendant si longtemps et avec tant d'intensité que toute cette grisaille finit par peser de plus en plus lourd sur ses paupières et qu'elle s'endormit.

CHAPITRE 3

A TRAVERS LA LANDE

Mary dormit longtemps. Quand elle se réveilla, Mme Medlock avait acheté un panier-repas dans une gare, et elles prirent du poulet et du rosbif froid avec du pain beurré et du thé chaud. La pluie semblait tomber plus drue que jamais et les gens sur le quai de la gare portaient tous des imperméables trempés et luisants. Le contrôleur alluma les lampes dans le wagon; Mme Medlock se sentit toute ragaillardie par le poulet et le rosbif accompagné de thé. Elle mangea copieusement avant de s'endormir à son tour, et Mary resta assise dans son coin à la regarder, contemplant son chapeau qui glissait sur le côté, jusqu'au moment où elle aussi se rendormit, bercée par le bruit de la pluie contre les vitres. Il faisait nuit noire lorsqu'elle se réveilla pour la seconde fois. Le train était arrêté dans une gare et Mme Medlock la secouait.

— On peut dire que vous avez dormi! s'exclama-t-elle. Il est temps d'ouvrir les yeux. Nous sommes à Thwaite et il nous reste un bon bout de chemin à faire.

Mary se leva, essayant de garder les yeux ouverts, tandis que Mme Medlock s'occupait de ses bagages. La petite fille ne lui proposa pas de l'aider, car, aux Indes, il y avait toujours des domestiques pour porter les paquets et il lui paraissait tout naturel de la laisser faire.

C'était une petite gare et elles furent apparemment les seules à y descendre. Le chef de gare s'adressa à Mme Medlock d'une bonne grosse voix, prononçant les mots d'une étrange façon. Mary apprit plus tard que c'était l'accent du Yorkshire.

— J' vois que vous êtes de r'tour, dit-il, et vous avez ram'né la p'tite demoiselle avec vous.

— Oui, là v'là, répondit Mme Medlock, adoptant elle aussi la même façon de parler.

Et d'un signe de tête par-dessus son épaule, elle montra Mary.

— Comment va vot' femme? ajouta-t-elle.

— Pas trop mal. La voiture vous attend dehors.

Devant la petite gare, il y avait un coupé au bord du trottoir. Mary constata que c'était une jolie voiture à chevaux et il y avait un valet de pied avec une belle livrée qui l'aida à y monter. Son grand manteau imperméable et la toile cirée

qui protégeait son chapeau étaient luisants et
tout dégoulinants de pluie, comme tout à
l'entour, y compris le gros chef de gare.

Il ferma la porte et chargea les bagages avec
l'aide du cocher. Puis ils se mirent en route. La
petite fille était confortablement installée dans
un coin de la voiture, sur la banquette capiton-
née, mais elle n'avait plus aucune envie de
dormir. Elle regardait par la fenêtre, cherchant
avidement à voir la route qu'ils empruntaient
pour se rendre en ce lieu étrange dont Mme Medlock lui avait parlé. Mary n'était pas du tout une
enfant craintive, et elle n'avait pas véritablement
peur, mais elle avait le sentiment qu'on ne
pouvait pas savoir exactement à quoi s'attendre
en allant dans une maison d'une centaine de
pièces, presque toutes fermées — une maison

se trouvant située, de plus, au bord de la lande.

— Qu'est-ce que c'est qu'une lande? demanda-t-elle tout à coup à Mme Medlock.

— Regardez par la fenêtre dans environ dix minutes, et vous serez fixée, lui répondit la femme. Nous allons traverser la lande de Missel pendant cinq miles avant d'arriver au manoir. Vous ne verrez pas grand-chose, car il fait nuit noire, mais vous pourrez vous faire une petite idée.

Mary ne posa plus de questions et, assise dans son coin, elle attendit dans l'obscurité. Son regard ne quittait pas la fenêtre. Les lanternes de la voiture éclairaient un bout de chemin devant eux, ce qui permettait à Mary d'entrevoir brièvement des détails de la route qu'ils suivaient. Après avoir quitté la gare, ils avaient traversé un petit village et elle avait aperçu des maisons blanchies à la chaux et les lumières d'une auberge. Puis ils étaient passés devant une église et sa cure, et devant la petite vitrine d'une boutique où étaient exposés des jouets, des bonbons et toute sorte d'autres choses. Ensuite, ils avaient emprunté la grand-route, et elle ne vit plus que des haies et des arbres. Pendant un long moment — ou du moins un moment qui lui sembla long — il n'y eut rien d'autre.

Enfin, les chevaux ralentirent, comme s'ils grimpaient une côte, et bientôt, il n'y eut plus ni haies, ni arbres. Mary ne voyait rien en fait, de part et d'autre de la route, qu'une épaisse obscurité. Se penchant en avant, elle colla son visage contre la vitre juste au moment où la voiture faisait une grande embardée.

— Cette fois-ci, nous sommes bel et bien sur la lande, dit Mme Medlock.

Les lanternes de la voiture répandaient une lueur jaune sur une mauvaise route tracée au milieu de broussailles et de plantes basses qui se noyaient dans la nuit noire environnante. Le vent commençait à se lever avec violence, dans un souffle étrangement grave et sauvage.

— Ce n'est pas la mer, n'est-ce pas? dit Mary en se tournant vers sa compagne de voyage.

— Non, ce n'est pas ça, répondit Mme Medlock. Ce ne sont pas des champs non plus, ni des montagnes — seulement des miles et des miles de terre inculte où rien ne pousse, sauf la bruyère, le genêt et les ajoncs. Et rien n'y vit que des poneys sauvages et des moutons.

— On dirait la mer, comme s'il y avait de l'eau partout, dit Mary. Cela fait exactement le même bruit. Ecoutez!

— C'est le vent qui souffle dans les broussailles, fit Mme Medlock. Moi je trouve ça trop sauvage et trop sinistre à mon goût, mais il y a des tas de gens qui aiment ça, surtout quand la bruyère est en fleurs.

Et ils poursuivirent leur route dans la nuit noire. Bien que la pluie eût cessé, le vent continuait de souffler avec violence, sifflant et faisant un bruit étrange. La route montait et descendait, et la voiture franchit plusieurs petits ponts sous lesquels l'eau s'engouffrait à grand bruit. Mary avait l'impression que leur voyage ne devait jamais finir et que la lande était une immense étendue d'eau noire qu'elle traversait sur une longue digue de terre ferme.

— Je n'aime pas ça, mais pas ça du tout, se dit-elle, les lèvres de plus en plus pincées.

Les chevaux étaient en train de gravir une côte lorsqu'elle aperçut enfin une lueur au loin. Mme Medlock la vit en même temps qu'elle et poussa un grand soupir de soulagement.

— Eh bien, cela fait plaisir de voir briller cette petite lumière, s'écria-t-elle. C'est la fenêtre de la maison des gardiens. En tout cas, dans un moment, nous pourrons prendre une bonne tasse de thé.

Ce fut effectivement « dans un moment », comme elle l'avait annoncé, car après avoir franchi les grilles du parc, il y avait encore une avenue longue de deux miles à parcourir. Les arbres qui la bordaient formaient comme une longue voûte sombre dans laquelle ils s'engagèrent.

Sortant de cette voûte, ils pénétrèrent dans un

espace dégagé pour s'arrêter devant une immense demeure longue et basse, qui semblait entourer une cour pavée. Tout d'abord, il sembla à Mary qu'il n'y avait pas la moindre lumière aux fenêtres, mais en descendant de voiture, elle aperçut, au premier étage, une pâle lueur à la fenêtre d'une pièce située à l'angle de la maison.

La porte d'entrée était énorme, avec des panneaux de chêne de forme bizarre, entièrement cloutés et reliés par de larges méplats de fer forgé. Elle donnait sur un hall immense qui était si mal éclairé que Mary n'eut pas du tout envie de jeter un seul coup d'œil aux portraits qui couvraient les murs, ni aux personnages en armure qui se dressaient là. Debout, au milieu de l'entrée dallée, elle avait l'air d'un étrange petit personnage noir et elle se sentait aussi petite et aussi perdue et étrange qu'elle le paraissait.

Un vieil homme maigre, vêtu avec soin, se tenait près du domestique qui leur avait ouvert la porte.

— Vous pouvez la conduire tout de suite dans sa chambre, dit-il d'une voix rauque. Il ne veut pas la voir. Il part demain pour Londres.

— Très bien, monsieur Pitcher, répondit Mme Medlock. Du moment que je sais ce qu'on attend de moi, je peux me débrouiller.

— Ce que l'on attend de vous, madame Med-

lock, c'est que vous fassiez en sorte qu'il ne soit pas dérangé et qu'il ne voie pas ce qu'il ne veut pas voir.

Alors, Mary fut conduite par un grand escalier, puis le long d'un interminable couloir, et il y eut encore quelques marches et un autre couloir et encore un autre, avant qu'elle n'arrive devant la porte d'une pièce où brûlait un feu de cheminée. Un souper l'y attendait.

Mme Medlock lui dit sans cérémonie :

— Eh bien, vous voilà rendue! Vous allez vivre dans cette pièce et dans la chambre à côté — et uniquement là. Surtout ne l'oubliez pas!

Voilà comment Mlle Mary arriva au manoir de Misselthwaite, et jamais de sa vie elle ne s'était sans doute sentie d'humeur aussi chagrine.

CHAPITRE 4

MARTHA

Le lendemain matin, Mary fut réveillée par le bruit que faisait une petite bonne venue dans sa chambre pour allumer le feu. Agenouillée devant la cheminée, elle grattait énergiquement les cendres de la veille. De son lit, Mary l'observa pendant un moment, puis elle laissa errer son regard dans la chambre. Jamais elle n'avait vu une pièce comme celle-ci. Elle la trouva bizarre et sinistre. Les murs étaient recouverts d'une tapisserie brodée représentant un paysage de forêt. On y voyait, sous les arbres, des personnages vêtus d'étrange façon, et, au loin, les tours d'un château fort. Il y avait aussi des chasseurs et des chevaux et des chiens et de belles dames. Mary avait l'impression de se trouver au milieu d'eux, en pleine forêt. Par une fenêtre, percée dans un mur épais, elle voyait un large espace de terrain en pente où il n'y avait apparemment pas d'arbres et qui ressemblait

plutôt à une mer de pourpre infinie et mono-
tone.

— Qu'est-ce que c'est? demanda-t-elle en
montrant du doigt le paysage par la fenêtre.

Martha, la petite bonne, qui venait juste de se
relever, regarda par la fenêtre, et montrant le
paysage à son tour, elle dit :

— Ça, là?

— Oui.

— C'est la lande, lui répondit-elle avec un
large sourire. Cela vous plaît-y?

— Non, fit Mary. Je trouve ça affreux.

— Parce que vous n'y êtes point encore
habituée, lui dit Martha, retournant à son
travail. Vous trouvez ça trop grand et trop
désert. Mais vous allez vous y faire.

— Cela vous plaît, à vous? lui demanda
Mary.

— Pour ça, oui, répondit Martha tout en
nettoyant avec ardeur la grille du foyer. J'adore
ça. Ce n'est jamais complètement désert. Il y
pousse des tas de plantes qui sentent bon, et au
printemps et en été, c'est merveilleux quand la
bruyère et le genêt fleurissent. Tout sent bon le
miel, et on respire un air pur, et puis, le ciel est
si haut, et les abeilles bourdonnent et le chant
des alouettes est si beau. Ah, pour rien au
monde, je ne voudrais vivre loin de ma lande!

Mary l'écoutait, l'air grave et étonné. Les

domestiques indigènes qu'elle avait eus aux Indes ne se conduisaient pas du tout comme cela. Ils étaient obséquieux et serviles, et il ne leur venait pas à l'esprit de s'adresser à leurs maîtres comme à leurs semblables. Ils leur faisaient des courbettes, les appelant « protecteur des pauvres » et autres choses du même style. On ne leur demandait pas de faire les choses, on leur en donnait l'ordre. On n'avait pas l'habitude de leur dire « s'il vous plaît » ou « merci », et Mary, quand elle était en colère, ne se gênait pas pour gifler son ayah. Elle se demanda un instant comment réagirait Martha si on la giflait. La servante avait l'air d'être une brave fille avec ses bonnes joues roses et rebondies ; mais elle avait un air résolu qui laissait à penser qu'elle pourrait bien rendre la gifle si par hasard la personne qui l'avait frappée n'était qu'une petite fille.

Du fond de ses oreillers, Mary lui dit d'un ton hautain :

— Vous faites une curieuse servante.

Martha s'accroupit sur ses talons, la brosse à la main, et éclata de rire sans avoir le moins du monde l'air fâché.

— Ça, je l' sais bien, dit-elle. S'il y avait une dame au manoir, je n'aurais jamais pu devenir ne serait-ce qu'aide-femme de chambre. On m'aurait peut-être engagée comme souillon, mais on ne m'aurait jamais permis de monter à l'étage. J' suis trop simple, et j' parle trop l' patois. Mais ça a beau être grand, c'est une drôle de maison ici. On dirait qu'il n'y a pas de maître, ni de maîtresse, à part M. Pitcher et Mᵐᵉ Medlock. M. Craven, il ne veut pas qu'on le dérange quand il est ici, et il est presque tout le temps parti. Mᵐᵉ Medlock m'a donné la place par pure gentillesse. Elle m'a bien dit qu'elle n'aurait jamais pu le faire si le manoir avait été une grande maison comme les autres.

— Est-ce vous qui allez être à mon service ? demanda Mary, toujours sur le même ton impérieux qu'elle employait naguère aux Indes.

Martha se remit à frotter sa grille.

— J' suis au service de Mme Medlock, fit-elle d'une voix ferme. Et elle travaille pour M. Craven. Mais comme c'est moi qui suis chargée du ménage à l'étage, je m'occuperai aussi un peu de vous. Mais vous n'aurez pas grand besoin de moi.

— Qui va m'habiller? demanda Mary.

Martha, d'étonnement, se rassit sur ses talons, les yeux écarquillés. Sous l'effet de la surprise, elle se mit à parler en patois.

— Pouvions point t' vêtir tout' seule?

— Que dites-vous? Je ne vous comprends pas, fit Mary.

— Ah, j'oubliais, s'excusa Martha. Mme Medlock m'a pourtant bien recommandé de faire attention, sinon vous ne pourriez pas comprendre ce que je raconte. Je voulais dire : « Vous ne savez pas vous habiller toute seule? »

— Non, répondit Mary, indignée. Je ne l'ai jamais fait de ma vie. C'était mon ayah qui m'habillait, évidemment.

— Eh bien, dit Martha sans même se douter de son impudence, il est grand temps d'apprendre. Mieux vaut tard que jamais. Ça ne vous fera pas de mal de ne compter que sur vous. Ma mère s'est toujours demandé comment les enfants de riches ne devenaient pas complètement idiots avec leurs nounous qui les lavent, et les habillent, et les promènent comme des petits chiens.

— Aux Indes, ce n'est pas la même chose, fit Mlle Mary d'un ton dédaigneux.

Elle avait du mal à supporter cela.

Mais Martha ne se laissa pas démonter pour si peu.

— Je m'en rends bien compte, répondit-elle, la plaignant presque. Je suppose que c'est parce qu'il y a tant de Noirs là-bas, et pas des Blancs respectables comme ici. Quand on m'a dit que vous veniez des Indes, j'ai cru que vous étiez noire, vous aussi.

De rage, Mary se dressa sur son lit.

— Comment! s'écria-t-elle. Comment! Vous avez cru que j'étais une indigène! Espèce de fille de porc!

L'air très en colère, Martha la dévisagea.

— Qu'est-ce qui vous prend? dit-elle. Vous n'avez pas besoin de vous vexer pour si peu. En voilà des façons de parler pour une demoiselle! Je n'ai rien contre les Noirs, moi. A l'église, on nous apprend qu'ils sont très pieux. J'ai toujours entendu dire que c'étaient des hommes comme nous, et qu'on devait les considérer comme des frères. Je n'en ai jamais vu, et j'étais drôlement contente à l'idée d'en voir un de près. Quand je suis venue ce matin dans votre chambre, je me suis approchée de votre lit sur la pointe des pieds, et j'ai soulevé tout doucement la couverture pour vous regarder. Et je vous ai vue — j'étais bien déçue — vous n'étiez pas plus noire que moi. Vous êtes jaune comme un coing!

Mary était trop furieuse et trop humiliée pour essayer seulement de se maîtriser.

— Vous avez cru que j'étais une indigène — vous avez osé! Vous ne savez rien des indigènes. Ce ne sont pas des gens — ce sont des domestiques tout juste bons à vous faire des courbettes. Vous ne savez rien des Indes. Vous ne savez rien de rien!

Elle était dans une rage folle et se trouvait complètement désemparée devant le regard fixe de la petite bonne. Elle se sentait aussi tellement seule et loin de tout ce qui lui était familier et dont elle faisait partie qu'elle enfouit sa tête dans les oreillers et éclata en sanglots désespérés.

Elle pleurait si fort que la bonne petite Martha du Yorkshire en éprouva une certaine crainte et même de la peine. Allant jusqu'au lit, elle se pencha sur Mary.

— Voyons, il ne faut pas pleurer comme ça! supplia-t-elle. Ça ne vaut pas la peine. Je ne savais pas que vous alliez vous vexer. Je ne sais rien de rien, c'est vrai, vous avez raison. Je vous demande pardon, mademoiselle. Mais arrêtez de pleurer!

Il y avait quelque chose de réconfortant et de vraiment amical dans ses paroles et ses façons, et cela finit par avoir de l'effet sur Mary. Peu à peu, elle cessa de pleurer et se calma. Martha eut l'air soulagé.

— Maintenant, il faut vous lever, dit-elle. Mme Medlock m'a dit de porter vos repas dans la pièce à côté: On l'a transformée en nursery pour vous. Si vous sortez de votre lit, je vous aiderai à vous habiller. Si les boutons sont dans le dos, vous ne pourrez pas les attacher seule.

Lorsque Mary se décida enfin à se lever, Martha avait sorti de la penderie d'autres vêtements que ceux qu'elle portait la veille.

— Ce ne sont pas mes vêtements, fit remarquer Mary. Les miens sont noirs.

Elle regarda l'épaisse veste de lainage blanc et la robe assortie et ajouta d'un ton approbateur :

— Ils sont plus beaux que les miens.

— C'est ceux-là qu'il faut mettre, répondit Martha. M. Craven a demandé à Mme Medlock de les acheter pour vous à Londres. Il a dit : « Je ne veux pas voir une enfant vêtue de noir errer ici comme une âme en peine. La maison est déjà bien assez triste comme ça », qu'il a dit. « Faites lui porter des vêtements de couleur. » Ma mère, elle a dit qu'elle comprenait ce qu'il voulait dire. Elle comprend toujours tout, ma mère. Elle non plus, elle n'est pas pour le noir.

— Je déteste le noir, dit Mary.

La séance d'habillage leur en apprit à toutes les deux. Martha avait l'habitude d'aider ses

petits frères et sœurs à boutonner leurs vête-ments, mais jamais elle n'avait encore vu une enfant rester complètement immobile, en attendant que l'on fasse les choses à sa place, comme si elle n'avait ni bras, ni mains.

— Pourquoi ne mettez-vous pas vos chaussures toute seule? dit-elle, alors que Mary lui tendait calmement le pied.

— C'était mon ayah qui le faisait, répondit Mary en la regardant, tout étonnée. C'était l'usage.

Elle employa plusieurs fois cette expression : « C'était l'usage ». Les indigènes aussi en usaient souvent. Quand on leur demandait de faire quelque chose que leurs ancêtres n'avaient jamais fait, ils vous regardaient d'un air doux et vous répondaient : « Ce n'est pas l'usage. » Et après cela, tout était dit.

Aux Indes, il n'avait pas été d'usage que Mlle Mary fît autre chose que de rester debout en attendant qu'on l'habillât comme une poupée. Mais, bien avant le petit déjeuner, elle commença à se douter que sa vie au manoir allait lui apprendre toutes sortes de choses entièrement nouvelles pour elle, comme d'enfiler ses bottines et ses bas toute seule, par exemple, et de ramasser les objets qu'elle pourrait laisser tomber. Si Martha avait été une jeune femme de chambre bien stylée, elle aurait été plus soumise et plus respectueuse. Elle aurait su ce que l'on attendait d'elle : brosser les cheveux, boutonner les bottines et ranger les vêtements qui traînaient. Mais elle n'était qu'une petite paysanne du Yorkshire, sans expérience, qui avait passé sa jeunesse dans un cottage sur la lande, avec une nuée de petits frères et sœurs habitués à se débrouiller seuls et à s'occuper des plus petits, ceux qui étaient encore au berceau ou ceux qui commençaient tout juste à trottiner, butant et trébuchant partout.

Si, de son côté, Mary Lennox avait été plus encline à voir le côté comique des choses, elle n'aurait pas manqué de rire de la vivacité des propos de Martha. Mais elle se contentait de l'écouter avec un petit air froid, et s'étonnait de la liberté de ses manières. Au début, elle ne fut pas intéressée par ce que Martha racontait, mais peu à peu, tandis que Martha poursuivait son bavardage avec son habituelle bonhomie, elle se prit à l'écouter attentivement.

— Ah, si vous pouviez les voir, dit-elle. On est douze à la maison, et mon père ne gagne que seize shillings par semaine. Autant vous dire que ma mère a plutôt du mal à leur remplir le ventre. Ils n'arrêtent pas de galoper toute la journée et de jouer sur la lande. Ma mère dit que c'est l'air de la lande qui les engraisse. Elle dit qu'elle est sûre qu'ils mangent la même herbe que les poneys sauvages. Mon frère, Dickon, il a douze ans et il a un petit poney. Il est à lui.

— Où l'a-t-il eu? demanda Mary.

— Il l'a trouvé sur la lande un jour, avec sa mère, quand il était tout petit, et il l'a apprivoisé en lui donnant de petits bouts de pain et des brins d'herbe. Depuis, l'animal est devenu tellement familier qu'il le suit comme un petit chien. Il se laisse monter. Dickon est un brave gars et les bêtes l'aiment bien.

Mary n'avait jamais eu d'animal familier et rêvait d'en posséder un. Ce fut pour cette raison qu'elle se mit à éprouver un certain intérêt pour Dickon, et comme elle ne s'était jamais intéressée à personne d'autre qu'à elle-même, on peut dire que ce fut là la naissance d'un sentiment bénéfique. Lorsqu'elle pénétra dans la pièce que l'on avait aménagée en nursery pour elle, elle découvrit qu'elle ressemblait en tous points à celle où elle avait dormi. Ce n'était pas une chambre d'enfant, mais une chambre d'adulte avec de vieux tableaux tout tristes sur les murs et de vieilles chaises en chêne massif. Au centre de la pièce, il y avait une table, et un petit déjeuner copieux et appétissant l'y attendait. Mais Mary n'avait jamais eu grand appétit, et ce fut avec plus que de l'indifférence qu'elle regarda le premier plat que Martha lui tendait.

— Je n'en veux pas, dit-elle.

— Vous ne voulez pas de porridge! s'exclama Martha qui n'en croyait pas ses oreilles.

— Non.

— Vous ne savez pas comme c'est bon — surtout avec un peu de mélasse ou de sucre.

— Je n'en veux pas, s'obstina Mary.

— Ça alors, dit Martha. Ça me fait mal au cœur de voir gâcher de la bonne nourriture comme ça. Si mes frères et sœurs étaient là, ils n'en laisseraient pas une miette.

— Pourquoi? demanda Mary d'un ton froid.

— Pourquoi? répéta Martha. Parce qu'ils n'ont pas souvent l'occasion de manger à leur faim. Ils sont aussi affamés que de jeunes loups.

— Je ne sais pas ce que c'est que la faim, déclara Mary, avec l'indifférence des ignorants.

Martha avait l'air indigné.

— Eh bien, ça ne vous ferait pas de mal d'apprendre, croyez-moi, dit-elle avec son franc parler. Je n'aime pas beaucoup voir les gens bouder devant une assiette pleine, moi. Ma parole, si Dickon, Phil et Jane pouvaient avoir ça dans le ventre, je serais drôlement contente.

— Pourquoi ne l'emportez-vous pas pour eux? suggéra Mary.

— Cela ne m'appartient pas, répondit Martha d'une voix ferme. Et ce n'est pas mon jour de sortie. Je suis de congé une fois par mois, comme les autres. Ce jour-là, je vais à la maison et je fais le ménage pour que ma mère puisse se reposer un peu.

Mary but un peu de thé et grignota une

tartine grillée avec de la confiture d'oranges.

— Couvrez-vous et sortez jouer dehors, lui dit Martha. Ça vous fera du bien et vous mettra en appétit pour le déjeuner.

Mary regarda par la fenêtre. Il y avait des jardins avec des allées et de grands arbres, mais tout semblait désert et glacé.

— Dehors? A quoi bon sortir par un temps pareil?

— Bon, si vous ne voulez pas sortir, vous pouvez rester à l'intérieur. Mais qu'est-ce que vous allez faire?

Mary jeta un coup d'œil autour d'elle. Il n'y avait rien à faire. En aménageant la nursery, Mᵐᵉ Medlock avait oublié de penser aux jouets. Il valait peut-être mieux sortir et voir comment était le jardin.

— Qui va venir avec moi? demanda Mary.

Martha fit des yeux ronds.

— Vous allez y aller toute seule. Il va falloir apprendre à jouer comme le font les enfants qui n'ont pas de frères, ni de sœurs. Mon frère Dickon passe des journées entières seul sur la lande. C'est comme ça qu'il a apprivoisé son poney. Même les moutons se laissent approcher par lui, et les oiseaux viennent lui picorer jusque dans la main. Même s'il n'a pas grand-chose à manger, il se débrouille toujours pour en garder un peu pour gâter les bêtes.

Ce fut cette allusion à Dickon qui décida Mary à sortir, bien qu'elle n'en eût pas conscience. A défaut de poney ou de mouton, elle verrait des oiseaux dehors. Ce ne serait pas les mêmes qu'aux Indes et elle pourrait s'amuser à les regarder.

Martha alla lui chercher son manteau et un chapeau, ainsi qu'une paire de solides petites bottines. Puis elle lui montra le chemin à prendre pour descendre au jardin.

— Pour y aller, il faut tourner par là, dit-elle en lui montrant une grille dans les massifs. En été, c'est couvert de fleurs, mais pour le moment, tout est mort.

Elle parut hésiter une seconde, puis elle ajouta.

— Un des jardins est condamné, la porte est fermée à clé. Personne n'y est entré depuis dix ans.

Mary ne put s'empêcher de demander :

— Pourquoi?

Encore une porte fermée à clé, à ajouter aux cents autres que contenait l'étrange maison!

— M. Craven l'a condamné lorsque sa femme est morte. Il a défendu à tout le monde d'y aller. C'était son jardin à elle. Il a fermé la porte, a creusé un trou et y a enterré la clé. Mais j'entends la sonnette. C'est M\ue Medlock qui m'appelle. Il faut que je me dépêche.

Quand elle fut partie, Mary emprunta l'allée qui menait à la grille dans les massifs. Elle ne pouvait s'empêcher de penser au jardin où nul n'avait mis les pieds depuis dix ans. Elle se demandait à quoi il pouvait ressembler, et s'il y poussait encore des fleurs. Après avoir traversé les massifs, elle arriva dans de vastes jardins avec de grandes pelouses et des allées sinueuses bordées de gazon bien tondu. Il y avait des arbres, des plates-bandes et des haies aux formes bizarres et un grand bassin avec, en son milieu, un vieux jet d'eau tout gris. Mais les plates-bandes étaient nues et le jet d'eau ne fonction-nait pas. Ce n'était pas le jardin condamné. D'ailleurs, comment un jardin pouvait-il être condamné? On peut toujours entrer dans un jardin.

Elle se faisait cette réflexion lorsqu'elle aper-çut, au bout de l'allée qu'elle suivait, un long mur couvert de lierre. Elle était depuis trop peu de temps en Angleterre pour savoir qu'elle se trouvait devant les jardins potagers où l'on fait pousser les fruits et les légumes. S'approchant du mur, elle y découvrit, au beau milieu du lierre, une porte peinte en vert qui était ouverte. Puisqu'elle pouvait y entrer, ce n'était donc pas là le jardin secret. Elle franchit la porte et se trouva dans un jardin tout entouré de murs. Ce n'était que le premier d'une série d'autres jardins entièrement clos qui semblaient se succéder. Elle aperçut une seconde porte verte qui donnait elle aussi sur un jardin avec des buissons et des allées séparant des carrés de légumes d'hiver. Le long des murs, il y avait des arbres en espalier et certains carrés étaient recouverts de châssis de verre. L'endroit était nu et très laid, pensa Mary en regardant autour d'elle. C'était peut-être agréable en été quand tout était vert, mais à cette époque-ci de l'année, cela manquait totalement de charme.

Au bout d'un moment, un vieil homme, la bêche sur l'épaule, franchit la porte du deuxième jardin. Il fut surpris en apercevant Mary, puis il porta la main à sa casquette. C'était un vieil homme au visage bourru et il ne semblait pas particulièrement enchanté de la voir. Mais Mary n'appréciait pas du tout son jardin et elle arbora son air chagrin coutumier. Elle non plus ne semblait pas enchantée de le rencontrer.

— Qu'est-ce que c'est, ici? demanda-t-elle.

— Le premier potager, répondit-il.

— Et ça, là-bas? dit Mary en désignant ce qu'elle voyait par la seconde porte verte.

— Un deuxième potager, fit-il sèchement. Il y en a encore un autre de l'autre côté du mur, et un verger après celui-là.

— Je peux y aller? demanda Mary.

— Si ça t'amuse. Mais il n'y a rien à voir.

Mary ne répondit pas. Elle poursuivit son chemin le long de l'allée et franchit la seconde porte. Elle se trouva alors entre d'autres murs dans un autre potager avec des carrés de légumes et des châssis, mais sur le mur du fond, il y avait encore une porte peinte en vert, et celle-là était fermée. Peut-être menait-elle au jardin que nul n'avait vu depuis dix ans? Comme Mary n'avait peur de rien et n'en faisait jamais qu'à sa tête, elle s'approcha de la porte verte et en fit tourner la poignée. Elle espérait que la porte allait résister, car elle aurait bien aimé découvrir ce mystérieux jardin — mais la porte s'ouvrit sans peine et Mary la franchit pour se trouver dans un verger. Le verger était également clos de murs couverts d'arbres en espalier et sur l'herbe pauvre de l'hiver, il y avait d'autres arbres fruitiers, complètement nus — mais pas la moindre porte en perspective. Mary chercha. Pourtant, quand elle était arrivée dans la dernière partie du jardin, elle avait remarqué que le mur ne semblait pas s'arrêter au fond du verger, mais continuait au-delà, comme s'il devait enclore un espace de l'autre côté. Par-dessus le mur du fond, elle voyait des arbres. S'arrêtant, elle aperçut un oiseau au jabot rouge vif perché sur la plus haute branche de l'un d'entre eux. Soudain, il se mit à chanter comme s'il venait juste de la remarquer et voulait attirer son attention.

Elle resta sans bouger et l'écouta chanter. Le petit sifflotement amical de l'oiseau lui réchauffa le cœur en quelque sorte. Même une petite fille désagréable peut se sentir seule parfois — et Mary, dans cette grande maison fermée, perdue au milieu de la grande lande, avec ses grands jardins déserts, avait le sentiment d'être le seul être au monde. Si elle avait été une enfant affectueuse, elle en aurait eu le cœur brisé. Mais bien qu'elle ne fût que Mademoiselle Mary

Chagrin, cela ne l'empêchait pas de se sentir triste, et le petit oiseau au jabot rouge parvint presque à faire naître un sourire sur son petit visage ingrat. Elle l'écouta jusqu'à ce qu'il s'envole. Il ne ressemblait pas à un oiseau des Indes et il lui plut. Elle se demanda si elle le reverrait un jour. Peut-être vivait-il dans le jardin mystérieux et en connaissait-il tous les secrets?

C'était sans doute parce qu'elle n'avait rien d'autre à faire, mais elle ne pouvait s'empêcher de songer au jardin condamné. Elle était dévorée de curiosité à ce sujet et voulait savoir comment il était. Pourquoi M. Craven avait-il enfoui la clé sous terre? S'il aimait tant sa femme, pourquoi s'acharner contre son jardin? Elle se demanda si elle verrait un jour son oncle, mais elle était déjà persuadée qu'elle ne l'aimerait pas, et qu'il ne l'aimerait pas non plus. Ce jour-là, elle se contenterait de le regarder sans dire un mot, mourant d'envie au fond d'elle-même de lui demander pourquoi il avait fait une chose aussi étrange.

— Les gens ne m'aiment pas, et moi non plus, je ne les aime pas, se dit-elle. Je ne saurai jamais parler comme les petits Crawford. Ils étaient terriblement bavards et bruyants et n'arrêtaient pas de rire.

Elle se mit à penser au rouge-gorge qui avait

paru ne chanter que pour elle — et se rappelant alors la branche sur laquelle il était perché, elle s'arrêta brusquement au milieu du chemin.

— Je suis sûre que cet arbre se trouve dans le jardin secret — j'en suis persuadée, dit-elle. L'endroit est entouré de murs, et il n'y a pas de porte.

Elle revint sur ses pas et retrouva le vieil homme qui creusait un trou dans le premier potager. S'approchant de lui, elle le regarda pendant un moment de son petit air froid. Comme il ne faisait pas attention à elle, elle se décida à lui parler.

— Je suis allée dans les autres jardins, dit-elle.

— Rien ne t'en empêchait, lui répondit-il d'un ton bourru.

— Je suis entrée au verger.

— Il n'y avait pas de chien à la porte pour te mordre, dit-il.

— Je n'ai pas vu de porte pour aller dans l'autre jardin, poursuivit Mary.

— Quel autre jardin? fit-il d'une voix rude, en s'arrêtant de bêcher.

— Celui qui est de l'autre côté du mur, répondit Mary. J'ai vu des arbres, enfin, juste le haut. Il y avait un oiseau avec un jabot rouge perché sur l'un d'entre eux. Il chantait.

A sa grande surprise, le visage buriné du vieux

bougon se transforma complètement, illuminé soudain par un léger sourire. Le jardinier avait l'air d'un autre homme. Elle se fit alors la réflexion que l'on avait l'air plus aimable quand on souriait. Cela ne lui était jamais venu à l'esprit.

Se tournant vers le verger, le jardinier se mit à siffloter doucement quelques notes graves. Elle n'arrivait pas à comprendre comment un homme aussi bourru était capable de produire un son aussi enchanteur.

Presque aussitôt quelque chose de merveilleux se produisit. Elle entendit un léger bruissement d'ailes — et voilà que l'oiseau au jabot rouge arrivait à tire d'ailes pour se poser sur une motte de terre, juste aux pieds du vieil homme.

— Ah, te v'là, fit-il en gloussant de rire.

Il s'adressait à l'oiseau comme à un enfant.

— Où étais-tu donc passé, petit polisson? dit-il. Je n' t'ai point vu de la journée. Est-ce que par hasard tu aurais déjà commencé à t' chercher une compagne, cette année? Tu n' perds pas de temps!

L'oiseau, inclinant sa petite tête sur le côté, le regardait. Ses yeux noirs, brillants comme la rosée, étaient levés vers lui. Il avait l'air apprivoisé et ne paraissait pas le moins du monde effarouché. Tout en sautillant, il picorait la terre d'un bec alerte à la recherche de graines et d'insectes. Mary en était véritablement tout émue. Il était tellement joli et gai qu'il en avait l'air presque humain. C'était une petite boule toute ronde, avec un bec fin et des pattes toutes menues et fragiles.

— Est-ce qu'il vient chaque fois que vous l'appelez? demanda Mary dans un murmure.

— Pour sûr qu'il vient. Je l' connais depuis qu'il est sorti de l'œuf. Il est né dans le nid qui est dans l'autre jardin. La première fois qu'il s'est envolé et a franchi le mur, il était tellement affaibli qu'il n'a pas pu regagner son nid avant quelques jours. C'est alors qu'on est devenu amis. Quand il a pu repasser de l'autre côté, le reste de la nichée s'était envolé pour de bon, et comme il était tout seul, il est revenu m' voir.

— Quelle sorte d'oiseau est-ce? demanda Mary.

— Tu ne le sais donc pas? C'est un rouge-gorge, et c'est une des races les plus familières qui soient. Ils sont presque aussi fidèles qu'un chien — quand on sait comment les prendre. Regarde-le donc picorer autour de nous. Il nous jette un œil de temps en temps. Il sait bien qu'on parle de lui.

C'était vraiment le plus curieux de spectacles que de voir ce vieux bonhomme contempler avec une fierté mêlée d'affection le petit oiseau au jabot rouge.

— C'est un petit vaniteux, fit-il avec un petit rire. Il aime bien qu'on parle de lui. Et il est curieux — ma parole — mais il n'y a pas plus curieux et plus fureteur que lui. Il vient toujours regarder ce que je suis en train de faire. Il connaît des tas de choses que M. Craven ne cherche même pas à savoir. C'est lui le jardinier en chef, ici, il n'y a pas de doute.

Le rouge-gorge allait et venait, sautillant toujours, picorant le sol d'un air affairé et s'arrêtant de temps à autre pour leur jeter un regard. Mary avait l'impression qu'il la dévorait des yeux, comme s'il cherchait à mieux la connaître. Elle en fut encore plus émue.

— Qu'est devenu le reste de la nichée? demanda-t-elle.

— Impossible de l' savoir. Les parents les poussent hors du nid, et ils s'envolent avant qu'on ait l' temps de s'en apercevoir. Mais, lui, c'est un petit malin, et il savait bien qu'il était seul dans la vie.

Mary s'approcha d'un pas du rouge-gorge et, le regardant droit dans les yeux, elle lui dit :

— Moi aussi, je suis seule.

Jusqu'alors, Mary ignorait que c'était l'une des raisons pour lesquelles elle était toujours désagréable et de mauvaise humeur. Elle en prit conscience en observant le rouge-gorge qui lui rendait son regard.

Le vieux jardinier repoussa sa casquette, découvrant son crâne chauve, et la dévisagea pendant une bonne minute.

— C'est toi, la p'tite qui vient des Indes? lui demanda-t-il.

Mary acquiesça.

— Alors ce n'est pas étonnant que tu sois seule. Et ce n'est pas ici que ça va changer.

Il se remit au travail, enfonçant profondément sa bêche dans la terre grasse et noire du jardin, tandis que le rouge-gorge s'affairait à ses pieds.

— Comment vous appelez-vous? demanda Mary.

Il se redressa pour lui répondre.

— Ben Weatherstaff, dit-il.

Et il ajouta avec un rire amer :

— Moi aussi, je suis seul, sauf quand il vient m' voir.

Et il montra du doigt le rouge-gorge avant de conclure :

— C'est mon seul ami.

— Je n'ai pas d'ami du tout, dit Mary. Je n'en ai jamais eu. Mon ayah ne m'aimait pas et je n'avais jamais personne pour jouer.

Dans le Yorkshire, on a l'habitude de dire carrément et franchement ce que l'on pense, et le vieux Ben Weatherstaff, en bon paysan du cru, n'y manquait pas.

— On s' ressemble un peu, toi et moi, dit-il.

On est bien d' la même race. Tous les deux, aussi laids et aussi teigneux qu'on en a l'air. Et je parierais qu'on a aussi mauvais caractère l'un que l'autre!

C'était la stricte vérité et pour la première fois, Mary Lennox apprenait ce qu'on pensait vraiment d'elle. Aux Indes, les domestiques vous étaient entièrement soumis et vous faisaient des courbettes en toutes circonstances. Mary ne s'était jamais beaucoup souciée de son aspect extérieur, mais elle se demandait si elle était aussi laide que Ben Weatherstaff et si elle avait l'air aussi désagréable que lui, avant que le rouge-gorge ne fasse son apparition. Avait-elle vraiment mauvais caractère? Elle s'inquiétait tout à coup au point de se sentir mal à l'aise.

Soudain, un léger gazouillis la fit se retourner. Elle était à quelques pas d'un petit pommier où le rouge-gorge s'était perché sur l'une des branches et s'était mis à chanter. Ben Weatherstaff éclata de rire.

— Pourquoi chante-t-il? demanda-t-elle.

— Il a décidé de devenir ton ami, répliqua Ben. Que je sois pendu, mais on dirait bien qu'il s'est entiché de toi!

— De moi? dit Mary.

Elle s'avança alors en direction du pommier et regarda en l'air.

— Tu veux bien être mon ami? dit-elle

comme si elle s'adressait à un être humain. Vraiment?

Et elle parlait non pas de sa petite voix dure ou sur le ton impérieux qu'elle employait aux Indes, mais d'une voix si douce, si vibrante et si câline que le jardinier en fut tout surpris, autant que Mary lorsqu'elle l'avait entendu siffler pour appeler le rouge-gorge.

— Dis donc, s'exclama-t-il. Tu as dit ça bien gentiment, comme une vraie p'tite fille et pas comme une vieille femme acariâtre. On aurait dit que c'était Dickon, quand il parle à ses bêtees sauvages sur la lande.

— Vous connaissez Dickon? lui demanda Mary, en se retournant vivement.

— Tout le monde le connaît. Dickon se balade partout. Le moindre buisson de mûres du pays et toute la bruyère de la lande le connaissent. Même les renards lui montrent l'endroit où ils cachent leurs petits, et je suis sûr qu'avec lui, les alouettes n'ont pas peur pour leur nid.

Mary aurait bien aimé en savoir plus. Elle était presque aussi curieuse de connaître Dickon que de découvrir le jardin secret. Mais juste à ce moment-là, le rouge-gorge qui avait fini de chanter s'ébroua, et, étendant les ailes, s'envola. Sa visite était terminée et il avait d'autres choses à faire.

— Il est passé de l'autre côté du mur! s'écria

Mary qui le suivait des yeux. Il a traversé le verger — il a franchi le mur du fond pour aller dans le jardin où il n'y a pas de porte.

— C'est là qu'il niche, dit le vieux Ben. C'est là qu'il est sorti de l'œuf, et si la saison des amours a commencé, il est allé retrouver une p'tite dame rouge-gorge dans les vieux rosiers.

— Les rosiers? fit Mary. Il y a des rosiers?

Reprenant sa bêche, Ben Weatherstaff se remit à l'ouvrage.

— Il y en avait, il y a dix ans.

— J'aimerais bien les voir, dit Mary. Où est la porte de ce jardin? Il doit y en avoir une!

Prenant un air aussi rébarbatif qu'au début de leur rencontre. Ben enfonça profondément sa bêche dans le sol.

— Il y en avait une, il y a dix ans de ça, mais il n'y en a plus maintenant, dit-il.

— Plus de porte? s'écria Mary. Ce n'est pas possible!

— Il n'y en a pas, pour qu'on ne puisse pas y entrer, et ça n' regarde personne. Ne te mêle pas de ce qui te concerne pas et ne va pas fourrer ton nez partout. Bon, il faut que j' travaille, maintenant. Va donc jouer. Je n'ai plus d' temps à perdre.

Et s'arrêtant de creuser, il mit sa bêche sur son épaule et s'en alla sans se retourner, ni même lui dire au revoir.

CHAPITRE 5

UN CRI DANS LE COULOIR

Au début, chaque jour qui passait était pour Mary Lennox exactement semblable au précédent. Le matin, elle se réveillait dans sa chambre, en face de la même tapisserie, pour trouver Martha agenouillée devant la cheminée en train d'allumer son feu. Ensuite, elle prenait son petit déjeuner dans la nursery qui était toujours aussi peu amusante, et après son petit déjeuner, elle allait à la fenêtre et regardait la lande qui semblait s'étendre jusqu'à l'infini pour se perdre dans le ciel. Puis, après l'avoir contemplé un moment, elle sortait, sachant pertinemment qu'en restant à l'intérieur, elle n'aurait rien à faire. Elle ignorait qu'il n'y avait rien de meilleur pour elle que de marcher d'un bon pas, et même de courir le long des sentiers et de parcourir la grande avenue. Cela lui fouettait le sang, et elle prenait des forces en luttant contre le vent qui soufflait de la lande.

Elle courait seulement pour se réchauffer, maudissant ce vent qui lui battait le visage, qui rugissait à ses oreilles et qui la repoussait comme un géant invisible. Mais tout cet air, vif et sain, chargé d'un parfum de bruyère qu'elle respirait à pleins poumons, fortifiait son petit corps malingre, avivait ses joues et donnait de l'éclat à ses yeux ternes sans qu'elle s'en rendît compte.

Après quelques journées passées presque entièrement dehors, elle se réveilla un matin avec la faim. Ce jour-là, au petit déjeuner, elle ne repoussa pas son porridge d'un air dédaigneux, mais saisissant sa cuillère, elle se mit à dévorer le bol tout entier.

— Tiens, on dirait que vous aimez ça, ce matin, dit Martha.

— C'est vraiment bon, fit Mary elle-même un peu surprise.

— C'est l'air de la lande qui vous a ouvert l'appétit, répondit Martha. Encore une chance que vous ayez de quoi vous remplir l'estomac. Chez nous, on est douze à avoir faim; et il n'y a pas toujours de quoi... Si vous continuez à sortir comme ça tous les jours pour jouer dehors, vous allez vite vous remplumer, et vous serez moins jaune.

— Mais je ne joue pas, dit Mary. Je n'ai rien pour jouer.

— Rien pour jouer! s'exclama Martha. Chez

nous, les gosses jouent avec des pierres et des bâtons. Ils passent leur temps à galoper, à crier et à regarder ce qui se passe autour d'eux.

Mary, elle, ne criait pas, mais elle regardait beaucoup autour d'elle. Il n'y avait rien d'autre à faire. Elle faisait et refaisait le tour des jardins et parcourait les allées du parc dans tous les sens. Parfois, elle cherchait à voir Ben Weatherstaff, mais quand elle le rencontrait, il avait l'air très occupé ou de trop mauvaise humeur. Une fois même, alors qu'elle s'avançait vers lui, il avait pris sa bêche et lui avait tourné le dos, comme un fait exprès.

Il y avait un endroit qu'elle fréquentait plus que les autres. C'était la grande allée qui longeait, de l'extérieur, les jardins clos de murs. Elle était bordée de parterres de fleurs et de murs couverts de lierre. Sur une portion du mur, le lierre formait un fouillis de feuilles vertes plus dense et plus fourni, comme si on avait négligé de l'entretenir pendant longtemps. Ailleurs, il était coupé bien soigneusement, alors qu'à cet endroit de l'allée, il n'était pas du tout taillé.

Quelques jours après sa conversation avec Ben Weatherstaff, Mary s'en aperçut et s'en étonna. Elle venait juste de s'arrêter pour se reposer un peu et contemplait une longue branche de lierre qui se balançait au vent, lorsqu'elle aperçut un éclair rouge et entendit un trille mélodieux. Là, perché au sommet du mur, c'était le rouge-gorge de Ben Weatherstaff qui se penchait en avant, sa petite tête inclinée sur le côté, pour mieux la regarder.

— Oh, c'est toi! s'écria-t-elle. C'est bien toi?

Elle trouvait tout naturel de lui parler, persuadée qu'il la comprenait et allait lui répondre.

Et il lui répondit, pépiant, gazouillant et sautillant le long du mur, comme pour lui dire toutes sortes de choses. Mary avait l'impression de comprendre tout ce qu'il lui racontait, bien qu'il n'employât pas de mots. Il avait l'air de dire :

— Bonjour! Tu sens comme l'air est doux? Et le soleil agréable? N'est-ce pas merveilleux? Chantons tous les deux et sautillons gaiement. Allez, allez!

Mary se mit à rire, et comme il sautillait et voletait en haut du mur, elle courut après lui. La pauvre petite Mary, ce malingre laideron au teint jaune, en parut presque jolie l'espace d'un instant.

— Oh! que tu es beau! s'écria-t-elle. Comme tu me plais!

Elle courait le long de l'allée, essayant de l'imiter, voulant siffloter comme lui alors qu'elle en était totalement incapable. Mais le rouge-gorge eut l'air de trouver cela très bien et se remit à chanter pour lui donner la réplique.

Puis, déployant ses ailes, il s'envola comme une flèche pour se percher tout en haut d'un arbre et chanter à tue-tête.

Mary se rappela alors leur première rencontre. Le rouge-gorge se balançait sur une

haute branche. Elle était à ce moment-là dans le verger. Maintenant, elle était à l'extérieur du verger — dans une allée, de l'autre côté d'un mur, bien plus loin — et c'était pourtant le même arbre qu'elle voyait.

— Il doit se trouver dans le jardin où personne n'a le droit d'entrer, se dit-elle. C'est le jardin sans porte. C'est là que le rouge-gorge doit nicher. J'aimerais bien voir à quoi il ressemble, ce jardin!

Elle revint sur ses pas, remontant l'allée jusqu'à la porte peinte en vert qu'elle avait franchie le premier jour. Puis elle courut tout au long du chemin jusqu'à la deuxième porte et pénétra dans le verger. Une fois devant le mur du fond, elle leva les yeux et découvrit... le rouge-gorge qui avait fini sa chanson et commençait à se lisser les plumes.

— C'est le jardin secret, dit-elle. Je suis sûre que c'est là.

Elle fit le tour du verger, examinant soigneusement le mur, mais elle n'y découvrit rien de plus que la fois précédente. Il n'y avait pas de porte. Alors, traversant au pas de course les potagers, elle regagna l'allée extérieure et son long mur couvert de lierre. Elle la parcourut jusqu'au bout, les yeux fixés sur le mur, mais il n'y avait pas la moindre porte. Regardant d'encore plus près, elle revint en arrière — mais il n'y avait toujours pas de porte.

— C'est vraiment bizarre, dit-elle. Ben Weatherstaff m'a bien dit qu'il n'y avait pas de porte, et effectivement, je n'en ai pas trouvé. Mais il devait y en avoir une, il y a dix ans, puisque M. Craven avait la clé et qu'il l'a enterrée.

Elle se posait tellement de questions à ce sujet qui la passionnait qu'elle ne regrettait plus d'être venue au manoir de Misselthwaite. Aux Indes, il faisait toujours trop chaud pour elle et elle n'avait pas le courage de s'intéresser à quoi que ce soit, alors qu'ici, l'air vivifiant de la lande commençait à l'éveiller et à lui clarifier les idées.

Elle restait presque toute la journée dehors et le soir, au dîner, elle avait faim et sommeil et se sentait bien. Elle ne se fâchait plus quand Martha bavardait à n'en plus finir, et commençait même à apprécier ses histoires. Un soir, elle se décida enfin à lui poser une question qui lui brûlait les lèvres. Après le dîner, elle s'assit sur le tapis devant la cheminée et lui demanda :

— Pourquoi M. Craven déteste-t-il le jardin?

Elle s'était arrangée pour que Martha reste avec elle, et cette dernière ne s'était pas fait prier. La petite bonne était très jeune et avait toujours vécu avec ses frères et sœurs, entassés dans leur petite maison. Elle s'ennuyait à l'office du rez-de-chaussée, où le valet de pied et les femmes de chambres se moquaient d'elle et de son accent du Yorkshire. Ils la considéraient comme la dernière roue du carrosse et préféraient parler entre eux à voix basse. Martha était bavarde et l'étrange fillette qui avait vécu aux

Indes, élevée par des « Noirs », était un sujet suffisamment nouveau pour la passionner.

Sans attendre qu'on l'y invite, elle s'assit devant le foyer.

— Vous pensez toujours à ce fameux jardin? dit-elle. Je savais que ça se passerait comme ça. Exactement comme pour moi, quand j'en ai entendu parler pour la première fois.

— Pourquoi le déteste-t-il tant? insista Mary.

Martha, glissant ses pieds sous elle, se mit à son aise.

— Ecoutez le vent qui mugit autour de la maison, dit-elle. Vous pourriez à peine tenir sur vos jambes si vous sortiez ce soir sur la lande.

Mary ne voyait pas très bien ce que Martha voulait dire par mugir. Mais, tendant l'oreille, elle ne tarda pas à comprendre. Il y avait comme un grondement sourd à vous donner le frisson, qui enveloppait toute la maison, comme si un géant invisible cherchait par tous les moyens à y pénétrer, s'acharnant contre les murs et les fenêtres, les battant, les secouant. Mais on savait que le géant ne pouvait pas entrer et cela était réconfortant et permettait d'apprécier mieux encore la chaleur et la sécurité de la pièce et de son bon feu de braises.

— Mais pourquoi le déteste-t-il tant? répéta Mary, après un moment de silence.

Si Martha savait, Mary voulait savoir aussi.

Martha se décida alors à dire ce qu'elle savait.

— Vous savez, dit-elle, Mme Medlock ne veut pas qu'on en parle. Il y a pas mal de choses ici dont on ne doit pas parler. Ce sont les ordres de M. Craven. Ses ennuis ne regardent pas les domestiques, qu'il dit. C'est à cause du jardin qu'il est comme ça. C'était le jardin de Mme Craven qu'elle avait planté quand ils se sont mariés, et elle l'adorait. Ils s'occupaient eux-mêmes des fleurs et les jardiniers n'avaient pas le droit d'y entrer. Lui et elle, ils y allaient souvent. Ils fermaient la porte et y restaient des heures à lire et à causer. Elle, c'était une toute petite femme et il y avait un vieil arbre avec une branche recourbée qui formait comme un banc. Elle y avait mis des rosiers qui grimpaient dessus, et elle aimait bien s'asseoir là. Mais un jour qu'elle s'y était assise, la branche s'est cassée, et elle est tombée par terre. Elle s'est fait tellement mal que le lendemain, elle est morte. Les docteurs ont cru que M. Craven allait devenir fou et mourir lui aussi. Voilà pourquoi il déteste tant le jardin. Depuis, personne n'y est allé et il ne veut pas qu'on en parle.

Mary ne posa pas d'autres questions. Elle regardait le feu et écoutait le vent « mugir ». Il semblait gronder plus fort que jamais.

Ce qui lui arrivait à cet instant précis était une très bonne chose. En fait, depuis qu'elle était au manoir, quatre bonnes choses lui étaient arrivées. Elle avait eu le sentiment de se faire comprendre d'un rouge-gorge et de le comprendre à son tour. Ses longues courses dans le vent lui avaient réchauffé le sang. Pour la première fois de sa vie, elle avait eu une faim de loup. Et maintenant, elle venait de découvrir qu'on pouvait éprouver de la peine pour les autres. Elle faisait des progrès.

Mais alors qu'elle écoutait le vent, elle perçut un autre son. Elle n'arrivait pas à savoir exactement ce dont il s'agissait, car au début, il était difficile de le distinguer du vent. C'était un bruit curieux comme un cri d'enfant pleurant au loin. Parfois, il arrive que le vent gémisse comme un enfant qui pleure. Mais au bout d'un moment, Mary eut la certitude que le bruit venait de l'intérieur de la maison même et non pas de l'extérieur. Il lui parvenait de loin, mais bien de l'intérieur. Se retournant, elle regarda Martha.

— Vous n'entendez pas quelqu'un pleurer? dit-elle.

Tout à coup, Martha eut l'air gêné.

— Non, répondit-elle. C'est le vent. Parfois, on croirait entendre gémir quelqu'un qui serait perdu sur la lande. Le vent fait toutes sortes de bruits.

— Mais écoutez bien, dit Mary. C'est dans

la maison, au bout d'un des grands couloirs.

Et juste à ce moment-là, quelqu'un avait dû ouvrir une porte en bas, car un violent courant d'air balaya le couloir et vint ouvrir la porte de leur chambre dans un grand craquement. Alors que d'un bond, elles se levaient toutes les deux, les lampes s'éteignirent et le bruit de pleurs qui venait du couloir se fit entendre encore plus nettement.

— Vous voyez bien! dit Mary. Je vous l'avais bien dit. Il y a quelqu'un qui pleure — et ce n'est pas une grande personne.

Martha courut jusqu'à la porte et tourna la clé dans la serrure. Mais auparavant, elles avaient eu toutes les deux le temps d'entendre une porte claquer violemment dans un coin éloigné de la maison. Puis le calme revint, et le vent cessa lui aussi de gémir pendant un moment.

— C'était le vent, dit Martha, l'air buté. Sinon, ça doit être la petite bonne qui fait la vaisselle, Betty Butterworth. Elle a eu mal aux dents toute la journée, aujourd'hui.

Mais elle avait l'air gêné et troublé. Mary la dévisagea longuement. Elle ne croyait pas un mot de ce que Martha venait de lui dire.

CHAPITRE 6

« J'AI ENTENDU PLEURER QUELQU'UN, J'EN SUIS SÛRE »

Le lendemain, il pleuvait à torrents, et par la fenêtre, Mary vit que la lande était presque cachée sous la brume et les nuages gris. Pas question de mettre un pied dehors, aujourd'hui.

— Que faites-vous, chez vous, quand il pleut comme ça? demanda-t-elle à Martha.

— On essaie surtout de ne pas se marcher sur les pieds, lui répondit la petite bonne. On est toujours de trop, dans ces cas-là. Ma mère a bon caractère, mais elle s'emporte facilement. Les plus grands vont jouer dans l'étable. Dickon, lui, se moque du mauvais temps. Il sort comme s'il faisait beau. Il dit qu'il voit des choses, quand il pleut, qu'on ne peut pas voir par beau temps. Un jour, il a même découvert un petit renard, à moitié noyé dans son trou, et il l'a rapporté à la maison, bien au chaud sous sa chemise. Sa mère avait été tuée pas loin de là. Le terrier était plein d'eau, et les autres petits

étaient morts. Maintenant, il le garde à la maison. Une autre fois, c'est un petit corbeau qu'il a trouvé à moitié noyé. Il l'a aussi rapporté à la maison et il l'a apprivoisé. On l'a appelé « Suie » parce qu'il est tout noir. Depuis, il accompagne Dickon partout où il va.

Pour Mary, il n'était plus question de s'irriter des propos familiers de Martha. Elle commençait même à s'y intéresser et elle regrettait de la voir s'interrompre ou partir. Les histoires que lui racontait son ayah, quand elle vivait aux Indes, n'avaient rien à voir avec celles de Martha, qui lui décrivait sa vie dans sa petite maison sur la lande, avec ses quatorze habitants toujours affamés, entassés dans leurs quatre pièces minuscules. Les enfants étaient turbulents comme de jeunes chiots, incapables de rester en place et toujours prêts à s'amuser. Mais la mère et Dickon étaient ceux que Mary préférait. Tout ce que Martha racontait sur eux était réconfortant.

— Si j'avais un petit renard, ou un corbeau, je pourrais jouer avec eux, dit Mary. Moi, je n'ai rien pour m'amuser.

Martha était perplexe.

— Vous ne savez pas tricoter? demanda-t-elle.

— Non, répondit Mary.

— Vous ne savez pas coudre?

— Non.

— Et lire?

— Si.

— Alors, pourquoi ne pas prendre un livre ou apprendre un peu d'orthographe? C'est de votre âge.

— Je n'ai pas de livres, ici, dit Mary. J'ai laissé les miens aux Indes.

— Quel dommage! fit Martha. Si Mme Medlock le permet, vous pourriez aller dans la bibliothèque. Il y a des milliers de livres, là-bas.

Prise d'une inspiration subite, Mary ne demanda même pas où se trouvait la bibliothèque. Elle venait de décider de partir seule à la découverte. Elle n'avait pas peur de Mme Medlock qui, par ailleurs, passait le plus clair de son temps confortablement installée dans son petit salon du rez-de-chaussée. Dans cette maison étrange, on ne rencontrait pratiquement jamais personne. En fait, il n'y avait que des domestiques, et quand le maître était absent, ils menaient grande vie à l'étage inférieur. Ils se tenaient soit dans la cuisine qui était immense et dont les murs étaient couverts d'une batterie rutilante en cuivre et en étain, soit à l'office. Là, on leur servait quatre à cinq copieux repas par jour, dans une atmosphère animée et très détendue, quand Mme Medlock n'était pas dans les parages.

Les repas de Mary étaient servis à heure régulière et c'était Martha qui les lui apportait, mais personne ne faisait attention à elle le moins du monde. Mme Medlock venait bien la voir un jour sur deux, mais personne ne se souciait de ce que Mary pouvait bien faire, ni ne lui disait de faire quoi que ce soit. Mary supposa que c'était probablement ainsi qu'on élevait les enfants en Angleterre. Aux Indes, elle avait toujours eu, pour s'occuper d'elle, son ayah qui la suivait pas à pas, l'accompagnant partout. Cela l'ennuyait souvent, d'ailleurs. Ici, personne ne la suivait, et elle apprenait à s'habiller toute seule, car Martha avait l'air de la trouver ridicule et même stupide quand elle voulait se faire habiller sans bouger le petit doigt.

— Où avez-vous donc la tête? lui dit-elle un jour, alors que Mary attendait qu'elle lui enfilât ses gants. Ma petite sœur Susan Ann est deux fois plus adroite que vous, et elle n'a jamais que quatre ans! Parfois je me demande ce que vous avez dans le crâne!

A la suite de cela, Mary avait arboré son air chagrin pendant une bonne heure, mais l'incident lui donna à réfléchir.

Cela faisait dix bonnes minutes qu'elle regardait par la fenêtre ce matin-là, et Martha, ayant fini de nettoyer l'âtre, était descendue au rez-de-chaussée. Elle repensa à l'idée qui lui était venue quand Martha lui avait parlé de la bibliothèque. Ce n'était pas tant la bibliothèque qui l'intéressait, car elle n'avait jamais beaucoup lu, mais cela lui remit en mémoire les cent pièces aux portes closes. Etaient-elles vraiment fermées à clé, se demanda-t-elle. N'était-il pas possible d'en voir une ou deux? Est-ce qu'il y en avait vraiment cent? Pourquoi ne pas aller voir et compter toutes les portes? Cela occuperait sa matinée, puisqu'elle ne pouvait pas sortir. On ne lui avait jamais dit qu'il fallait demander la permission avant d'entreprendre quoi que ce soit, et elle ignorait totalement ce que c'était que l'autorité. Même si elle avait vu Mme Medlock ce jour-là, elle n'aurait pas cru nécessaire de lui demander si elle pouvait visiter la maison.

Elle ouvrit la porte de sa chambre et sortit dans le couloir, puis elle partit à l'aventure. C'était un long couloir qui se divisait en plusieurs branches, et chaque branche donnait sur un petit escalier qui menait à d'autres couloirs encore. Il y avait une multitude de portes, et un grand nombre de tableaux accrochés aux murs. Parfois, ils représentaient des paysages sombres et étranges, mais la plupart du temps, c'était des portraits de personnages en costumes de velours ou de satin, étonnants de splendeur. Mary se retrouva dans une immense galerie dont les murs étaient tapissés de portraits. Jamais elle n'aurait cru qu'il pût y en avoir tant dans une maison. Marchant d'un pas lent, elle contempla tous ces visages qui avaient l'air de la regarder. Elle avait l'impression qu'ils se demandaient ce qu'une petite fille venue des Indes pouvait bien faire là. Il y avait des portraits d'enfants — des petites filles en robes de satin qui leur couvraient les pieds, et des petits garçons aux cheveux longs avec des cols de dentelle et des manches à gigot, et parfois même avec d'énormes collerettes empesées. Elle s'arrêta devant tous les portraits d'enfants, se demandant comment ils s'appelaient et ce qu'ils étaient devenus, et pourquoi ils étaient habillés de façon si étrange. Il y avait une petite fille à l'air ingrat et buté qui lui ressemblait un peu. Elle portait une robe de brocart vert et un perroquet se tenait perché sur sa main. Elle avait un étrange regard perçant.

— Où es-tu maintenant? lui dit Mary à voix haute. J'aimerais bien que tu habites ici.

Peu de fillettes pourraient se vanter d'avoir passé une matinée aussi surprenante que Mary. Il lui semblait qu'elle était seule à errer dans les dédales de l'immense demeure, grimpant et descendant les escaliers, traversant des réduits pour gagner de larges espaces où elle avait l'impression d'être la première à pénétrer. Pour qu'elle ait autant de pièces, il devait y avoir eu beaucoup de monde dans cette maison, mais tout avait l'air si vide que Mary n'arrivait pas à le croire.

Ce ne fut pas avant d'avoir atteint le deuxième étage que Mary eut l'idée de tourner une poignée de porte. Toutes les portes étaient fermées à clé, avait dit Mme Medlock, mais elle finit par se décider à poser la main sur une poignée et à la tourner. Ne sentant aucune résistance et voyant la porte s'ouvrir tout doucement sous la poussée, elle eut un moment de frayeur. C'était une porte massive qui donnait sur une grande chambre à coucher. Il y avait des tentures brodées aux murs, et des meubles avec des incrustations, comme aux Indes. Une large fenêtre avec des carreaux sertis de plomb donnait sur la lande; et au-dessus de la cheminée, Mary vit un autre portrait de la petite fille à l'air buté et revêche qui semblait la regarder avec plus de curiosité que jamais.

— Peut-être a-t-elle dormi dans cette chambre? se dit Mary. Elle me regarde d'un tel air qu'elle me met mal à l'aise.

Ensuite, elle ouvrit d'autres portes, et encore d'autres. Elle vit tant de pièces qu'elle finit par se sentir fatiguée et se mit à penser qu'il devait vraiment y en avoir cent, bien qu'elle ne les eût pas comptées. Dans toutes les pièces, il y avait soit de vieux tableaux, soit des tapisseries représentant des scènes étranges. Presque toutes étaient meublées et décorées d'une façon bizarre.

Dans une des pièces qui ressemblait à un boudoir, les tentures étaient en velours brodé, et il y avait une vitrine qui contenait une collection d'une centaine de petits éléphants en ivoire. Ils étaient tous de taille différente. Certains étaient avec leur cornac ou portaient des palanquins. Quelques-uns étaient bien plus grands que les autres et il y en avait aussi de minuscules. Mary avait déjà vu des sculptures en ivoire aux Indes et elle connaissait bien les éléphants. Elle ouvrit la porte de la vitrine et, juchée sur un tabouret, elle joua longtemps avec eux. Quand elle en eut assez, elle les remit soigneusement en place avant de refermer la vitrine.

Au cours de son exploration, elle n'avait pas rencontré âme qui vive dans les grands couloirs et les pièces désertes, sauf dans cette chambre-là. Juste après avoir refermé la porte de la vitrine, elle entendit un petit bruit. Elle sursauta et s'en fut regarder autour du divan, près de la cheminée d'où semblait venir le bruit. Il y avait un coussin dans le coin du divan, et dans le velours qui le recouvrait, on pouvait voir un trou par lequel passait une minuscule petite tête avec une paire d'yeux tout effrayés.

Mary s'approcha sur la pointe des pieds pour mieux voir. C'était une petite souris grise qui avait fait son trou dans le coussin et s'y était confortablement installée avec ses six petits qui dormaient tout près d'elle. Si les cent pièces de la maison étaient complètement désertes, il y avait ici sept souris qui n'avaient pas l'air de s'ennuyer du tout.

— Je les emporterais bien avec moi, se dit Mary. Mais j'ai peur de les effrayer.

Depuis le temps qu'elle parcourait la maison, Mary commençait à se sentir fatiguée et n'avait plus envie de poursuivre son exploration. Aussi revint-elle sur ses pas. Deux ou trois fois, elle se perdit en route, se trompant de couloir, et elle dut errer de droite à gauche avant de retrouver

la bonne direction. Enfin, elle parvint à son étage, mais elle n'était pas encore arrivée à sa chambre et ne savait plus très bien où elle se trouvait.

— Je crois que j'ai dû me tromper encore une fois, se dit-elle alors qu'elle était dans un petit passage aux murs couverts de tentures. Je ne sais plus de quel côté il faut que je tourne. Comme tout est calme!

Elle venait juste de prononcer ces paroles lorsqu'un bruit soudain brisa le silence. Encore une fois, c'était un cri — mais qui ne ressemblait pas tout à fait à celui qu'elle avait entendu la nuit précédente. C'était un sanglot d'enfant assourdi par les cloisons.

— Ça vient de tout près, dit Mary, dont le cœur battait de plus en plus vite, et je suis sûre que ce sont des pleurs.

Appuyant la main par hasard sur la tenture murale, elle fit un bond en arrière, saisie de surprise. La tapisserie dissimulait une porte qui venait de s'ouvrir, laissant voir un bout de couloir d'où surgit Mme Medlock, un trousseau de clés à la main, l'air très en colère.

— Qu'est-ce que vous faites ici? dit-elle.

Saisissant Mary par le bras, elle la poussa devant elle, et ajouta :

— Qu'est-ce que je vous avais dit?

— Je me suis trompée de chemin, expliqua

Mary. Je ne savais pas de quel côté aller et j'ai entendu quelqu'un pleurer.

Mary détestait déjà Mme Medlock, mais dans la minute qui suivit, elle la détesta plus que jamais.

— Vous n'avez rien entendu de la sorte, dit Mme Medlock. Maintenant, vous allez me faire le plaisir de retourner dans votre chambre, ou je vous tire les oreilles.

Et la prenant par le bras, l'entraînant, la poussant d'un couloir à l'autre, elle la ramena jusqu'à la porte de sa chambre.

— Et maintenant, fit-elle, vous allez rester là où on vous dit de rester, ou bien je vous bouclerai dans votre chambre. Votre oncle ferait bien de vous trouver une gouvernante, comme il l'a dit. Vous êtes du genre à avoir besoin d'être surveillée, et de près. J'ai déjà bien assez à faire comme ça.

Et claquant la porte derrière elle, elle quitta la pièce. Mary alla s'asseoir devant le feu, pâle de rage. Elle ne pleurait pas, mais grinçait des dents.

— J'ai entendu quelqu'un pleurer, j'en suis sûre. J'en suis sûre! répétait-elle.

Cela faisait deux fois qu'elle l'entendait, et un jour, elle saurait la vérité. Elle avait déjà découvert pas mal de choses, ce matin. Elle avait l'impression d'avoir fait un long voyage et, au moins, elle n'avait pas eu le temps de s'ennuyer en jouant avec les éléphants d'ivoire et en découvrant la petite souris grise et toute sa famille nichées dans le coussin de velours.

CHAPITRE 7

LA CLÉ DU JARDIN

Deux jours après, en ouvrant les yeux, Mary se dressa aussitôt sur son lit et appela Martha.

— Regardez la lande! Vous avez vu?

La pluie s'était enfin arrêtée, et pendant la nuit, le vent avait chassé la brume grise et les nuages. Le vent était tombé et le ciel formait une immense voûte d'un bleu intense au-dessus de la lande. Jamais, au grand jamais, Mary n'avait rêvé d'un ciel aussi bleu. Aux Indes, le ciel était toujours aveuglant et faisait mal aux yeux. Ici, il était d'un bleu intense et frais et ressemblait à un lac étincelant aux eaux profondes, avec de-ci de-là quelques nuages d'un blanc de neige qui flottaient très haut. L'immense étendue de la lande en prenait une teinte légèrement bleutée qui changeait du pourpre sombre et du gris sinistre des jours précédents.

— Ben oui, dit Martha avec un large sourire. La tempête est passée. C'est comme ça à cette époque de l'année. En une nuit, le mauvais temps nous quitte comme s'il n'avait pas l'intention de revenir, ou comme si on ne l'avait jamais vu. C'est parce que le printemps arrive. On n'y est pas encore, mais ça ne saurait tarder.

— Je croyais qu'il faisait toujours mauvais en Angleterre, dit Mary.

— Oh que non! répondit Martha en s'accroupissant au milieu de ses brosses métalliques. C'étions point vrai!

— Qu'est-ce que cela veut dire? demanda Mary, l'air sérieux.

Aux Indes, les indigènes parlaient différents dialectes et peu de gens étaient en mesure de les comprendre tous ; aussi Mary n'était-elle pas étonnée d'entendre Martha utiliser des mots qu'elle ne connaissait pas.

Martha éclata de rire, comme au premier jour.

— Voilà que je m' remets à parler patois, dit-elle. Mme Medlock me l'a pourtant bien interdit.

Et elle lui expliqua alors posément :

— « C'étions point vrai », ça veut dire : « Il n'en est rien ». Mais pour moi, c'est plus facile à dire. Quand il fait beau dans le Yorkshire, alors il fait vraiment beau. Je vous avais bien dit que vous finiriez par aimer la lande. Attendez donc de voir les genêts fleurir comme de gros bouquets d'or, et les ajoncs, et toutes les petites clochettes mauves de la bruyère en fleurs, avec des centaines de papillons qui s'en viennent butiner, et les abeilles qui bourdonnent, et les alouettes qui chantent tout là-haut dans le ciel. A ce moment-là, vous aurez envie de vous lever à l'aube et de passer vos journées dehors, comme Dickon.

— Est-ce que je pourrai aller là-bas, un jour? demanda Mary qui regardait, l'air songeur, le ciel tout bleu par la fenêtre.

Ce bleu céleste était un spectacle si neuf, si merveilleux et si grandiose!

— Je ne sais pas, répondit Martha. J'ai l'impression que vous ne vous êtes guère servie de vos jambes depuis votre naissance. Vous ne seriez pas capable de faire cinq miles à pieds, et notre cottage est à cinq miles de marche.

— J'aimerais bien y aller.

Martha la dévisagea un moment, l'air étonné, avant de reprendre sa brosse à polir pour faire briller la grille. Elle se disait que la petite figure ingrate de Mary avait maintenant l'air moins revêche qu'au premier jour. Elle ressemblait un peu à sa petite sœur, Susan Ann, quand elle avait très envie de quelque chose.

— J'en parlerai à ma mère, dit-elle. Elle a toujours de bonnes idées. Aujourd'hui, c'est mon jour de sortie et je vais à la maison. Ah, je suis bien contente! Mme Medlock pense beaucoup de bien de ma mère. Peut-être qu'elle pourrait lui en parler.

— J'aime bien votre mère, dit Mary.

— Ça ne m'étonne pas, acquiesça Martha, toute à son ouvrage.

— Pourtant, je ne l'ai jamais vue, fit remarquer Mary.

— C'est vrai, répondit Martha.

Elle se rassit sur ses talons et se frotta le bout du nez du dos de la main, comme si cela la rendait perplexe, puis elle finit par conclure d'un ton très sûr :

— Faut dire qu'elle est de bon conseil, et courageuse, et honnête, et propre. C'est pour ça que tout le monde l'aime, même ceux qui ne l'ont jamais vue. Quand je rentre la voir à la maison, je ne peux pas m'empêcher de sauter de joie tout au long du chemin, à travers la lande.

— J'aime bien Dickon, ajouta Mary, et je ne l'ai jamais vu, lui non plus.

— Vous voyez, dit Martha d'une voix ferme. Je vous avais bien dit que même les oiseaux l'aimaient, et les lapins, et les moutons, et les poneys sauvages, sans parler des renards.

Et elle ajouta, en la dévisageant d'un air songeur :

— Je me demande ce qu'il penserait de vous.

— Je suis sûre qu'il ne m'aimerait pas, fit Mary sur le petit ton froid qu'il lui arrivait souvent de prendre. Personne ne m'aime, en fait.

Martha eut à nouveau l'air songeur.

— Et vous, est-ce que vous vous aimez? demanda-t-elle à Mary comme si cela l'intéressait vraiment.

Mary eut un moment d'hésitation et prit le temps de réfléchir.

— Pour être franche, pas du tout, finit-elle par répondre, mais je n'y avais pas songé auparavant.

Martha eut un léger sourire, comme si elle se rappelait tout à coup une anecdote personnelle.

— Un jour, raconta-t-elle, ma mère m'a posé cette question. Elle faisait la lessive, et moi, j'étais de mauvaise humeur et je disais du mal des autres. Alors, elle s'est tournée vers moi et elle m'a dit : « Regardez-moi cette petite teigne. Ecoutez-moi ça... Et je n'aime pas Untel, et celui-là non plus. Est-ce que tu t'aimes, toi? » Ça m'a fait rire et m'a remis la tête à l'endroit en un rien de temps.

Sur ce, Martha s'en fut d'un pas joyeux, tout de suite après avoir servi son petit déjeuner à Mary. Elle allait faire cinq miles à pied à travers la lande pour aller chez elle, aider sa mère à faire la lessive et à cuire le pain de toute la semaine, tout cela dans la joie et la bonne humeur.

Mary se sentit plus seule que jamais quand

elle se rendit compte que Martha n'était plus dans la maison. Très vite, elle se rendit dans les jardins, et, pour commencer, elle fit dix fois le tour du bassin, en comptant les tours. Après cela, elle se sentit mieux. Tout avait un aspect différent sous le soleil. L'immense voûte bleue du ciel recouvrait Misselthwaite et la lande tout entière. Mary levait sans cesse les yeux au ciel. Elle essayait d'imaginer ce que l'on ressentait si on pouvait flotter sur un de ces petits nuages blancs. Elle gagna le premier potager où elle trouva Ben Weatherstaff en train de travailler avec deux autres jardiniers. Le changement de temps avait l'air de lui réussir. Il lui adressa la parole de son propre chef.

— V'là le printemps, fit-il. Tu ne sens rien?

Mary renifla avant d'acquiescer.

— Ça sent bon le frais et l'humidité, dit-elle.

— C'est une bonne odeur de terre grasse, répondit-il tout en bêchant. Voilà une terre qui est toute prête à faire pousser les plantes. Elle est toute contente quand c'est le moment de planter. L'hiver, c'est triste pour elle, il n'y a rien à faire. Dans le jardin aux fleurs, il y a des tas de choses qui commencent à germer là-dessous, dans le noir. C'est le soleil qui les réchauffe. Bientôt, tu pourras voir, dans tous les coins, des petites pousses vertes pointer sur la terre noire.

— Qu'est-ce que ce sera comme fleurs? demanda Mary.

— Des crocus, et des jonquilles, et des perce-neige. Tu n'en as jamais vu?

— Non. Aux Indes, il fait trop chaud et trop humide après la saison des pluies, dit Mary. Et les plantes poussent en une seule nuit.

— Pas ici — ce n'est pas le cas, fit Ben Weatherstaff. Tu auras le temps de les voir pousser. Un jour, ça perce ici, et puis, ça pousse un brin, et le lendemain, une feuille apparaît. Tu verras.

— J'espère bien, répondit Mary.

C'est alors qu'elle entendit un léger bruissement d'ailes. Elle sut tout de suite qu'il s'agissait du rouge-gorge. Il était tout guilleret et plein de vie, et sautillait à ses pieds, la tête penchée sur le côté, lui jetant des regards si timides qu'elle demanda à Ben Weatherstaff :

— Croyez-vous qu'il se souvient de moi?

— S'il se souvient de toi? s'indigna le vieil homme. Lui qui connaît le moindre trognon de choux du jardin, sans parler des gens! C'est la première fois qu'il voit une petite fille, ici; alors, il est en train de faire sa petite enquête sur toi. Inutile d'essayer de lui cacher quoi que ce soit!

— Est-ce qu'il y a aussi des fleurs qui poussent dans ce jardin où le rouge-gorge a son nid? demanda Mary.

— Quel jardin? grogna Ben Weatherstaff, reprenant un air bougon.

— Celui où il y a de vieux rosiers.

Et Mary ne put s'empêcher de poser la question, car elle mourait d'envie de savoir :

— Est-ce que vous croyez que toutes les fleurs sont mortes, là-bas, ou bien est-ce qu'il y en a qui poussent encore en été? Est-ce qu'il y a toujours des roses?

— C'est à lui qu'il faut le demander, dit le vieux jardinier en montrant le rouge-gorge d'un mouvement d'épaule. Il est le seul à savoir. Cela fait dix ans que personne n'a mis les pieds là-bas.

Dix ans, cela fait longtemps, pensa Mary. Il y avait dix ans qu'elle était née.

Plongée dans ses réflexions, elle se mit à marcher d'un pas lent. Elle avait commencé à aimer le jardin condamné en même temps que le rouge-gorge, Dickon et la mère de Martha. Elle aimait aussi Martha, maintenant. Cela faisait beaucoup de monde à aimer pour quelqu'un qui n'avait pas l'habitude d'aimer qui que ce soit. Pour elle, le rouge-gorge comptait comme une personne. Elle fit sa promenade habituelle le long du grand mur couvert de lierre, derrière lequel elle apercevait la cime des arbres. A son deuxième passage, il se produisit un événement des plus extraordinaires et cela, grâce au rouge-gorge de Ben Weatherstaff.

Entendant des pépiements et un léger gazouillis, elle regarda sur sa gauche la plate-bande dénudée et l'y découvrit qui sautillait de-ci de-là, faisant semblant de picorer comme pour lui faire croire qu'il ne l'avait pas suivie. Mais elle était persuadée du contraire, et c'était une surprise si agréable qu'elle en tremblait presque.

— Alors, tu me reconnais? s'écria-t-elle. C'est bien vrai? Tu es le plus bel oiseau du monde!

Elle en gazouillait, lui parlant d'une voix câline, et lui sautillait toujours, remuait la queue et sifflotait. Il donnait l'impression de parler.

Son jabot rouge brillait comme du satin, et il bombait le torse, l'air si vif, si resplendissant et si beau qu'on aurait cru qu'il voulait lui prouver qu'un rouge-gorge peut avoir autant d'importance qu'un homme. Mlle Mary en oubliait toutes ses humeurs chagrines tandis qu'il la laissait s'approcher de plus en plus et se pencher pour lui parler en langage rouge-gorge.

C'était donc possible qu'il la laisse venir si près de lui! Il savait bien que, pour rien au monde, elle n'aurait osé porter la main sur lui ou faire quoi que ce soit qui puisse l'effrayer. S'il le savait, c'était qu'il était comme un être humain, oui, l'être le plus gentil de toute la création. Elle était si heureuse qu'elle osait à peine respirer.

La plate-bande n'était pas complètement nue. Il n'y avait pas de fleurs à cette époque-ci de l'année, car on avait coupé les plantes vivaces pour l'hiver, mais il restait des arbustes de toutes tailles au bout de la plate-bande. Alors que le rouge-gorge passait au-dessous d'eux, elle le vit franchir d'un bond un petit tas de terre fraîchement remuée. Il s'y arrêta un instant pour chercher un ver. La terre avait été retournée par un chien qui avait creusé un trou en voulant déterrer une taupe.

Sans savoir vraiment pourquoi il y avait un trou, Mary s'approcha pour regarder, et c'est

alors qu'elle aperçut un objet à moitié enfoui
sous la terre fraîchement retournée. On aurait
dit un anneau de cuivre ou de fer rouillé. Dès
que le rouge-gorge se fut envolé pour se percher
sur un arbre tout proche, elle tendit la main
pour s'en emparer. Bien plus qu'un anneau,
c'était une vieille clé qui avait l'air d'avoir
longuement séjourné dans la terre.

Se relevant, Mary contempla la clé qui pendait à son doigt. Elle avait sur le visage une
expression qui ressemblait à de la peur.

— Cela fait peut-être dix ans qu'on l'a
enterrée, murmura-t-elle. C'est peut-être la clé
du jardin secret.

CHAPITRE 8

LE ROUGE-GORGE
MONTRE LE CHEMIN

Elle examina la clé pendant un bon moment. Tout en réfléchissant, elle la tournait dans tous les sens. Comme je l'ai déjà dit, Mary n'avait pas l'habitude de demander la permission, ni de consulter les grandes personnes avant d'entreprendre quoi que ce soit. Si c'était bien la clé du jardin interdit, se dit-elle — et si elle arrivait à en découvrir la porte — elle essaierait de l'ouvrir pour voir ce que cachaient ses murs et s'il y avait encore des roses. Le fait qu'il avait été fermé pendant si longtemps redoublait son désir de le voir. Il lui semblait qu'il devait être très différent des autres jardins et qu'en dix ans, des choses mystérieuses avaient dû s'y passer. De plus, si le jardin lui plaisait, elle pourrait y aller tous les jours et s'y enfermer pour inventer des jeux et s'y amuser toute seule. Personne ne saurait où la trouver, car on croirait que la porte était toujours fermée et la clé profondément enfouie sous la terre. C'était surtout cette pensée qui la mettait en joie.

A force de vivre pour ainsi dire seule et désœuvrée dans une maison aux cent pièces closes, pleines de mystère, sans rien pour se distraire, elle s'était mise à réfléchir et à faire travailler son imagination. Il ne fait aucun doute que le bon air frais et pur de la lande y était pour beaucoup. En même temps qu'il lui rendait l'appétit et lui fouettait le sang, il éveillait son jeune esprit. Aux Indes, il faisait si chaud qu'elle se sentait toujours trop alanguie pour faire la moindre chose, alors qu'ici, elle commençait à se sentir pleine de vie et d'esprit d'entreprise. Déjà elle avait l'impression, sans trop savoir pourquoi, d'être moins souvent d'humeur chagrine.

Après avoir mis la clé dans sa poche, elle partit faire sa promenade favorite le long du mur de lierre. Apparemment, elle était la seule à venir à cet endroit et pouvait à loisir marcher à pas lents pour examiner le mur ou du moins le lierre qui le recouvrait. Elle était particulièrement intriguée par ce lierre. Même avec la plus grande attention, Mary n'y voyait qu'un épais rideau de feuilles luisant d'un vert sombre. Elle était très déçue et tout en longeant l'allée et en regardant, par-dessus le mur, la cime des arbres qui se trouvaient de l'autre côté, elle sentit revenir son humeur chagrine. C'était tellement bête de se savoir tout près du jardin interdit et de ne pas pouvoir y entrer. En rentrant à la maison, elle saisit la clé dans sa poche et prit alors la décision de l'avoir tout le temps sur elle quand elle sortirait, pour le cas où elle découvrirait la porte cachée.

Mme Medlock avait autorisé Martha à passer la nuit chez elle, mais le lendemain matin, elle reprit son travail de la meilleure humeur qui soit et les joues plus rouges que jamais.

— Je me suis levée à quatre heures, dit-elle. Ah, c'était bien joli, ce matin, sur la lande. Les oiseaux venaient de se réveiller avec le soleil, et les lapins détalaient dans tous les sens. Je n'ai pas fait toute la route à pied. Un homme m'a fait faire un bout de chemin dans sa charrette, et je peux dire que je me suis bien amusée.

Elle avait des tas d'histoires à raconter après avoir passé une bonne journée chez elle. Sa mère était bien contente de la voir, et elles avaient commencé par faire la lessive et cuire le pain. Elle avait même fait des beignets pour les enfants, avec un peu de sucre brun.

— Ils étaient tout chauds quand les petits sont rentrés. Et toute la maison sentait bon le pain frais, et il y avait un bon feu. Ils étaient fous de joie. Mon frère Dickon, il a dit que notre maison était bien digne d'un roi!

Le soir, ils s'étaient assis autour du feu,

pendant que Martha et sa mère cousaient des pièces aux vêtements déchirés et reprisaient des bas. Martha leur avait alors parlé de la petite fille qui venait des Indes et qui ne savait pas enfiler ses bottines toute seule, parce qu'elle avait toujours eu des « Noirs » (comme disait Martha) pour s'occuper d'elle.

— Cela les a bien intéressés, poursuivit Martha. Il a fallu que je leur raconte tout ce que je savais sur les Noirs et sur le bateau que vous avez pris pour venir ici. A la fin, je ne savais plus quoi leur dire.

Mary réfléchit un moment.

— Je vous donnerai plus de détails avant votre prochaine sortie, lui dit-elle. Comme ça, vous aurez de quoi les satisfaire. Je suppose qu'ils aimeraient bien entendre parler de courses à dos d'éléphants et de chameaux, ou d'officiers qui chassent le tigre.

— Ma parole! s'écria joyeusement Martha. Pour sûr que ça leur plairait! Ça ne vous ennuiera vraiment pas, Mademoiselle? Ça sera comme la fois où il y a eu des bêtes sauvages à la foire de York, à ce qu'on m'a dit.

— Aux Indes, rien n'est comme dans le Yorkshire, dit Mary d'une voix lente, en réfléchissant à la question.

Et elle ajouta :

— Cela ne m'avait encore jamais frappée.

Est-ce que votre mère et Dickon étaient intéressés par ce que vous racontiez sur moi?

— Vous parlez! Mon frère en avait les yeux qui lui sortaient de la tête, et ronds comme des soucoupes, répondit Martha. Mais ma mère, elle était contrariée de vous savoir toujours toute seule. Elle a dit : « M. Craven n'a pas engagé de gouvernante ou pris quelqu'un pour s'occuper d'elle? » Et je lui ai répondu : « Non, mais Mme Medlock dit qu'il s'en occupera quand il y pensera. Seulement ça ne sera peut-être que dans deux ou trois ans, d'après elle. »

— Je ne veux pas de gouvernante, dit Mary d'un ton brusque.

— Pourtant ma mère pense qu'il serait temps de vous mettre à étudier et qu'il devrait y avoir quelqu'un pour veiller sur vous. Elle m'a même dit : « Réfléchis un peu, Martha, et demande-toi ce que tu ferais si tu devais vivre toute seule dans une grande maison comme celle-là, sans ta mère. Il faut être bien gentille avec elle », a-t-elle ajouté, et je lui ai répondu qu'elle pouvait compter sur moi.

Mary la regarda fixement pendant un moment.

— Vous êtes déjà très gentille avec moi, dit-elle finalement. J'aime bien vous écouter parler.

Quelques instants plus tard, Martha quitta la pièce et revint en cachant quelque chose sous son tablier.

— Regardez! fit-elle avec un large sourire. Je vous ai apporté un cadeau.

— Un cadeau! s'exclama Mary.

Comment une famille de quatorze personnes affamées pouvait-elle faire un cadeau?

— Un colporteur est passé sur la lande, lui expliqua Martha. Et il est venu jusque devant notre porte avec sa carriole. Il vendait des poêles et des plats et des tas d'autres choses, mais ma mère n'avait pas un sou à dépenser. Juste au moment où il allait partir, ma petite sœur, Lizbeth Ellen, a crié : « T'as vu, maman, y a des cordes à sauter avec des poignées rouges et bleues! » Alors, ma mère a bondi tout à coup : « Eh, M'sieur, attendez! Ça coûte combien? » Et il a répondu : « Deux pence. » Alors, ma mère a fouillé dans sa poche, et elle m'a dit : « Martha, tu m'as donné tes gages, comme une brave fille, et j' sais déjà comment les employer, plutôt deux fois qu'une, mais je vais quand même prendre deux pence pour acheter une corde à sauter pour ta petite demoiselle! » Et elle en a pris une que v'là.

La sortant de sous son tablier, elle la montra fièrement. C'était une longue corde souple, avec à chaque extrémité une poignée à rayures bleues et rouges. C'était la première fois que Mary Lennox voyait une corde à sauter, et elle la regarda, l'air intrigué.

— A quoi ça sert? demanda-t-elle avec curiosité.

— A quoi ça sert! s'écria Martha. Vous voulez dire qu'il n'y a pas de corde à sauter aux Indes, alors qu'il y a des éléphants, des tigres et même des chameaux? Ça ne m'étonne pas alors qu'ils soient presque tous noirs, là-bas! Vous allez voir à quoi ça sert, regardez-moi faire.

Et elle courut au milieu de la pièce. Puis, prenant une poignée dans chaque main, elle se mit à sauter, à sauter, sans s'arrêter, tandis que Mary se retournait sur sa chaise pour la contempler — et les étranges personnages des tableaux avaient l'air de la regarder aussi et de se demander ce que cette petite paysanne avait l'impudence de faire là, juste sous leur nez. Mais Martha n'en avait cure. Mary avait sur le visage une telle expression d'intérêt mêlé de curiosité que Martha, ravie de son effet, continua à sauter et compta jusqu'à cent.

— Avant, je pouvais sauter encore plus longtemps, dit-elle en s'arrêtant. J'arrivais jusqu'à cinq cents quand j'avais douze ans, mais depuis j'ai grossi, et puis je manque d'entraînement.

Mary se leva. Elle était tout excitée.

— Ça a l'air amusant, dit-elle. Votre mère est vraiment gentille. Croyez-vous que j'arriverai aussi à sauter comme vous?

— Essayez, vous verrez bien, lui conseilla

Martha en lui tendant la corde. Au début, vous n'irez pas jusqu'à cent, mais avec un peu d'entraînement, vous y arriverez. C'est ce que pense ma mère. « Rien ne peut lui faire plus de bien qu'une corde à sauter », qu'elle m'a dit. « C'est le jouet le plus utile que l'on puisse donner à un enfant. Qu'elle saute à la corde au bon air, et ça lui allongera les jambes et les bras et la fortifiera. »

Quand Mary fit son premier essai, il était évident qu'elle n'avait pas beaucoup de force dans les bras et dans les jambes. Elle n'était pas très adroite non plus, mais cela lui plut tellement qu'elle ne voulut pas abandonner.

— Habillez-vous et allez dehors sauter à la corde, lui dit Martha. Ma mère dit qu'il faut que vous restiez le plus souvent dehors, même s'il pleut un peu. Il suffit de vous couvrir chaudement.

Mary mit son manteau et son chapeau pour sortir et prit sa corde à sauter sous son bras. Juste au moment d'ouvrir la porte, elle pensa tout à coup à quelque chose et se retourna lentement.

— Martha, fit-elle, il s'agissait de vos gages. Les deux pence étaient à vous, en fait. Merci.

Elle prononça ces mots avec une certaine raideur, car elle n'avait pas l'habitude de dire merci ou de se soucier des attentions qu'on avait pour elle.

— Merci, répéta-t-elle, et ne sachant quoi faire, elle lui tendit la main.

Prise de court, Martha la serra maladroitement avant d'éclater de rire.

— On peut dire que vous êtes une drôle de petite bonne femme, fit-elle. A votre place, Lizbeth Ellen m'aurait donné un baiser.

Mary se tint encore plus raide que jamais.

— Vous voulez que je vous embrasse?

Martha, une fois de plus, ne put s'empêcher de rire.

— Non, ce n'est pas la peine, répondit-elle. Si vous étiez différente, ça viendrait tout seul. Mais ce n'est pas le cas. Allez sauter à la corde et amusez-vous bien.

Mlle Mary se sentit un peu gênée en quittant la pièce. Les gens du Yorkshire étaient bizarres, et Martha était un mystère pour elle. Au début, elle ne l'aimait pas du tout, mais ce n'était plus le cas, maintenant.

La corde à sauter était un jouet merveilleux. Elle sautait tout en comptant à voix haute, et très vite, ses joues devinrent toutes rouges. C'était la première fois qu'elle s'amusait autant. Le soleil brillait et un petit vent doux soufflait, apportant par moments de délicieuses senteurs de terre fraîchement retournée. Elle fit en sautant le tour du bassin, puis remonta une allée pour revenir par une autre. Toujours en sautant, elle entra dans le jardin potager où Ben Wea-therstaff était en train de travailler tout en conversant avec son ami, le rouge-gorge, qui sautillait autour de lui. Continuant à sauter, elle se dirigea vers lui et il leva la tête pour la regarder d'un air curieux. Elle s'était demandé s'il allait faire attention à elle. Elle avait très envie qu'il la voie sauter à la corde.

— Eh bien! s'exclama-t-il. Ma parole, c'est peut-être bien du vrai sang que tu as dans les veines, et pas du petit lait. après tout. Tu as tellement sauté que tes joues sont toutes rouges, aussi vrai que je m'appelle Ben Weatherstaff. Je n'aurais jamais cru que tu en serais capable.

— C'est la première fois que je saute à la corde, dit Mary. Je viens juste de commencer. Je peux aller jusqu'à vingt seulement.

— Continue comme ça, lui dit Ben. Ce n'est déjà pas mal pour une petite élevée chez les sauvages.

Et il ajouta, en tournant la tête vers le rouge-gorge :

— Mais vois donc comme il te regarde. Hier il t'a suivie, et aujourd'hui il va recommencer. Il va vouloir à tout prix découvrir à quoi sert une corde à sauter. C'est la première fois qu'il en voit une.

Et il lança au rouge-gorge :

— Dis-donc, toi! Un jour, la curiosité te perdra, tu ferais bien de te méfier.

Poursuivant sa course, Mary fit en sautant le tour de tous les jardins, puis celui du verger, s'arrêtant toutes les cinq minutes pour se reposer. Enfin, elle parvint sur son lieu de promenade favori, le long du mur de lierre, et là, eut l'idée d'essayer de parcourir toute l'allée sans s'arrêter. La distance était assez longue, et Mary sauta lentement au départ. Mais avant d'atteindre la moitié du parcours, elle était si essoufflée et avait si chaud qu'elle dut faire une pause. Cela ne la contraria pas trop, car elle était enfin arrivée à compter jusqu'à trente.

Avec un petit rire joyeux, elle s'arrêta... et découvrit alors le rouge-gorge qui l'attendait, perché sur une branche de lierre. Il l'avait suivie et il siffla pour lui souhaiter la bienvenue. En cours de route, elle avait senti dans sa poche quelque chose de lourd qui lui battait les cuisses à chaque bond, et quand elle aperçut le rouge-gorge, elle ne put s'empêcher de rire de plus belle.

— Hier, tu m'as montré l'endroit où était la clé, dit-elle. Aujourd'hui, il faudrait me montrer la porte. Mais je ne crois pas que tu saches où elle se trouve.

Quittant alors le lierre, le rouge-gorge vola jusqu'au sommet du mur et il ouvrit le bec et se mit à chanter d'une façon merveilleuse, juste pour se faire admirer. Il n'y a rien de plus ravissant qu'un rouge-gorge qui « fait le beau », et ils y consacrent le plus clair de leur temps.

Il était souvent question de magie dans les histoires que lui racontait son ayah, et pour Mary Lennox, ce qui se produisit alors ne pouvait être que de la magie pure.

Un délicieux courant d'air balayait l'allée, soufflant un peu plus fort que l'instant précédent, suffisamment en tout cas pour agiter les branches des arbres et plus encore, pour faire bouger le lierre qui pendait le long du mur. Mary s'était approchée du rouge-gorge quand tout à coup, le vent souleva une branche de lierre. Aussitôt elle sauta en l'air pour l'attraper car elle venait d'apercevoir quelque chose en dessous — un bouton rond, dissimulé sous les feuilles. C'était un bouton de porte.

Elle enfouit ses mains sous les feuilles pour mieux les écarter. Le lierre formait comme un épais rideau mouvant qui avait complètement recouvert bois et ferrures. Le cœur de Mary se mit à battre à tout rompre et ses mains étaient toutes tremblantes de ravissement et d'excitation. Le rouge-gorge continuait de chanter, gazouillant à plaisir. Il penchait la tête sur le côté, comme s'il était aussi excité qu'elle. Quel était donc cet objet carré, tout en fer, et percé d'un trou qu'elle sentait sous ses doigts ?

C'était la serrure de la porte qui était restée fermée pendant dix ans. Plongeant alors la main dans sa poche, Mary en sortit la clé et s'assura qu'elle rentrait bien dans le trou. Et elle la fit tourner. Elle eut besoin de ses deux mains, mais elle y parvint.

Et puis, elle prit son souffle et regarda derrière elle pour vérifier qu'il n'y avait personne dans l'allée. L'endroit était désert. Jamais personne ne venait par là, d'ailleurs. C'était plus fort qu'elle : elle respira à nouveau profondément et, écartant d'une main le rideau de lierre, elle poussa la porte qui s'ouvrit très lentement.

Alors, elle se faufila à l'intérieur et ferma la porte derrière elle avant de s'y adosser pour regarder autour d'elle, le souffle coupé, tant elle était excitée et émerveillée et ravie tout à la fois.

Elle était enfin à l'intérieur du jardin secret.

CHAPITRE 9

LA PLUS ÉTRANGE
MAISON DU MONDE

C'était l'endroit le plus charmant et le plus mystérieux que l'on pût imaginer. Les hauts murs qui l'entouraient étaient recouverts de rosiers grimpants dont les branches, nues en ce moment, s'étaient enchevêtrées jusqu'à tisser un épais rideau. Mary Lennox savait que c'étaient des rosiers, car elle avait souvent eu l'occasion d'en voir aux Indes. Le sol était tapissé d'une herbe brune aux teintes hivernales, où poussaient des buissons en massif qui devaient également être des rosiers, si les plants n'étaient pas morts — une multitude de rosiers sur tige dont les branchages s'étaient tellement développés qu'on aurait dit de petits arbres. Il y avait également de vrais arbres dans le jardin, mais ils étaient complètement envahis de rosiers grimpants dont les longues branches pendaient jusqu'au sol et formaient en tombant comme de légers voiles mouvants, ce qui rendait le jardin encore plus étrange et fascinant. Par endroits, ils se rejoignaient même, ou, passant par-dessus les plus hautes branches, ils avaient jeté des ponts d'un arbre à l'autre, formant ainsi des arches ravissantes. En cette saison, les rosiers ne portaient ni fleurs ni feuilles, et Mary n'aurait pu dire s'ils étaient encore vivants, mais leurs minces branchages constituaient une sorte de fine résille qui envahissait tout, murs et arbres, courant même sur l'herbe fauve, là où, s'échappant de leurs tuteurs, ils s'étaient répandus sur le sol. C'était ce fouillis vaporeux, s'étendant d'un arbre à l'autre, qui donnait au jardin son côté mystérieux. Mary s'était bien dit qu'un jardin laissé à l'abandon pendant si longtemps ne pouvait pas être comme les autres, et, en effet, celui-ci était complètement différent de tous les endroits qu'elle eût jamais vus.

— Comme c'est paisible, ici, murmura-t-elle. Quel calme !

Elle resta un moment immobile, s'imprégnant du silence qui régnait. Le rouge-gorge, qui était allé se percher tout en haut de son arbre, ne bougeait pas non plus, ne battant pas même des ailes. Il était complètement figé et regardait Mary.

— Ce calme n'a rien d'étonnant, reprit-elle en chuchotant toujours. C'est la première fois en dix ans que quelqu'un parle entre ces murs.

Elle s'éloigna de la porte, marchant le plus doucement possible, comme si elle avait peur de réveiller quelqu'un. Heureusement, il y avait de l'herbe pour étouffer le bruit de ses pas. Elle s'avança sous l'une des arches féériques entre les arbres et leva les yeux pour contempler l'enchevêtrement de branches et de ramilles qui en formaient la voûte.

— Je me demande s'ils sont vraiment morts, dit-elle. Est-ce que plus rien ne pousse dans ce jardin? J'espère bien que non!

A sa place, Ben Weatherstaff aurait pu dire au premier coup d'œil si les rosiers donnaient encore des fleurs, mais Mary, pour sa part, n'y voyait que des branchages bruns ou gris sans la moindre trace de bourgeons.

Mais elle était parvenue à pénétrer dans le jardin merveilleux dont elle pouvait maintenant franchir à tout moment la porte cachée sous le lierre, et elle avait l'impression d'avoir découvert un univers à elle seule.

En cet endroit privilégié de Misselthwaite, entre ces quatre murs, le soleil brillait et le bleu du ciel, tout là-haut, paraissait encore plus tendre et plus intense que sur le reste de la lande. Le rouge-gorge quitta son arbre et se mit à sautiller et à voleter à sa suite d'un massif à l'autre. Il sifflait sans cesse et avait un air très affairé comme s'il voulait lui montrer les lieux.

Tout était étrangement calme et Mary avait l'impression d'être complètement isolée, loin de tous, sans pour autant se sentir seule. La seule chose qui la contrariait, c'était de ne pas savoir si tous les rosiers étaient morts ou s'il y en avait

encore quelques-uns de vivants qui auraient bientôt des feuilles et des boutons, quand le temps deviendrait plus clément. L'idée que le jardin puisse être totalement mort la peinait. Ce serait tellement merveilleux d'y voir pousser encore quelque chose et les roses y fleurir par milliers.

En entrant dans le jardin, elle avait accroché sa corde à sauter à son bras et après avoir fait quelques pas au hasard, elle se décida à continuer sa visite en sautant à la corde. Elle pourrait toujours s'arrêter quand elle aurait envie de regarder les choses de plus près. Par endroits, on pouvait encore voir des chemins d'herbe et dans un ou deux coins du jardin, il y avait des cabinets de verdure abritant des bancs de pierre ou des vasques recouvertes de mousse.

En approchant du deuxième, elle s'arrêta de sauter. Il avait dû y avoir autrefois une corbeille de fleurs à cet endroit, car elle crut voir comme de minuscules taches d'un vert pâle pointer hors du sol noir. Se rappelant alors les paroles de Ben Weatherstaff, elle s'agenouilla pour les regarder.

— On dirait bien des petites pousses. Ce sont peut-être des crocus, des perce-neige ou bien des jonquilles.

Elle se pencha encore plus en avant pour mieux sentir l'odeur fraîche de la terre humide. Cela lui plaisait beaucoup.

— Il y en a peut-être d'autres, ailleurs dans le jardin, se dit-elle. Je vais aller voir.

Elle s'était arrêtée de sauter et ce fut d'un pas lent qu'elle partit à la découverte. Elle inspecta les anciennes bordures, regarda dans l'herbe, et après avoir fait le tour complet du jardin, sans rien oublier, elle avait trouvé une telle profusion de petites taches vert tendre qu'elle en était tout excitée, encore une fois.

— Le jardin n'est donc pas complètement mort, s'exclama-t-elle. Si les rosiers n'ont pas résisté, il y a quand même d'autres plantes qui continuent de pousser.

Mary n'y connaissait rien en jardinage, mais l'herbe était si drue par endroits qu'elle donnait l'impression d'étouffer les petites pousses vertes qui sortaient de terre. Mary se mit à chercher un outil et quand elle eut trouvé un morceau de bois, elle s'accroupit et se mit à creuser et à arracher les mauvaises herbes pour dégager de petits espaces autour des jeunes pousses.

— Elles vont pouvoir respirer maintenant, dit-elle après en avoir terminé avec les premières. Il va falloir que j'en dégage encore un bon nombre. Je vais en faire le plus possible, et si je n'ai pas le temps de finir aujourd'hui, je reviendrai demain.

Allant de place en place, elle continua à creuser et à désherber. Cela l'amusait tellement que passant d'un parterre à l'autre, elle parvint jusqu'aux arbres. L'exercice lui donnait si chaud qu'elle commença par enlever son manteau, puis son chapeau, et sans s'en rendre compte, elle ne cessait de sourire, les yeux fixés sur les petites taches vert pâle qui parsemaient l'herbe.

Le rouge-gorge, de son côté, s'activait énormément. Il était ravi de voir travailler la terre de son domaine. Sur ce point, Ben Weatherstaff l'avait bien déçu. Quand on jardine, on met à jour toutes sortes de bonnes choses à manger. Et voilà que maintenant c'était cette petite bonne femme pas plus haute que trois pommes qui avait l'idée de venir enfin s'occuper de son jardin.

Mary jardina jusqu'à l'heure du déjeuner. Il était déjà tard quand elle y songea. Elle enfila son manteau et son chapeau et saisit sa corde à sauter, ayant du mal à croire qu'elle avait travaillé deux a trois heures durant. Elle ne s'était pas ennuyée une minute pendant tout ce temps — et des douzaines et des douzaines de petites pousses vertes étaient clairement visibles, bien plus à l'aise maintenant qu'elles n'étouffaient plus sous les mauvaises herbes.

— Je reviendrai cet après-midi, dit-elle en contemplant son nouveau royaume, et elle s'adressait aux arbres et aux rosiers comme s'ils pouvaient l'entendre.

Alors, d'un pas léger, elle traversa en courant l'étendue d'herbe, ouvrit la vieille porte poussive et sortit en se faufilant sous le manteau de lierre. Elle avait les joues si rouges et les yeux si brillants et elle dévora son déjeuner avec tant d'appétit que Martha en fut ravie.

— Deux tranches de viande et deux assiettes

de gâteau de riz! dit-elle. Eh bien, ma mère va être rudement contente d'apprendre que la corde à sauter vous profite autant.

En creusant le sol avec la pointe de son bâton, Mary avait déterré une sorte de racine blanchâtre qui ressemblait à un oignon. Elle l'avait replantée, la recouvrant délicatement de terre et se demandait maintenant si Martha savait ce que c'était.

— Martha, dit-elle, avez-vous déjà vu des racines de couleur blanche qui ressemblent à des oignons?

— Ce sont des bulbes, lui répondit Martha. Beaucoup de fleurs printanières ont des racines comme ça. Les petits bulbes donnent des perceneige et des crocus. Les moyens font des narcisses et des jonquilles. Quant aux plus gros, ce sont des lis et des iris. Dickon en a planté plein notre petit bout de jardin.

— Est-ce que Dickon s'y connaît en fleurs? demanda Mary, prise subitement d'une idée.

— Il en ferait pousser sur un tas de cailloux. Ma mère pense qu'il n'a qu'à dire un mot pour que les fleurs se mettent à sortir de terre!

— Est-ce que les bulbes vivent longtemps? A votre avis, est-ce qu'ils pourraient continuer à se développer pendant des années, même si on ne prenait aucun soin d'eux? s'enquit Mary d'un air soucieux.

— Ces plantes-là n'ont besoin de rien, ni de personne, dit Martha. C'est bien pour ça que les pauvres peuvent s'en offrir. Si vous laissez faire la nature, ça pousse tout seul, ça s'étend et ça n'arrête pas de se multiplier. Je connais un endroit dans les bois, au fond du parc, où il y a des milliers et des milliers de perce-neige. Au printemps, c'est le coin le plus joli de tout le Yorkshire. Personne ne sait quand ils ont été plantés.

— J'aimerais bien qu'on soit déjà au printemps, dit Mary, pour voir toutes les fleurs qui poussent en Angleterre.

Elle avait fini de déjeuner et s'était assise près du feu, à sa place préférée sur le tapis.

— J'aimerais... j'aimerais bien avoir une petite pelle, dit-elle.

— Et pour quoi faire? lui demanda Martha en riant. Vous voulez vous mettre au jardinage, maintenant? Ça aussi, il va falloir que je le raconte à ma mère.

Mary regardait le feu, tout en réfléchissant. Elle allait devoir faire attention si elle voulait garder son secret. Elle ne faisait rien de mal. Mais si M. Craven apprenait qu'on avait ouvert la porte du jardin condamné, il se mettrait dans une colère noire et ferait fabriquer une nouvelle clé pour en interdire à jamais l'entrée. Et ça, elle ne pourrait le supporter.

— Tout est tellement grand ici, et je m'ennuie, dit-elle d'une voix lente comme si elle
cherchait ses mots. Il n'y a personne dans la
maison, personne dans les jardins. Tout est
fermé à clé. Aux Indes, je ne faisais peut-être pas
grand-chose, mais il y avait toujours du monde,
je regardais passer les indigènes et les soldats qui
défilaient; parfois, il y avait des orchestres qui
jouaient, et puis mon ayah était là pour me
raconter des histoires. Ici, il n'y a personne à qui
je puisse parler, sauf vous et Ben Weatherstaff.
Vous, vous avez tout le temps quelque chose à
faire; quant au jardinier, il ne tient pas souvent
à me parler. Je me suis dit que si j'avais une
petite pelle, je pourrais m'occuper comme lui, et
cultiver un bout de jardin, s'il voulait bien me
donner des graines.

Le visage de Martha s'éclaira.

— Voyez-vous ça! s'exclama-t-elle. C'est
exactement ce que ma mère pensait. Elle m'a
dit : « Il y a tellement de place là-bas qu'on
pourrait bien lui donner un petit coin de terre
rien que pour elle, même si ce n'est que pour
faire pousser un peu de persil et quelques radis.
Elle pourrait bêcher et ratisser, je suis sûre que
ça l'amuserait. » Voilà ce qu'elle m'a dit, mot
pour mot.

— Vraiment, fit Mary. Elle en sait des choses,
votre mère.

— Pour ça, oui, dit Martha. C'est comme elle dit : « Une femme qui a élevé douze enfants en sait plus que tous les livres. Les enfants, ça vous en apprend plus qu'on ne croit. »

— A votre avis, combien coûte une pelle, une petite? demanda Mary.

— Eh bien, répondit Martha après mûre réflexion. Il y a une boutique à Thwaite, au village, et je crois bien avoir vu des petits nécessaires de jardinage, avec une pelle et un râteau, et une bêche, le tout pour deux shillings. Et ils ont l'air assez solides pour ce que vous voulez en faire.

— J'ai bien plus que ça dans mon porte-monnaie, lui dit Mary. Mme Morrison m'a donné cinq shillings, et Mme Medlock m'a aussi remis de l'argent de la part de M. Craven.

— Il a donc pensé à vous à ce point? s'écria Martha.

— Mme Medlock m'a dit que j'aurais droit à un shilling par semaine. Tous les samedis, elle me le donne. Jusqu'à maintenant, je ne savais pas comment les dépenser.

— Mais, ma parole, c'est que vous êtes riche, dit Martha. Vous pouvez vous acheter tout ce que vous désirez. Notre loyer pour la maison est d'un shilling trois pence, et on a un mal de chien à joindre les deux bouts.

Puis, les mains sur ses hanches, elle continua.

— Mais je pense à quelque chose, tout à coup.

— Quoi donc? fit Mary avec impatience.

— Ils vendent aussi des paquets de graines pour un penny, à Thwaite, et mon frère Dickon, il sait bien quelles sont les plus belles et comment les faire pousser. Il va souvent au village, juste pour le plaisir. Vous savez écrire en majuscules? demanda-t-elle tout à coup.

— Je sais écrire, en tout cas, répondit Mary.

Martha secoua la tête.

— Oui, mais mon frère ne sait lire que les majuscules. Si c'était possible, on lui ferait une lettre pour lui demander d'aller vous acheter le nécessaire de jardinage et les graines en même temps.

— Oh! que vous êtes gentille! s'exclama

Mary. Vraiment. Jamais je n'aurais cru ça. Je pense qu'en m'appliquant, j'arriverai à écrire en majuscules. Seulement, il faudrait demander du papier et de l'encre à Mme Medlock.

— J'en ai, moi, dit Martha. J'en ai acheté pour écrire un petit mot à ma mère, dimanche. Je vais aller vous chercher tout ça.

Et elle quitta la pièce en courant, tandis que Mary restait auprès du feu, se frottant les mains de contentement.

— Avec une pelle, murmura-t-elle, je vais pouvoir retourner la terre et enlever les mauvaises herbes. Et si j'ai des graines et que j'arrive à faire pousser des fleurs, alors le jardin va reprendre vie. Il ne sera pas complètement mort.

Mary ne ressortit pas cet après-midi-là, car Martha, après lui avoir apporté l'encre et le papier, dut desservir la table et descendre à la cuisine. Une fois en bas, elle vit Mme Medlock qui lui donna de l'ouvrage, et Mary dut l'attendre pendant un temps qui lui parut interminable. Puis, ce fut un rude travail que d'écrire la lettre destinée à Dickon. Mary n'avait pas fait beaucoup d'études, car ses gouvernantes la détestaient tant qu'elles ne voulaient pas rester pour s'occuper d'elle. Aussi, son orthographe n'était-elle pas des meilleures, mais en s'appliquant, elle parvint à écrire en majuscules. Voici la lettre que Martha lui dicta.

Mon cher Dickon,

La présente te trouvera, je l'espère, en bonne
santé, comme je le suis en ce moment même.
Mlle Mary a beaucoup d'argent et aimerait, si
possible, que tu ailles à Thwaite acheter pour
elle des graines et un nécessaire de jardinage
pour faire un carré de fleurs. Prends les plus
jolies et celles qui poussent le plus facilement,
car elle n'a jamais fait de jardinage, là où elle
habitait, aux Indes, où tout est si différent d'ici.
Embrasse bien notre mère pour moi ainsi que les
petits. Mlle Mary va me dire encore des tas de
choses pour que je puisse, à mon prochain jour
de sortie, vous raconter des histoires d'éléphants
et de chameaux, et de messieurs qui chassent le
lion et le tigre.

Ta sœur affectionnée,
Martha Phoebe Sowerby.

— On va mettre l'argent dans l'enveloppe, et
je demanderai au garçon-boucher de la porter à
mon frère pendant sa tournée. C'est un grand
ami de Dickon, dit Martha.

— Quand Dickon aura acheté le nécessaire,
comment me le fera-t-il parvenir? demanda
Mary.

— Il vous l'apportera lui-même. Il se fera un
plaisir de venir.

136

— Oh! s'écria Mary. Alors, je vais le voir. Jamais je n'aurais cru que je le verrais un jour.

— Vous avez envie de le voir? demanda Martha en voyant son air ravi.

— Oh oui! Je n'ai jamais rencontré de garçon qui soit l'ami des renards et des corbeaux. J'ai très envie de le connaître.

Martha sursauta légèrement, comme si elle se rappelait soudain quelque chose.

— Heureusement que j'y pense, déclara-t-elle. J'allais oublier de vous annoncer la bonne nouvelle. C'est la première chose que je voulais vous dire tout de suite en arrivant ce matin. J'ai demandé à ma mère — et elle m'a dit qu'elle en parlerait à Mme Medlock.

— Vous voulez dire que... commença Mary.

— Ce dont je vous ai parlé mardi. Elle va lui demander si vous pouvez venir chez nous, un de ces jours, pour goûter. Il y aura son bon gâteau d'avoine, du beurre et un verre de lait.

Toutes les bonnes nouvelles arrivaient en même temps, semblait-il. Quelle joie de pouvoir aller sur la lande, en plein jour, sous le ciel bleu pour rendre visite aux douze enfants qui vivaient au cottage!

— Est-ce que votre mère pense que Mme Medlock me laissera venir? s'inquiéta Mary.

— Bien sûr que oui. Elle sait bien que ma

mère est une femme d'ordre et que la maison est
bien tenue.

— Si je viens, je pourrai faire aussi la
connaissance de votre mère, et pas seulement de
Dickon, dit Mary, que cette pensée remplissait
de joie. Elle n'est pas du tout comme les mères
qu'il y avait aux Indes.

Après l'exercice du matin et les émotions de
l'après-midi, Mary était maintenant plus calme
et toute songeuse. Martha lui tint compagnie
jusqu'à l'heure du thé, mais elles restèrent
tranquillement assises sans beaucoup parler.
Juste au moment où Martha allait descendre son
plateau, Mary lui posa une dernière question.

— Martha, dit-elle, est-ce que la petite bonne
qui fait la vaisselle a encore eu mal aux dents
aujourd'hui?

Martha eut pour le moins un léger sursaut.

— Pourquoi me demandez-vous ça? dit-elle.

— Comme vous tardiez à revenir, tout à
l'heure, j'ai ouvert la porte et je suis allée dans le
couloir pour voir si vous arriviez. Et j'ai entendu
à nouveau ce bruit de pleurs étouffés, comme
l'autre nuit. Il n'y a pas de vent aujourd'hui.
Alors, vous voyez, ça ne pouvait donc pas être le
vent non plus, l'autre nuit.

— Ah! fit Martha avec une certaine nervosité. Il ne faut pas traîner comme ça dans les
couloirs et écouter aux portes. M. Craven ne

serait pas content du tout, et on ne peut pas savoir de quoi il serait capable...

— Je n'écoutais pas, affirma Mary. Je ne faisais que vous attendre et c'est alors que j'ai entendu ce bruit. C'est la troisième fois.

— Ma parole, c'est Mme Medlock qui me sonne, dit Martha, et elle s'enfuit, quittant la pièce presque en courant.

— C'est bien la plus étrange maison du monde, se dit Mary d'une voix ensommeillée, et elle posa la tête sur le capiton du fauteuil qui était à côté d'elle. Le grand air, le jardinage et la corde à sauter l'avaient tellement épuisée qu'elle s'endormit.

CHAPITRE 10

DICKON

Pendant presque une semaine, le soleil darda ses rayons sur le jardin secret. Le jardin secret, c'était ainsi que Mary l'appelait lorsqu'elle y songeait. Ces mots lui plaisaient, et plus encore, la pensée qu'on ne pouvait pas savoir où elle était quand elle se réfugiait entre ses quatre murs pleins de charme. Elle avait l'impression de se trouver dans un lieu enchanté, coupée du reste du monde. Les rares livres qu'elle avait lus et aimés étaient des contes de fées, et dans certaines histoires, il était question de jardins secrets, où les héros sommeillaient parfois pendant cent ans. Elle trouvait cela ridicule, et pour sa part n'avait pas du tout envie de dormir. En fait, chaque jour qu'elle passait à Misselthwaite la voyait s'éveiller davantage. Elle commençait à aimer le grand air, ne pestait plus contre le vent, mais au contraire, y prenait plaisir. Elle était capable de courir plus vite et plus longtemps, et quand elle sautait à la corde, elle arrivait à compter jusqu'à cent. Les bulbes du jardin secret n'en revenaient probablement pas de surprise. Ils avaient suffisamment d'espace autour d'eux pour respirer enfin à leur aise, et Mary aurait été contente d'apprendre qu'ils s'étaient mis à germer dans l'obscurité du sous-sol et poussaient avec une vigueur étonnante. Ils pouvaient enfin ressentir la bienfaisante chaleur du soleil et profiter de la pluie qui parvenait maintenant jusqu'à eux, leur redonnant vie.

Mary était une curieuse petite bonne femme bien résolue, et maintenant qu'elle avait un but déterminé, elle s'y consacrait entièrement. Elle cultivait son jardin avec constance, retournant la terre, arrachant les mauvaises herbes, prenant de plus en plus de plaisir à la tâche au lieu de s'en lasser. C'était pour elle comme un jeu fascinant. Elle découvrit encore plus de petites pousses vertes qu'elle ne le croyait possible. Il en surgissait de partout, semblait-il, et chaque jour, elle était sûre d'en trouver de nouvelles, parfois si minuscules qu'on pouvait à peine les voir. Il y en avait tellement qu'elle pensa alors à ce que Martha lui avait dit au sujet « des milliers de perce-neige », et des bulbes qui se multipliaient sans cesse. Laissés à l'abandon pendant dix bonnes années, les bulbes du jardin secret avaient dû, eux aussi, proliférer, comme les perce-neige des bois, et se reproduire par milliers. Elle se demandait quand ils allaient commencer à fleurir. De temps en temps, elle faisait une pause pour contempler son domaine, essayant d'imaginer ce dont il aurait l'air une fois en pleine floraison.

Pendant cette semaine de beau temps, elle fit plus ample connaissance avec Ben Weatherstaff. Elle le surprit plusieurs fois, surgissant auprès de lui comme si elle sortait de terre. En fait, elle avait tellement peur qu'en la voyant arriver, il ne prenne sa bêche sur l'épaule et ses jambes à son cou, qu'elle s'approchait toujours de lui le plus discrètement possible. Pour sa part, Ben la voyait d'un meilleur œil qu'au premier jour. Peut-être était-il secrètement flatté de ce qu'elle semblât rechercher sa compagnie. Et puis, elle était aussi beaucoup plus aimable qu'au début. Il n'avait pas compris que lors de leur première rencontre, elle lui avait adressé la parole comme elle le faisait avec les indigènes aux Indes, ignorant qu'il n'était pas dans les habitudes d'un vieil homme bourru et, qui plus est, originaire du Yorkshire, de faire des courbettes à ses maîtres en attendant leurs ordres.

— Tu es bien comme le rouge-gorge, lui dit-il un matin quand, levant la tête, il l'aperçut tout près de lui. Je ne sais jamais quand je vais te voir, ni d'où tu viens.

— C'est mon ami, maintenant! dit Mary.

— Ça ne m'étonne pas de lui, répondit Ben Weatherstaff d'un ton sec. Il fait le joli cœur avec les dames, comme le petit vaniteux qu'il est. Quand il s'agit de se faire admirer et de faire le beau, il est prêt à tout. Il est aussi orgueilleux qu'un paon.

Ben n'était pas toujours aussi loquace et parfois même ne prenait pas la peine de répondre aux questions que Mary lui posait, si ce n'est par un grognement. Mais ce matin-là, il était particulièrement en verve. Il se redressa et appuyant son soulier ferré sur sa bêche, il la regarda des pieds à la tête.

— Cela fait combien de temps que tu es ici? lui dit-il brusquement.

— A peu près un mois, je crois, répondit-elle.

— L'air du pays commence à te profiter. Tu es un peu plus grasse qu'en arrivant, et tu es bien moins jaune. La première fois que je t'ai vue dans ce jardin, t'avais l'air d'un vilain petit canard, et je me suis dit que je n'avais jamais vu de laideron pareil, avec l'air aussi vinaigre.

Mary n'était pas vaniteuse, et comme elle ne se trouvait pas belle, elle ne fut pas du tout choquée.

— C'est vrai que j'ai grossi, dit-elle. Je commence à être à l'étroit dans mes bas. Avant, ils avaient plutôt tendance à faire des plis. Oh!

Regardez, monsieur Weatherstaff! Voilà le rouge-gorge!

C'était bien lui, en effet, et de l'avis de Mary, il était plus beau que jamais. Son jabot rouge brillait comme du satin, et il faisait toutes sortes de grâces, battant des ailes, remuant la queue, penchant la tête sur le côté et sautillant gaîment. Il avait l'air décidé à séduire Ben Weatherstaff. Mais ce dernier était d'humeur taquine.

— Ah, te voilà, toi, dit-il. Alors, on vient juste me rendre une petite visite quand on a rien de mieux à faire, Ça fait deux bonnes semaines que tu passes ton temps à te lisser les plumes et à faire briller ton beau gilet rouge. Mais je sais bien pourquoi, moi! Monsieur doit faire sa cour à une belle dame rouge-gorge dans un petit coin, et lui raconter des tas de sornettes, par exemple qu'il est le plus beau et le plus fort de tous les rouges-gorges de la lande!

— Mais, regardez-le! s'écria Mary.

Le rouge-gorge devait être d'excellente humeur, ce jour-là. Il était plein d'audace. Tout en sautillant, il s'avança le plus près possible de Ben, le fixant d'un air de plus en plus provocant. Puis, il s'en fut à tire d'ailes se percher sur un groseillier tout proche, et penchant la tête sur le côté, se mit à chanter juste sous son nez.

— Tu crois que tu vas m'amadouer comme ça? dit Ben.

Il fronçait les sourcils, mais Mary était persuadée qu'il faisait seulement semblant d'être fâché!

— Tu crois que tu es le plus fort, n'est-ce pas, dis!

Le rouge-gorge ouvrit alors tout grand ses ailes. Mary ne pouvait en croire ses yeux. D'un seul coup d'aile, il vint se percher sur la bêche de Ben, juste au bout du manche. Le visage du vieil homme changea lentement d'expression; il était complètement figé comme s'il avait peur de respirer. Il n'aurait pas remué un cil de crainte de faire fuir le rouge-gorge. Ce fut en murmurant qu'il dit d'une voix douce, comme s'il parlait d'autre chose :

— Que je sois pendu! Tu sais t'y prendre pour séduire ton monde, toi, pour ça, oui! C'est quasiment incroyable! T'es trop malin!

Et il resta complètement immobile, osant à peine respirer jusqu'au moment où le rouge-gorge s'envola d'un léger battement d'ailes. Ben contempla alors le manche de sa bêche comme si c'était un objet magique. Puis il se remit au travail, gardant le silence pendant plusieurs minutes.

Mais comme il avait encore un léger sourire aux coins des lèvres, Mary se décida à lui parler.

— Est-ce que vous avez un jardin à vous? lui demanda-t-elle.

— Non, je suis célibataire et j'habite avec Martin, à la loge.

— Si vous en aviez un, qu'est-ce que vous y planteriez? dit Mary.

— Des choux, des patates et des oignons.

— Mais si c'était un jardin de fleurs, insista-t-elle, qu'est-ce que vous choisiriez?

— Des bulbes, et des plantes qui sentent bon, mais surtout des roses.

Le visage de Mary s'éclaira.

— Vous aimez les roses? dit-elle.

Avant de répondre, Ben Weatherstaff prit le temps de déterrer une racine pour la rejeter au loin.

— Pour ça oui, je les aime. C'est une jeune dame chez qui j'étais jardinier qui m'a appris à les aimer. Elle en avait planté des tas dans un endroit qui lui plaisait bien. Et elle les aimait comme si c'étaient ses enfants — ou comme moi, le rouge-gorge. Je l'ai même vue se pencher pour les embrasser.

Il extirpa une autre racine du sol et la contempla un instant en fronçant les sourcils.

— Ça doit bien faire dix ans de ça, maintenant, conclut-il.

— Qu'est-ce qu'elle est devenue? demanda Mary, très intéressée.

— Elle est au ciel, répondit-il, à ce que dit le pasteur.

146

Et il enfonça profondément sa bêche dans le sol.

— Et qu'est-il advenu des rosiers? demanda Mary que la conversation passionnait.

— Ils ont été laissés à l'abandon.

Mary était de plus en plus excitée.

— Est-ce qu'ils sont tous morts? Est-ce que les rosiers dépérissent quand on les laisse à l'abandon? se risqua-t-elle à demander.

— Eh bien, je m'étais mis à les aimer — et je

l'aimais bien, elle aussi — et elle les aimait tant, ses rosiers, avoua Ben comme s'il lui en coûtait. Alors, je vais les soigner une ou deux fois par an, je les taille et puis, je les bute. Ils sont devenus sauvages, mais comme la terre est bonne, certains ont résisté.

— Quand ils n'ont pas de feuilles et que leur bois est d'une couleur brune ou grise, comment peut-on savoir s'ils sont encore vivants ou non? demanda Mary.

— Faut attendre le printemps. Il faut du soleil après la pluie, et puis de la pluie après le beau temps. Alors là, on s'en rend compte.

— Comment ça, mais comment? s'écria Mary, oubliant toute prudence.

— Faut regarder le long des branches et des ramilles. Et quand on voit comme une petite boule brune qui pousse par endroits, alors, il n'y a qu'à bien observer ce qui se passe après une bonne pluie chaude.

S'interrompant brusquement, il leva un regard curieux sur son visage impatient.

— Pourquoi est-ce que tu t'intéresses telle-ment aux roses, d'un seul coup? voulut-il savoir.

Mary sentit le rouge lui monter aux joues. C'est à peine si elle osa répondre.

— Je voudrais jouer... à avoir un jardin rien qu'à moi, balbutia-t-elle. Je... je n'ai rien à faire, ici — rien du tout — ni personne...

— Ça, fit Ben Weatherstaff d'une voix lente tout en la regardant, tu peux le dire, tu n'as rien.

Et il prononça ces mots d'une façon tellement bizarre qu'elle se demanda si, en fait, il ne la plaignait pas un peu. Elle n'avait pas l'habitude de s'apitoyer sur elle-même; jusqu'alors, elle n'avait jamais éprouvé que de l'ennui et de la mauvaise humeur parce qu'elle détestait tout et tout le monde. Mais à présent, le monde semblait en train de changer et de devenir plus agréable. Si personne ne découvrait son secret à propos du jardin, elle ne s'ennuierait plus jamais.

Mary s'attarda encore un petit quart d'heure et en profita pour poser à Ben un maximum de questions. Il lui répondit à chaque fois sur le même ton curieusement bougon qui était le sien. Il n'avait pas l'air vraiment fâché et ne montrait pas l'intention de prendre sa bêche sur l'épaule et de la planter là. Juste au moment où elle allait le quitter, il parla de rosiers et elle se rappela alors les confidences qu'il lui avait faites à ce sujet.

— Est-ce que vous allez toujours soigner ces fameux rosiers? lui demanda-t-elle.

— Pas cette année. Les rhumatismes m'ont complètement raidi les articulations, grommela-t-il.

Et tout à coup, il parut être très fâché contre

elle, bien qu'elle ne comprît vraiment pas pourquoi.

— Bon, en v'là assez, lui dit-il d'une voix sèche. Faut pas poser tant de questions. Tu es vraiment la gamine la plus curieuse que j'aie jamais vue. Va-t'en jouer ailleurs. J'ai bien assez causé pour aujourd'hui.

Et il avait l'air si furieux qu'elle se rendit compte qu'il était inutile de rester une seconde de plus. Elle se mit à sauter lentement le long de l'allée, pensant à lui et se disant qu'aussi étrange que cela parût, il faisait aussi partie, en dépit de son mauvais caractère, des gens qu'elle aimait. Oui, elle aimait bien le vieux Ben Weatherstaff. Pour elle, toutes les occasions de le faire parler étaient bonnes, et elle commençait à croire qu'il savait vraiment tout sur les fleurs.

Il y avait un chemin bordé de lauriers qui faisait le tour du jardin secret et aboutissait à un portillon qui donnait sur les bois, dans le parc. Elle décida de l'emprunter et, tout en sautant à la corde, de gagner les bois pour voir s'il n'y avait pas de lapins. Elle éprouvait beaucoup de plaisir à sauter à la corde, et une fois parvenue devant le portillon, elle l'ouvrit et le franchit car elle venait d'entendre un son étrange et doux et voulait savoir ce que c'était.

Elle découvrit un spectacle pour le moins surprenant. Elle en eut le souffle coupé et s'arrêta pour mieux voir. Il y avait un garçon assis sous un arbre. Il était adossé contre le tronc et jouait un petit air sur un pipeau de bois grossièrement taillé. C'était un curieux petit bonhomme d'une douzaine d'années. Il avait un air propret, avec son nez retroussé et ses joues rouges comme des coquelicots, et les yeux les plus ronds et les plus bleus que Mary eût jamais vus. Derrière lui, agrippé au tronc de l'arbre contre lequel il s'appuyait, il y avait un écureuil qui le regardait, et dans un taillis tout proche, un faisan tendait le cou pour mieux le voir, alors qu'à ses pieds, deux lapins étaient assis sur leur derrière, les narines frémissantes. On avait vraiment l'impression qu'ils s'étaient tous rassemblés pour le regarder et écouter l'étrange mélodie aux sons graves et tendres qu'il jouait sur son pipeau.

Lorsqu'il aperçut Mary, il leva la main et lui parla d'une voix presque aussi douce et grave que sa chanson.

— Ne bouge pas, dit-il. Tu vas les faire fuir.

Mary resta immobile. Il s'arrêta de jouer du pipeau et se mit à se lever si doucement qu'il donnait l'impression de ne pas bouger, mais il finit par se retrouver debout. L'écureuil regagna alors la cime de son arbre, le faisan se retira, et les lapins s'éloignèrent en sautillant sans avoir l'air d'avoir peur le moins du monde.

— J'suis Dickon, dit-il, et toi, tu es Mary.

C'est alors seulement que Mary se rendit compte qu'elle l'avait reconnu au premier coup d'œil. Qui d'autre aurait pu charmer les lapins et les faisans, comme les indigènes charmaient les serpents aux Indes? Il avait une grande bouche rouge et arborait un sourire qui lui mangeait la figure.

— Je m' suis levé tout doucement, expliqua-t-il, car si on fait de grands gestes, ils prennent peur. Faut pas remuer, ni parler trop fort quand y a des animaux sauvages dans les parages.

Il lui parlait comme s'il la connaissait bien déjà, et non comme si c'était leur première rencontre. Mary connaissait mal les garçons et elle lui adressa la parole avec une certaine raideur, par pure timidité.

— As-tu reçu la lettre de Martha? demanda-t-elle.

Il acquiesça, secouant ses boucles rousses.

— C'est pour ça que j' suis venu.

Il se baissa pour prendre un paquet que Mary avait vu sur le sol, à côté de lui, quand il jouait du pipeau.

— J'ai le nécessaire de jardinage. Il y a une pelle et un râteau, et une fourche et une bêche. C'est d' la bonne marchandise. Y a aussi un plantoir. Et la dame d' la boutique a ajouté un paquet de graines de pavots blancs et de pieds-

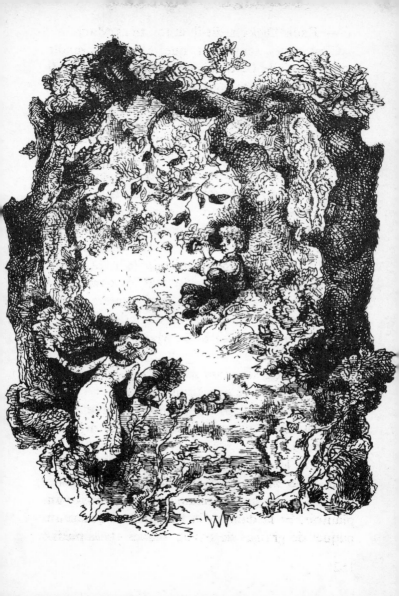

d'alouette bleus quand je lui ai acheté les autres semences.

— Tu veux bien me montrer les graines? dit Mary.

Elle aurait aimé pouvoir s'exprimer comme lui. Il parlait avec aisance et sans hésitation, comme s'il l'aimait bien et ne se souciait pas de l'opinion qu'elle pouvait avoir de lui, alors que ce n'était, somme toute, qu'un petit paysan de la lande, qui avait des pièces à ses vêtements et un drôle d'air, avec son visage rustaud et ses cheveux couleur de rouille. S'approchant, elle sentit une bonne odeur de bruyère, d'herbe fraîche et de feuilles qui semblait émaner de lui. Mary trouva cela très agréable, et regardant son curieux visage aux bonnes joues rouges et aux yeux bleus ronds comme des billes, elle en oublia toute sa timidité.

— Si on allait s'asseoir sur cette souche pour regarder les graines? proposa Mary.

Ils s'assirent, et Dickon prit dans la poche de sa veste un petit paquet de papier brun mal plié qu'il déballa. A l'intérieur, il y avait un grand nombre de petits sachets bien carrés, avec une image de fleurs sur le dessus.

— Y a pas mal de mignardises et de pavots, dit-il. Les mignardises, c'est ce qui sent l'meilleur de toutes les fleurs, et ça pousse comme du chiendent. Y a qu'à les planter, comme les pavots. Après, y a plus qu'à se mettre les mains dans les poches et siffloter un petit air ; ça fleurit comme un rien. C'est ce qu'y a de plus facile à faire pousser.

S'interrompant, il tourna la tête rapidement, le visage éclairé d'un large sourire.

— Y a un rouge-gorge qui nous appelle, dit-il. Je m'demande bien où il se cache.

On entendait un pépiement qui provenait d'un gros buisson de houx, tout couvert de baies d'un rouge vif. Mary crut deviner qui en était l'auteur.

— Tu es sûr qu'il nous appelle ? demanda-t-elle.

— Pour ça, oui, dit Dickon comme si c'était la chose la plus naturelle au monde. Il veut parler à un de ses amis comme pour lui dire : « Coucou ! C'est moi ! Regarde. J'aimerais bien faire un brin d'causette. » Il est là, dans ce buisson, tu vois ? Tu l'connais ?

— C'est l'ami de Ben Weatherstaff, mais je crois qu'il me connaît aussi un peu, répondit Mary.

— Pour sûr, il a l'air de bien te connaître, dit Dickon, parlant à nouveau tout doucement. Il t'aime bien, tu sais, il t'a adoptée. Bientôt, il va m'raconter ta vie.

Se déplaçant aussi doucement que la première fois, Dickon s'approcha du buisson et émit un léger sifflement qui ressemblait au pépiement du rouge-gorge. Le rouge-gorge l'écouta attentivement pendant quelques secondes et répliqua sur le même ton, comme pour répondre à sa question.

— On peut dire que c'est un d'tes bons amis, fit Dickon avec un petit rire.

— Vraiment? Tu crois? s'écria Mary, avide de savoir.

Elle voulait tellement en être sûre qu'elle répéta :

— Tu crois qu'il m'aime vraiment?

— Il s'approcherait pas tant si c'était pas vrai, répondit Dickon. Les oiseaux se trompent rarement. Ils ont vite fait de vous juger un homme. Regarde! Il te fait du charme. « Alors, on reconnaît plus les amis, maintenant? » Voilà ce qu'il te dit.

Et on avait vraiment l'impression que c'était cela. Il bondissait d'une branche de houx à l'autre, inclinant la tête et gazouillant comme un fou tout en sautillant sur son buisson.

— Tu comprends le langage des oiseaux? demanda Mary.

Dickon eut alors un large sourire qui lui éclaira tout le visage, et il se frotta la tête.

— Je pense bien que oui — et eux aussi m'comprennent, dit-il. Ça fait tellement d'temps qu'on vit ensemble sur la lande. Je les ai vus briser leur coquille pour sortir de l'œuf, puis se couvrir de plumes avant d'apprendre à voler et se mettre à chanter. Si bien que j'pourrais être un des leurs. Parfois, je m'dis que je l'sais pas, mais que je suis peut-être bien un oiseau ou un renard, un lapin, un écureuil ou même un scarabée, pourquoi pas?

Riant toujours, il revint s'asseoir sur la souche et se remit à parler des graines. Il lui décrivit les fleurs qu'elles donnaient et lui expliqua comment les observer, les soigner et les arroser.

— Dis donc, lui proposa-t-il brusquement, en se retournant vers elle, et si j'te les plantais? Où s'trouve donc ton bout d'jardin?

Mary commença par se tordre les mains. Ne sachant que dire, elle garda le silence pendant une bonne minute. Elle n'avait pas pensé à cela. Elle était malheureuse comme les pierres et se mit à rougir violemment, puis à pâlir.

— T'as bien un p'tit jardin, pas vrai? dit Dickon.

Il avait bien vu qu'elle était devenue toute rouge avant de se mettre à pâlir et comme elle ne disait toujours pas un mot, il était très intrigué.

— On n'a pas voulu t'en donner? demanda-t-il. Tu n'en as pas encore un?

Elle se tordait les mains de plus belle et finit par lever les yeux vers lui.

— Je ne connais rien aux garçons, dit-elle d'une voix lente. Si je te confiais un secret, est-ce que tu saurais le garder? C'est un grand secret, et si on venait à le découvrir, je ne sais pas ce que je ferais. Je crois que j'en mourrais.

Et elle prononça ces mots avec une extrême violence.

Dickon était de plus en plus perplexe et se grattait encore plus énergiquement la tête, mais il lui répondit comme si de rien n'était.

— Des secrets, j'en garde tout l'temps, fit-il. Si j'racontais aux autres garçons tout c'que je sais, les cachettes des renardeaux et les endroits où les oiseaux font leur nid, et où les bêtes sauvages ont leur terrier, y aurait plus un seul animal en sécurité sur la lande. Alors, pour garder les secrets, tu peux m'faire confiance.

Sans s'en rendre compte, Mary le saisit par la manche.

— J'ai volé un jardin, lui dit-elle précipitamment. Il n'est pas à moi, il n'est à personne. Personne n'en veut. Personne ne s'en occupe. Personne n'y va jamais. Peut-être que toutes les plantes y sont mortes, je n'en sais rien.

S'échauffant, elle commençait à se sentir plus malheureuse que jamais.

— Ça m'est égal, complètement égal, poursuivit-elle. Personne n'a le droit de me le prendre, parce que moi, je suis la seule à m'en occuper, personne d'autre. Ils le laissent mourir. On l'a fermé à clé et complètement abandonné, conclut-elle d'un ton enflammé.

Et enfouissant son visage dans ses mains, la pauvre petite Mary éclata violemment en sanglots.

Dickon écarquilla encore plus ses grands yeux bleus et ronds.

— Eh bien! s'exclama-t-il le plus doucement qu'il pût, étonné et compatissant.

— Je n'ai rien à faire, ajouta Mary. Et je n'ai rien à moi. Je l'ai trouvé toute seule, et je n'ai fait qu'y entrer, comme le rouge-gorge. On n'aurait pas l'idée de vouloir l'en chasser, lui.

— Où est-ce? demanda Dickon à voix basse.

D'un bond, Mary se leva. Elle se rendait bien compte qu'elle retrouvait, en même temps que son humeur chagrine, un vilain côté entêté, et cela lui était complètement égal. Reprenant ses manières impérieuses de petite princesse indienne, elle était tout échauffée et se sentait en même temps très malheureuse.

— Suis-moi, je vais te montrer, dit-elle.

Elle lui fit prendre le chemin bordé de lauriers pour le mener le long de l'allée où le lierre formait comme une épaisse muraille. Dickon la suivait, une drôle de lueur dans le regard, qui ressemblait à de la pitié. Il avait l'impression qu'on allait lui montrer le nid d'un oiseau d'une espèce plutôt rare et qu'il devait y aller avec précaution. Lorsqu'elle s'arrêta devant le mur pour soulever le rideau de lierre, il tressaillit. Derrière, il y avait une porte, et Mary la poussa lentement. Ils la franchirent tous deux en même temps et Mary, se redressant alors d'un air de défi, lui montra son domaine d'un geste de la main.

— Voilà mon jardin, lui dit-elle. C'est un jardin secret; et il n'y a que moi qui fasse quelque chose pour le faire vivre.

Dickon ne se lassait pas de regarder autour de lui.

— Oh! Quel drôle d'endroit, fit-il dans un murmure. Comme c'est joli. C'est comme dans les rêves!

CHAPITRE 11

LE NID DE LA GRIVE

Pendant deux bonnes minutes, il resta immobile à contempler ce qui l'entourait pendant que Mary l'observait, puis, tout doucement, il commença à avancer dans le jardin — encore plus doucement que ne l'avait fait Mary, la première fois qu'elle avait pénétré entre ses quatre murs. Il avait l'air de tout vouloir dévorer des yeux, les arbres aux branches grises envahies par les rosiers grimpants dont les lianes retombaient en cascades, l'épais treillis de branchages qui recouvrait les murs et courait sur l'herbe, les cabinets de verdure avec leur banc de pierre et les grandes vasques à fleurs qui s'y dressaient.

— J'aurais jamais cru que j' verrais un jour cet endroit, finit-il par murmurer.

— Tu en avais déjà entendu parler? demanda Mary.

Il lui fit signe de se taire, car elle avait parlé à voix haute.

— Il faut parler tout bas, lui dit-il. On pourrait nous entendre et s' demander ce que nous faisons ici.

— C'est vrai, j'oubliais, dit Mary, mettant la main devant sa bouche, l'air effrayé.

— On t'a parlé du jardin? reprit-elle une fois qu'elle eut retrouvé ses esprits.

Dickon acquiesça.

— Martha m'a dit qu' y avait un jardin où personne n'allait jamais, répondit-il. On s' demandait bien à quoi il pouvait ressembler.

S'arrêtant un instant, il jeta un regard circulaire sur le fouillis qui envahissait tout le jardin, et ses yeux ronds étaient emplis d'une joie étrange.

— Dis donc, fit-il, il va y en avoir des nids ici, au printemps! Y a pas d'endroit plus sûr dans toute l'Angleterre. Jamais personne n'y vient, et y a des tas de rosiers et d'arbres pleins de branches pour y bâtir un nid. Ça m'étonne que tous les oiseaux d' la lande ne nichent pas dans l' coin.

Sans s'en rendre compte, Mary reposa la main sur son bras.

— Est-ce qu'il y aura des roses? murmura-t-elle. Est-ce que tu peux me le dire? Je pensais que les rosiers étaient peut-être tous morts.

— Oh non, pas tous, sûrement pas, répondit-il. Regarde!

Il s'approcha d'un arbre, un très vieil arbre au tronc tout gris de lichen, mais dont les branches supportaient le poids d'un fouillis de lianes de rosiers qui tombaient jusqu'au sol. Il prit alors un couteau dans sa poche et en sortit une des lames.

— Y a pas mal de bois mort à élaguer, dit-il. Y a beaucoup de vieux bois, mais y a aussi des rameaux de l'année dernière. Tiens, regarde là, en voilà un tout jeune.

Et il lui montra une branche qui était d'un brun-vert, et non pas grise.

Mary y porta rapidement la main, avec un certain respect.

— C'est celle-là? fit-elle. Est-ce qu'elle est encore en vie? Tu en es sûr?

Dickon eut un large sourire.

— Elle est aussi vivante que toi et moi, dit-il.

— Comme je suis contente, s'exclama-t-elle dans un souffle. J'aimerais tellement que les autres le soient aussi. Faisons le tour du jardin pour voir combien ont résisté.

Elle brûlait d'impatience, et Dickon était tout aussi excité qu'elle. Ils passèrent d'arbre en arbre et de buisson en buisson. Dickon avait son couteau à la main et lui montrait ce qu'elle considérait comme de véritables merveilles.

— Les rosiers sont redevenus sauvages, dit-il, mais les plus vigoureux en ont drôlement profité. Les plus fragiles ont dépéri, mais les autres ont tellement poussé que c'en est une vraie merveille. Regarde-moi ça!

Et il tira vers lui une grosse branche toute grise qui paraissait complètement desséchée.

— On dirait du bois mort, mais moi, ça m'étonnerait, ajouta-t-il. Y a qu'à regarder. Je vais la couper au pied pour voir un peu.

Il s'accroupit et de son couteau, trancha au niveau du sol la branche qui semblait morte.

— Tu vois, lui dit-il tout exultant. J' te l'avais bien dit. C'est encore vert. Regarde bien!

Avant qu'il ait terminé, Mary s'était mise à genoux pour mieux voir.

— Quand c'est un peu vert comme ça, et qu'y a d' la sève, c'est que la plante vit encore, expliqua-t-il. Mais quand c'est tout sec à l'intérieur, et que ça casse facilement, comme ce morceau que j' viens de couper, alors là, y a plus rien à en tirer. Tu vois, ce pied-là, y a tout plein de branches vives dessus. Suffirait de couper tout le vieux bois mort, de buter la terre autour d' la racine, de s'en occuper, et...

Il s'interrompit alors pour jeter un regard aux rideaux de branches qui retombaient des arbres.

— ... et y aura des milliers d' roses qui vont jaillir comme l'eau d'une fontaine.

Ils allaient d'un massif à l'autre, d'arbre en arbre. Dickon avait son couteau bien en main et savait s'y prendre pour couper le bois mort, et dire si la branche qu'on croyait morte contenait encore un germe de vie. Au bout d'une demi-heure, Mary en fut capable, elle aussi, et quand Dickon coupait dans un rameau qui semblait mort, elle ne pouvait s'empêcher, au moindre signe de vie, d'exprimer sa joie et son bonheur.

La pelle, la bêche et le râteau s'avérèrent très utiles. Il lui montra comment se servir du râteau pendant que lui utilisait la pelle pour retourner la terre au pied des rosiers, leur donnant ainsi de l'air et de l'espace.

Ils étaient en train de s'activer au pied de l'un d'eux, lorsqu'il aperçut soudain quelque chose qui le fit s'exclamer de surprise.

— Tiens! s'écria-t-il en pointant du doigt l'herbe à quelques pas d'eux. Qui a fait ça?

Il montrait un des espaces que Mary avait

désherbés pour dégager et aérer les petites pousses vertes.

— C'est moi, dit Mary.

— Toi? Mais j' croyais que tu n'y connaissais rien en jardinage! s'exclama-t-il.

— C'est vrai, répondit-elle. Mais elles étaient si petites, et elles avaient l'air d'étouffer complètement sous cette épaisse couche d'herbe. Alors, j'ai pensé qu'elles avaient besoin d'espace pour respirer un peu, et je leur ai fait de la place. Je ne sais même pas ce que c'est comme fleurs.

Dickon vint voir de plus près et s'agenouilla sur le sol, un large sourire aux lèvres.

— C'est très bien, dit-il. Un jardinier t'aurait pas dit d' faire autrement. Maintenant, tout va pousser comme des haricots magiques. Il va y avoir des crocus et des perce-neige, et là, des narcisses.

Et se tournant vers un autre carré désherbé, il ajouta :

— Ici, ce seront des jonquilles. Ça vaudra l' coup d'œil!

Il courait d'un carré à l'autre.

— On peut dire que t'as pas chômé pour une p'tite fille comme toi, fit-il en la regardant de la tête aux pieds.

— Je prends du poids de jour en jour, répondit Mary, et aussi des forces. Avant, j'étais tout le temps épuisée. Mais quand je jardine, je ne sens pas la fatigue. J'aime bien respirer l'odeur de la terre qu'on vient de retourner.

— C'est très bon pour la santé, fit Dickon en hochant la tête d'un air entendu. Rien d' tel qu'une bonne odeur de terre fraîche. J' connais rien de meilleur, sauf l'odeur des plantes quand la pluie vient d' tomber. J' vais toujours sur la lande quand il pleut; je m'abrite sous les taillis pour écouter le bruit des gouttes sur la bruyère, et j' me lasse pas de respirer cette bonne odeur qui monte. J'en ai les narines qui palpitent comme celle d'un lapin, à c' que ma mère dit.

— Et tu n'attrapes jamais de rhume? lui demanda Mary, le regard rempli d'admiration.

Jamais elle n'avait vu de garçon aussi bizarre, ni aussi gentil.

— Moi? Non! dit-il avec le sourire. J'ai jamais eu de rhume de ma vie. J' me balade par tous les temps sur la lande, j' trotte comme un lapin. Ma mère dit qu'à force de respirer ce bon air depuis douze ans, c'est pas possible que je m'enrhume. J' suis solide comme un chêne!

Tout en bavardant, il ne cessait de travailler; Mary était derrière lui et l'aidait, avec son râteau ou le plantoir.

— Y a beaucoup à faire dans ce jardin, dit-il à un moment donné, jetant un regard réjoui autour de lui.

— Tu voudras bien revenir pour m'aider? le

supplia Mary. Je suis sûre que je peux aussi faire quelque chose. Je pourrais bêcher, arracher les mauvaises herbes et faire tout ce que tu me demanderas. S'il te plaît, Dickon.

— Si tu l' désires, j' viendrai tous les jours, qu'il pleuve ou qu'il vente, lui répondit vivement Dickon. J' me suis jamais autant amusé qu'entre ces quatre murs, à remettre de l'ordre dans ce jardin.

— Si tu viens, dit Mary, si tu acceptes de m'aider à lui redonner vie, je ne sais pas ce que je ferai, conclut-elle à court d'idée.

Comment remercier un garçon comme lui?

— Moi j' sais ce que tu vas faire, lui dit Dickon avec un grand sourire heureux. Tu vas grossir, et te mettre à dévorer comme un jeune loup, et puis apprendre à parler au rouge-gorge, comme moi. Ah, on va bien s'amuser, tous les deux!

Il se mit à aller et venir dans le jardin, regardant tantôt les arbres, tantôt les murs et les massifs d'un air songeur.

— Faudrait pas en faire un vrai jardin d' jardinier, bien tondu, avec des allées au carré, tout droit, tout net, c'est pas ton avis? dit-il. C'est tellement plus beau, tout sauvage comme c'est, avec ce fouillis de branches qui s' balancent au vent.

— Tu as raison, il ne faut pas lui donner un

air trop soigné, s'inquiéta Mary, sinon cela ne ressemblerait plus à un jardin secret.

Secouant ses boucles rousses, Dickon se frottait la tête d'un air plutôt perplexe.

— Pour ça, dit-il, c'est un jardin secret. Pourtant, j'ai bien l'impression que quelqu'un a dû venir ici, à part le rouge-gorge, depuis qu'on a fermé l' jardin, il y a dix ans.

— Mais la porte était fermée à clé, et la clé bien enfouie sous terre, fit Mary. Personne n'a pu y entrer.

— C'est vrai, répondit-il. C'est un drôle d'endroit. Il m' semble bien quand même qu'on a fouillé un peu de-ci de-là, y a pas si longtemps que ça.

— Mais comment est-ce possible? dit Mary.

Il se pencha pour regarder de plus près un

rosier sur tige et secoua la tête d'un air dubitatif.

— C'est bien ce que j' me demande, murmura-t-il. Avec la porte fermée à clé et la clé sous la terre...

Mary était persuadée qu'aussi longtemps qu'elle vivrait, elle ne pourrait pas oublier ce premier matin où son jardin revenait à la vie. Pour elle, en effet, ce ne pouvait être que ce matin-là. Quand Dickon commença à préparer la terre pour y semer ses graines, elle se rappela la petite chanson que Basil lui chantait pour la taquiner.

— Est-ce qu'il y aura des iris? demanda-t-elle à Dickon.

— Oui, j' crois en avoir vu, lui répondit-il. Mais j' peux t'en apporter d'autres plants d' chez nous, si tu veux. Mais pourquoi?

Mary lui raconta alors comment elle avait vécu aux Indes dans la famille de Basil, avec ses frères et sœurs qui l'avaient surnommée Mademoiselle Mary Chagrin, et combien elle les détestait.

— Ils faisaient la ronde autour de moi et n'arrêtaient pas de chanter :

Mademoiselle Mary Chagrin,
Comment va votre jardin?
Et vos iris et vos zinias,
Et vos rangées de pétunias?

Je viens juste de m'en souvenir, et alors je me suis demandé s'il y en avait dans le jardin.

Elle se rembrunit et enfonça d'un geste rageur son plantoir dans le sol.

— Ils étaient bien plus méchants que moi.

Mais Dickon éclata de rire.

— Eh bien, fit-il en écrasant une motte de terre noire et en respirant son odeur, c'est vraiment bête, à mon avis, d'être méchant comme ça, alors qu' y a de si belles fleurs partout, et des animaux qui courent en pleine nature pour s' trouver un bon coin où vivre, et des tas d'oiseaux qui chantent et sifflent en faisant leur nid. C'est pas ton avis?

Mary, ses paquets de graines à la main, s'agenouilla près de Dickon, et cessant de faire grise mine, elle leva les yeux vers lui.

— Dickon, dit-elle, tu es vraiment très gentil, Martha me l'avait bien dit, et je t'aime bien. Tu es la cinquième personne sur ma liste. Jamais je n'aurais cru pouvoir aimer autant de monde.

Dickon s'assit sur ses talons, tout comme Martha avait coutume de le faire quand elle nettoyait l'âtre. Avec ses yeux bleus tout ronds, ses joues rouges et son nez retroussé tout frémissant de joie, il avait un air vraiment drôle qui plaisait bien à Mary.

— Tu n'en aimes pas plus d' cinq? dit-il. Et qui sont les quatre autres?

— Ta mère, et Martha, répondit Mary en comptant sur ses doigts. Puis le rouge-gorge, et Ben Weatherstaff.

Dickon rit si fort qu'il dut se mettre la main sur la bouche pour étouffer le bruit qu'il faisait.

— J' sais bien que tu m' trouves un peu bizarre, lui dit-il, mais moi, j'ai jamais vu de fille comme toi. Pour ça, non!

Alors Mary fit quelque chose d'encore plus surprenant. Se penchant en avant, elle lui posa une question qu'elle ne se serait jamais crue capable de poser un jour. Et pour faire plaisir à Dickon, elle tenta de le faire en patois, car elle se rappelait qu'aux Indes, les indigènes étaient toujours contents qu'on s'adresse à eux dans leur propre langue.

— Et toi, tu m'aimions? lui demanda-t-elle.

— Pour sûr que oui, lui répondit-il de tout cœur. J' t'aime vraiment bien, et l' rouge-gorge aussi, à c' que je crois.

— Alors, ça fait déjà deux, dit Mary. Ça fait deux pour moi.

Là-dessus, ils se remirent au travail avec encore plus d'ardeur et de joie qu'auparavant. Lorsque la cloche de la grande cour sonna l'heure du déjeuner, Mary fut surprise et déçue.

— Il faut que je m'en aille, dit-elle toute triste. Et toi aussi, je pense.

Dickon sourit.

— C'est pas mon déjeuner qui m' pose des problèmes, dit-il. Ma mère oublie jamais d' me mettre quelque chose à grignoter dans la poche.

Il ramassa sa veste sur l'herbe et en sortit un petit balluchon de toile grossière à carreaux bleus et blancs. A l'intérieur, il y avait deux grosses tranches de pain avec quelque chose entre les deux.

— La plupart du temps, y a que du pain, ajouta-t-il, mais aujourd'hui, j'ai une belle tranche de lard en plus.

Mary se dit que c'était là un bien curieux repas, mais il semblait s'en réjouir à l'avance.

— Va vite déjeuner, lui dit-il. J'aurai fini bien avant toi, et j' vais pouvoir abattre encore pas mal d'ouvrage avant de rentrer à la maison.

Il s'assit, le dos contre un arbre.

— J' vais siffler le rouge-gorge, dit-il, pour lui donner la couenne de mon lard. Ils adorent le gras.

Mary ne se décidait pas à le quitter. Tout à coup, Dickon lui apparaissait comme une sorte de génie des bois qui pourrait fort bien ne plus être là quand elle reviendrait au jardin. Tout était trop beau pour être vrai. Elle commença à se diriger vers la porte, mais à mi-chemin elle fit demi-tour.

— Quoi qu'il arrive, tu... tu ne diras rien? lui demanda-t-elle.

Il avait la bouche pleine de pain, et ses joues en étaient toutes distendues, mais il parvint tout de même à lui adresser un sourire encourageant.

— Si tu étais une grive d' la lande et que tu m'aies montré ton nid, crois-tu que j'irais l' crier sur les toits? Pas moi, fit-il. Tu peux donc me faire confiance, comme les grives.

Alors, sur ces mots, elle s'en fut, rassurée.

CHAPITRE 12

« POURRAIS-JE AVOIR UN PEU DE TERRE ? »

Mary courut si vite qu'elle était presque hors d'haleine en arrivant dans sa chambre. Ses cheveux étaient ébouriffés et elle avait les joues toutes roses. Son déjeuner était déjà servi et Martha l'attendait près de la table.

— Vous êtes un peu en retard, lui dit-elle. Où étiez-vous donc passée?

— J'ai vu Dickon, répondit Mary. J'ai vu Dickon!

— Je savais qu'il allait venir, dit Martha, toute joyeuse. Comment le trouvez-vous?

— Je le trouve... je le trouve beau, répliqua Mary avec assurance.

Bien que cela lui fît plaisir, Martha eut l'air légèrement surpris.

— Tiens donc, dit-elle. Pour être brave, il est brave, mais quant à le trouver beau... Il a le nez vraiment trop en trompette!

— J'aime bien les nez en trompette, fit Mary.

— En plus, il a les yeux ronds comme des billes, poursuivit Martha avec une moue dubitative. Je vous accorde qu'ils sont d'un joli bleu.

— J'adore les yeux ronds, dit Mary. Les siens sont exactement de la même couleur que le ciel de la lande.

Martha en rayonnait de plaisir.

— Ma mère dit que c'est à force de contempler les oiseaux et les nuages dans le ciel. Mais vous ne trouvez pas qu'il a une trop grande bouche?

— Je la trouve bien, soutint Mary avec obstination. Et j'aimerais en avoir une pareille.

Martha était aux anges.

— Ça vous ferait une drôle de bouille, dit-elle. Mais je savais que ça se passerait comme ça. Et les graines et les outils pour le jardin, comment les avez-vous trouvés?

— Comment savez-vous qu'il me les a apportés? s'étonna Mary.

— Mais j'étais sûre qu'il le ferait et qu'il se mettrait en quatre pour vous trouver le nécessaire. Ça, on peut lui faire confiance!

Mary craignait, mais à tort, que Martha ne se mette à lui poser des questions gênantes. Elle ne lui parla cependant que des graines et des outils. Mary éprouva tout de même un moment de panique quand Martha lui demanda où elle allait planter ses fleurs.

— Vous avez demandé la permission à quelqu'un? lui demanda-t-elle.

— Pas encore, répondit Mary avec quelque hésitation.

— Il ne vaut mieux pas s'adresser à M. Roach, le jardinier en chef. C'est un trop grand monsieur.

— Je ne l'ai jamais vu, dit Mary. Je connais juste Ben Weatherstaff et quelques-uns de ses aides.

— A votre place, je demanderais à Ben, lui conseilla Martha. Il n'est pas aussi terrible qu'il en a l'air, bien qu'il soit toujours bougon. M. Craven lui laisse faire ses quatre volontés parce qu'il était déjà là du vivant de Mme Craven; il la faisait rire et elle l'aimait bien. Il pourra peut-être vous trouver un petit coin bien tranquille.

— Si c'est dans un endroit tranquille, dont personne ne veuille, on ne s'opposera pas à ce que je l'occupe, à votre avis? s'inquiéta Mary.

— Il n'y a pas de raison, répondit Martha. Vous ne faites rien de mal.

Mary se dépêcha de finir son déjeuner, et elle s'apprêtait à quitter la table pour aller mettre son chapeau avant de sortir, quand Martha l'arrêta.

— Il faut que je vous dise quelque chose, commença-t-elle. J'ai pensé qu'il valait mieux vous laisser déjeuner tranquillement d'abord. M. Craven est de retour depuis ce matin, et je crois qu'il veut vous voir.

Mary devint toute pâle.

— Oh! dit-elle. Mais pourquoi? Il n'a pas voulu me voir, le jour de mon arrivée. C'est Pitcher qui l'a dit, je l'ai entendu.

— Eh bien, lui expliqua Martha, Mme Medlock dit que c'est à cause de ma mère. En allant à Thwaite, elle a rencontré M. Craven au village. Elle ne lui avait jamais parlé. Mais Mme Craven était venue deux ou trois fois à la maison. Il ne se le rappelait pas, mais ma mère, elle, n'a pas oublié, et c'est ce qui lui a donné le courage de lui adresser la parole. Je ne sais pas ce qu'elle a bien pu lui raconter à votre sujet, mais, du coup, il a décidé de vous voir avant de repartir demain matin.

— Oh, s'écria Mary, il repart demain matin! Comme je suis contente!

— Il s'en va pour un bon bout de temps. Il ne reviendra peut-être pas avant l'automne ou même cet hiver. Il part à l'étranger. Il y va tout le temps.

— Oh, que je suis contente, vous ne pouvez pas savoir! dit Mary avec un soupir de soulagement.

S'il ne revenait pas avant l'hiver, elle aurait tout son temps pour voir le jardin secret revenir à la vie. Même s'il venait à l'apprendre et qu'il décide de le lui interdire, elle en aurait au moins profité jusque-là.

— Quand croyez-vous qu'il voudra...

Elle n'eut pas le temps de terminer sa phrase que la porte de la pièce s'ouvrait pour laisser entrer Mme Medlock. Elle avait mis ses plus beaux atours : un bonnet et une robe noire, et pour fermer son col, une grosse broche représentant un visage d'homme. C'était un portrait en couleurs de M. Medlock qui était mort depuis de nombreuses années, et elle ne l'arborait que dans les grandes occasions. Elle semblait être dans tous ses états.

— Vous êtes mal coiffée, dit-elle précipitamment. Allez vous brosser les cheveux. Martha, vous l'aiderez à passer sa plus belle robe. M. Craven m'a demandé de la conduire dans son bureau.

Mary blêmit, et son cœur se mit à battre à tout rompre. Elle sentit qu'elle reprenait, comme par le passé, un air raide et buté et qu'elle serait incapable de prononcer une parole. Sans un mot, elle tourna le dos à Mme Medlock et passa dans sa chambre, suivie de Martha. Pendant qu'on la changeait et la coiffait, elle n'ouvrit pas la bouche, et une fois prête, elle suivit Mme Medlock le long des couloirs, toujours en silence. Que pouvait-elle dire? Elle n'avait qu'à obéir, aller voir M. Craven, persuadée qu'elle ne lui plairait pas et qu'elle ne l'aimerait pas non plus. Elle savait d'avance ce qu'il allait penser d'elle.

Elle fut conduite dans une partie de la maison qu'elle ne connaissait pas encore. Finalement, Mme Medlock frappa à une porte, et une voix leur dit d'entrer. Elles pénétrèrent ensemble dans la pièce. Il y avait un homme assis dans un fauteuil, devant le feu, et Mme Medlock s'adressa à lui.

— Voici Mlle Mary, Monsieur, dit-elle.

— Vous pouvez la laisser et disposer. Je vous sonnerai pour venir la chercher, lui dit M. Craven.

Elle sortit et ferma la porte derrière elle, laissant Mary debout au milieu de la pièce. Elle était raide comme un piquet et se tordait les mains. L'homme qu'elle voyait assis dans son fauteuil n'était pas vraiment bossu. Il avait les épaules hautes et plutôt voûtées, et des cheveux poivre et sel. Tournant la tête dans sa direction, il lui adressa la parole.

— Venez ici, dit-il.

Mary s'avança.

Il n'était pas laid et aurait même pu être beau s'il n'avait pas eu l'air si malheureux. Il paraissait ennuyé et même irrité de la voir, comme s'il ne savait pas par quel bout la prendre.

— Vous allez bien? lui demanda-t-il.

— Oui, répondit Mary.

— On s'occupe bien de vous?

— Oui.

Il se frottait le front d'un air soucieux, tout en l'examinant des pieds à la tête.

— Vous êtes bien maigre, fit-il remarquer.

— J'ai pourtant grossi, lui répondit Mary de sa voix la plus revêche.

Comme il avait l'air malheureux! Ses yeux sombres ne semblaient pas la voir, comme s'ils regardaient autre chose. Il avait du mal à concentrer son attention sur elle.

— Je vous avais complètement oubliée, dit-il. Comment aurais-je pu penser à vous? J'avais pourtant l'intention d'engager une nurse ou une gouvernante, enfin, une personne pour s'occuper de vous. Mais cela m'est sorti de la tête.

— Je vous en prie, commença à dire Mary. Je vous en prie...

Mais, la gorge nouée, elle ne put poursuivre.

— Qu'essayez-vous de me dire? s'enquit-il.

— Je suis... trop grande pour avoir une nounou, dit Mary. Et je vous en supplie, n'engagez pas encore de gouvernante pour moi!

Se frottant à nouveau le front, il la regarda fixement.

— C'est ce que Mme Sowerby m'a conseillé, murmura-t-il, l'air absent.

Alors Mary rassembla tout son courage.

— C'est bien... c'est bien la mère de Martha ? parvint-elle à bégayer.

— Je crois, lui répondit-il.

— Elle s'y connaît en matière d'enfants, dit Mary. Elle en a douze. Elle sait ce qu'il faut faire.

Il parut sortir de sa torpeur.

— Que voulez-vous faire ?

— Je voudrais jouer dehors, répondit Mary qui espérait que sa voix ne tremblait pas trop. Aux Indes, je n'aimais pas ça. Mais ici, cela me donne de l'appétit, et j'ai déjà pris du poids.

Il l'observait.

— Mme Sowerby pense que cela vous fait du bien. Elle a peut-être raison, dit-il. A son avis, il faut d'abord vous refaire une santé avant d'avoir une gouvernante.

— Je sens que je reprends des forces, quand je joue au bon air, sous le vent de la lande, soutint Mary.

— Où jouez-vous ? lui demanda-t-il alors.

— N'importe où, dit-elle d'une voix étranglée. La mère de Martha m'a donné une corde à sauter. Je joue avec et je cours, je regarde aussi la nature et tout ce qui commence à y pousser. Je ne fais rien de mal.

— N'ayez pas l'air aussi effrayé ! dit-il d'une

voix inquiète. Quel mal pourrait donc faire une enfant de votre âge? Vous pouvez faire ce qu'il vous plaît.

Mary porta la main à sa gorge de peur qu'il n'y voie tressaillir la boule qu'elle y sentait monter. Elle fit un nouveau pas vers lui.

— Vraiment? dit-elle en tremblant.

La vue de son petit visage anxieux semblait l'inquiéter de plus en plus.

— Mais bien sûr, vous n'avez aucune crainte à avoir, s'exclama-t-il. Je suis votre tuteur; un bien piètre tuteur, je vous l'accorde. Je ne puis vous consacrer ni le moindre temps, ni la moindre attention. Je suis bien trop malade et malheureux pour avoir la tête à ça. Mais je veux que vous soyez heureuse, et que vous vous sentiez bien ici. Les enfants ne sont pas mon fort. Mais Mme Medlock est là pour veiller à ce que vous ne manquiez de rien. Si j'ai demandé à vous voir aujourd'hui, c'est sur les conseils de Mme Sowerby. Sa fille lui a parlé de vous. Elle pense que vous avez avant tout besoin de bon air, de liberté et d'exercice.

— Elle s'y connaît en matière d'enfants, ne put s'empêcher de répéter Mary.

— Je n'en doute pas, dit M. Craven. J'ai trouvé plutôt osé de sa part de m'arrêter sur la lande, mais elle m'a dit que ma femme avait toujours montré de la gentillesse envers elle.

Apparemment, il avait du mal à prononcer le nom de sa femme morte.

— C'est une brave personne, poursuivit-il. Maintenant que je vous ai vue, je partage son avis. Restez dehors autant que vous le désirez. La propriété est assez grande et vous pouvez jouer où bon vous semblera, à ce qui vous plaira.

Et comme si l'idée lui en venait tout à coup, il ajouta :

— Avez-vous envie de quelque chose ? Aimeriez-vous avoir des jouets, ou des livres, ou bien des poupées, peut-être ?

— Pourrais-je... demanda Mary d'une voix mal assurée, pourrais-je avoir un peu de terre ?

Dans sa précipitation, Mary ne se rendit pas compte de l'étrangeté de ses propos, qui n'exprimaient pas exactement ce qu'elle voulait dire. M. Craven en parut tout saisi.

— De la terre ? répéta-t-il. Que voulez-vous dire ?

— Un endroit où planter des graines, pour cultiver des fleurs et les regarder pousser, balbutia Mary.

Il resta un moment à la contempler fixement, puis se passa rapidement la main sur les paupières.

— Vous aimez donc tant le jardinage ? demanda-t-il lentement.

— Aux Indes, cela ne m'intéressait pas, dit Mary. J'étais tout le temps malade et fatiguée. Et il faisait si chaud... Parfois, je m'amusais à faire des tas de sable et j'y piquais des fleurs. Mais, ici, ce n'est pas la même chose.

M. Craven se leva et se mit à arpenter la pièce d'un pas lent.

— Un peu de terre, répétait-il, et Mary se dit qu'elle avait dû d'une certaine façon lui rappeler quelque chose.

Quand il s'arrêta pour lui répondre, il y avait presque de la douceur et de la gentillesse dans ses yeux sombres.

— Vous pouvez prendre autant de terre que vous le désirez, lui dit-il. Vous me rappelez quelqu'un qui aimait aussi la terre et tout ce qui y pousse.

Et il ajouta, avec un vague sourire :

— Si vous trouvez un endroit qui vous convienne, prenez-le, mon enfant, et faites-le vivre !

— Je peux le prendre n'importe où, si personne n'en veut ?

— N'importe où, répondit-il. Et maintenant, il faut vous en aller. Je suis fatigué.

Et pressant la sonnette pour appeler Mme Medlock, il conclut :

— Au revoir ! Je serai absent tout l'été.

Mme Medlock arriva si vite que Mary se dit

qu'elle avait dû rester à attendre dans le couloir.

— Madame Medlock, fit M. Craven, maintenant que j'ai vu cette petite, je comprends ce que Mme Sowerby a voulu dire. Il lui faut prendre des forces avant de pouvoir se mettre à l'étude. Donnez-lui une nourriture simple et saine. Laissez-la courir à sa guise dans le jardin, et ne la surveillez pas de trop près. Ce dont elle a besoin, c'est de liberté, de grand air et d'exercice. De temps en temps, Mme Sowèrby pourra venir la voir ici, et vous laisserez la petite lui rendre visite au cottage.

Mme Medlock paraissait satisfaite, et pour deux raisons. D'une part, elle était soulagée de s'entendre dire qu'elle n'avait pas besoin de veiller de trop près sur Mary. Ce travail l'avait plutôt ennuyée et elle avait, jusque-là, essayé de s'en décharger autant que possible. D'autre part, elle aimait beaucoup la mère de Martha.

— Merci, Monsieur, dit-elle. Susan Sowerby et moi-même sommes allées à l'école ensemble, et c'est une des femmes les plus braves et les plus sensées que vous puissiez rencontrer. Moi, je n'ai pas eu d'enfant, mais elle en a eu douze, tous de braves petits, en excellente santé. Cela ne pourra faire que du bien à Mlle Mary de les voir. Pour ma part, je suivrais toujours les conseils de Susan en ce qui concerne les enfants. Elle a ce qu'on appelle une saine vision des choses, si vous voyez ce que je veux dire.

— Je vois, répondit M. Craven. A présent, veuillez reconduire Mlle Mary et envoyez-moi Pitcher.

Quand Mme Medlock l'eut raccompagnée jusqu'au bout du couloir qui menait à sa chambre, Mary se mit à courir pour rejoindre Martha. Cette dernière s'était en effet dépêchée de revenir une fois son service fini, et l'attendait dans la nursery.

— Je peux avoir un jardin à moi! s'écria Mary. Là où je veux! Et je n'aurai pas de gouvernante avant longtemps. Votre mère va venir me voir, et je pourrai aller chez vous! Il a dit qu'une petite fille comme moi ne pouvait rien faire de mal, et que je pouvais faire tout ce que je voulais! Là où je voulais!

— Eh bien! dit Martha, ravie, vous ne trouvez pas que c'est gentil de sa part?

— Martha, lui fit Mary d'un ton solennel, il est très gentil, mais il a l'air tellement malheureux, et son front est tout ridé!

Et sur ces mots, elle se précipita au jardin du plus vite qu'elle put. Elle s'était absentée plus longtemps que prévu, et elle savait que Dickon devait partir tôt pour faire les cinq miles qui le séparaient de chez lui. Elle se glissa sous le lierre, franchit la porte et ne le vit pas à l'endroit où il était en train de travailler quand elle l'avait quitté. Tous les outils de jardinage étaient bien rangés sous un arbre. Elle s'avança et inspecta les alentours. Mais pas la moindre trace de Dickon. Il était parti, et il n'y avait plus personne dans le jardin secret, sauf le rouge-gorge qui venait juste de passer le mur et qui, perché sur un rosier, la regardait.

— Il est parti, dit-elle, toute triste. Alors, ce n'est peut-être finalement qu'un génie des bois, comme je le pensais.

Mais sur le buisson de roses, il y avait quelque chose de blanc, qui attira son regard. C'était un bout de papier (en fait, un morceau de la lettre qu'elle avait écrite à Dickon, sous la dictée de Martha). Il était accroché à une grande épine du rosier, et elle comprit sur-le-champ que c'était Dickon qui l'avait laissé là. Le texte était écrit en majuscules, avec de grosses lettres malhabiles, et une sorte de dessin y figurait. Au début, elle ne vit pas très bien ce que cela représentait. Mais elle finit par comprendre que c'était un nid avec un oiseau au milieu. Au-dessous, Dickon avait inscrit :

— « Je reviendrai. »

CHAPITRE 13

« JE M'APPELLE COLIN »

En rentrant pour le dîner, Mary rapporta le dessin de Dickon et le montra à Martha.

— Eh bien, dit Martha toute fière, je ne savais pas que mon petit frère était si doué que ça. C'est un nid de grive, deux fois plus grand que nature et aussi beau qu'un vrai!

Mary comprit alors le message que Dickon avait voulu lui faire parvenir : elle pouvait être sûre qu'il garderait son secret. Son jardin était son nid à elle, et elle y était comme une grive. Décidément, elle aimait vraiment beaucoup cet étrange petit paysan de la lande.

Elle espérait bien le revoir le lendemain, et elle s'endormit avec cet espoir.

Malheureusement, on ne peut jamais prévoir le temps qu'il va faire d'un jour à l'autre dans le Yorkshire, et particulièrement au printemps. Au cours de la nuit, elle fut réveillée par le bruit de la pluie qui battait les carreaux de sa chambre. Il tombait des trombes d'eau et le vent mugissait autour de la maison, s'engouffrant avec vacarme dans les cheminées de l'immense demeure. Mary s'assit dans sont lit, malheureuse et furieuse tout à la fois.

— La pluie est aussi désagréable et contrariante que je l'ai jamais été, dit-elle. Comme par hasard, elle se met à tomber juste au moment où ça m'ennuie le plus.

Elle se laissa retomber sur ses oreillers et y enfouit son visage. Elle ne pleurait pas, mais, immobile, elle maudissait le bruit de la pluie qui ne cessait de s'abattre, et en voulait au vent tapageur qui l'empêchait de se rendormir. Comme elle était déjà d'humeur sombre, tous ces bruits sinistres la tenaient éveillée. Si elle avait eu le cœur gai, elle se serait probablement laissée bercer jusqu'à s'endormir. Mais le vent mugissait toujours plus fort, et de grosses gouttes de pluie s'écrasaient sans arrêt sur les fenêtres.

— On dirait vraiment quelqu'un qui pleure, parce qu'il est perdu et qu'il erre sur la lande, se dit-elle.

Cela faisait environ une heure qu'elle se tournait et se retournait dans son lit sans trouver le sommeil, quand, tout à coup, un bruit étrange la fit bondir. Elle tourna la tête en direction de la porte pour mieux entendre et tendit l'oreille, concentrant toute son attention.

— Cette fois-ci, ce n'est pas le vent, mur-mura-t-elle. Ça ne peut pas être ça. Ce n'est pas la même chose. On dirait des sanglots, comme la dernière fois.

La porte de sa chambre était entrouverte et le bruit venait du couloir, un bruit étouffé et lointain, comme si quelqu'un pleurait. Elle écouta attentivement pendant quelques minutes, de plus en plus convaincue qu'elle ne se trom-pait pas. Il fallait qu'elle découvre la vérité. C'était un mystère encore plus étrange que celui du jardin secret et de sa clé enfouie sous terre. Son humeur combative lui donna le courage de quitter son lit et de se lever.

— Je vais aller voir ce qui se passe, se dit-elle. Tout le monde est couché et je me moque de Mme Medlock. Elle ne me fait pas peur.

Prenant la chandelle qui était auprès de son lit, elle sortit doucement de sa chambre. Le couloir était long et noir, mais elle était dans un tel état d'excitation qu'elle n'y fit pas attention. Elle pensait se rappeler le chemin à suivre pour parvenir jusqu'au petit couloir où se trouvait la porte dissimulée sous la tapisserie, cette même porte par laquelle elle avait vu sortir Mme Med-lock, le jour où elle s'était perdue dans la maison. Le bruit venait de là. Elle se mit en route, sa petite lumière à la main, trouvant son chemin presque à tâtons. Son cœur battait si fort qu'elle avait l'impression de l'entendre.

Le bruit de pleurs lointains était toujours audible et la guidait. Par moments, elle ne l'entendait plus, mais il reprenait toujours. Fallait-il tourner à droite, ici? S'arrêtant un instant, elle réfléchit. Oui, c'était bien cela. Il fallait descendre dans ce passage, puis tourner à gauche, monter encore deux grandes marches, et puis tourner de nouveau à droite. Enfin, elle était arrivée devant la tenture qui cachait la porte.

Elle ouvrit tout doucement la porte et la referma derrière elle. Elle était dans le petit couloir et entendait distinctement quelqu'un pleurer, bien que le bruit ne fût pas très fort. Cela venait de l'autre côté du mur, sur sa gauche. A quelques mètres de là, il y avait une autre porte. Elle voyait un rai de lumière qui passait au-dessous. Quelqu'un pleurait dans cette pièce, et c'était quelqu'un de jeune.

Elle se dirigea vers la porte, l'ouvrit, et entra dans la pièce.

C'était une grande chambre, avec de beaux meubles anciens. Il restait quelques braises rougeoyantes dans la cheminée et une veilleuse brûlait près d'un lit à colonnes sculpté, tendu de brocart. Et sur ce lit, il y avait un jeune garçon qui pleurait à fendre l'âme.

Mary se demanda si elle était bien éveillée ou
si elle rêvait.

Le jeune garçon avait un visage fin au teint
d'ivoire et des yeux qui lui mangeaient la figure.
Ses cheveux formaient une masse abondante qui
retombait sur son front en grosses boucles, de
sorte que son visage en paraissait encore plus
petit. Il semblait avoir été malade, mais s'il
pleurait, c'était plus de fatigue et de colère que
de souffrance.

Mary était immobile près de la porte, sa
bougie à la main, retenant son souffle. Puis elle
s'avança sur la pointe des pieds, et la lumière
attira alors l'attention du jeune garçon qui
tourna la tête et la regarda fixement, les yeux
écarquillés au point qu'ils paraissaient
immenses.

— Qui es-tu? finit-il par murmurer d'une voix craintive. Es-tu un fantôme?

— Non, répondit Mary en chuchotant elle aussi, à demi-morte de peur. Et toi?

Il ne la quittait pas du regard. Mary ne put s'empêcher de remarquer à quel point ses yeux étaient étranges. Ils étaient gris, couleur d'agate, et c'était à cause de leurs longs cils noirs qu'ils semblaient trop grands pour son visage.

— Non, répondit-il au bout d'un moment. Je m'appelle Colin.

— Colin comment?

— Colin Craven. Et toi? Qui es-tu?

— Je m'appelle Mary Lennox. M. Craven est mon oncle.

— C'est mon père, dit Colin.

— Ton père! s'exclama Mary. Mais on ne m'a jamais dit qu'il avait un fils. Pourquoi?

— Viens plus près, lui dit-il en gardant les yeux toujours fixés sur elle, l'air craintif.

Elle s'approcha du lit, et étendant le bras, il la toucha de la main.

— Tu es bien vraie, n'est-ce pas? dit-il. Je fais parfois des rêves si réels. Tu pourrais en être un.

Avant de quitter sa chambre, Mary avait enfilé une robe d'intérieur en lainage et elle lui en fit tâter l'étoffe.

— Touche cela, et tu verras comme c'est chaud et épais, fit-elle. Si tu le veux, je peux aussi te pincer pour te prouver que j'existe bien. Moi aussi, j'ai cru pendant une minute que tu étais un rêve.

— D'où viens-tu? lui demanda-t-il.

— De ma chambre. Le vent faisait un tel vacarme que je n'arrivais pas à dormir. Alors, j'ai entendu quelqu'un pleurer et j'ai voulu savoir qui c'était. Pourquoi pleurais-tu?

— Parce que je ne pouvais pas dormir, moi non plus, et que j'avais mal à la tête. Rappelle-moi ton nom.

— Mary Lennox. Personne ne t'a dit que j'allais venir vivre ici?

Il tenait toujours à la main le pan de sa robe de chambre, mais il semblait commencer à croire en son existence.

— Non, répondit-il. Ils n'ont pas osé.

— Pourquoi? demanda Mary.

— Parce que j'aurais eu peur que tu me voies. Je ne veux pas que les gens me voient et parlent de moi, ensuite.

— Pourquoi? lui redemanda Mary qui était de plus en plus intriguée.

— Parce que je suis toujours malade, comme maintenant, et que je dois rester couché. D'ailleurs, mon père ne veut pas non plus que les gens parlent de moi. Il a interdit aux domestiques de le faire. Si je vis, je serai bossu, mais je sais bien que je vais mourir. Mon père est malade à l'idée que je puisse être comme lui.

— Quelle drôle de maison, dit Mary. Ah oui, vraiment. Tout y est tellement étrange! Les portes sont fermées à clé, même celles des jardins, et maintenant, je tombe sur toi. Est-ce qu'on t'enferme, toi aussi?

— Non. Je reste dans cette chambre parce que je ne veux pas en sortir. Cela me fatigue trop.

— Est-ce que ton père vient te voir? osa lui demander Mary.

— Parfois. Généralement quand je dors. Il ne veut pas me voir.

De nouveau, Mary ne put s'empêcher de lui demander :

— Pourquoi?

Un éclair de chagrin et de colère assombrit le visage du jeune garçon.

— Ma mère est morte à ma naissance, et cela le rend malheureux de me voir. Il croit que je ne le sais pas, mais j'ai entendu les gens en parler. Il me hait presque.

— C'est aussi parce qu'elle est morte qu'il déteste le jardin secret, dit Mary comme si elle se parlait à elle-même.

— Quel jardin? demanda à son tour Colin.

— Oh, un jardin qu'elle aimait bien, balbutia Mary. Tu n'es jamais sorti d'ici?

— Presque jamais. On m'a emmené deux ou trois fois au bord de la mer, mais je n'ai pas voulu rester, car les gens me regardaient. J'avais une sorte de corset de fer pour me soutenir le dos, mais un grand docteur est venu de Londres pour me voir, et il a dit que c'était inutile, qu'il fallait me l'enlever et que j'avais seulement besoin de grand air. Mais je déteste ça, et je ne veux pas sortir.

— Moi non plus, je ne supportais pas ça quand je suis arrivée ici, dit Mary. Mais pourquoi me regardes-tu sans arrêt comme ça ?

— Parce qu'il y a des rêves qui ont l'air si vrai, lui répondit-il d'un ton plutôt maussade. Parfois, quand j'ouvre les yeux, je n'arrive pas à croire que je suis réveillé.

— Nous sommes tous les deux bien réveillés, dit Mary.

Elle inspecta la chambre, regardant tour à tour le haut plafond, les coins remplis d'ombre et la faible lueur du feu de bois.

— Ça a l'air d'un rêve, ajouta-t-elle, parce que c'est le milieu de la nuit et que tout le monde dort dans la maison — tout le monde, sauf nous. Nous, nous sommes complètement réveillés.

— Je ne veux pas que ce soit un rêve, dit Colin d'une voix inquiète.

Mary songea tout à coup à quelque chose.

— Si tu n'aimes pas que les gens te regardent, commença-t-elle, tu veux peut-être que je m'en aille?

Il tira légèrement sur le pan de sa robe de chambre qu'il n'avait pas lâché.

— Non, dit-il. Si tu partais, cela voudrait dire que tu étais un rêve. Si tu existes réellement, assieds-toi sur ce tabouret et parle-moi. Je veux en savoir plus sur toi.

Mary posa sa chandelle sur la table de nuit et s'assit sur le tabouret capitonné. Elle n'avait pas la moindre intention de s'en aller. Elle avait envie de rester dans cette pièce étrange et secrète pour parler avec ce garçon mystérieux.

— Que veux-tu que je te raconte? dit-elle.

Il voulait tout savoir : depuis combien de temps elle était à Misselthwaite, dans quel couloir était sa chambre, ce qu'elle faisait, si la lande lui déplaisait autant qu'à lui, où elle vivait avant de venir dans le Yorkshire. Elle répondit à toutes ses questions et à beaucoup d'autres encore. Lui l'écoutait, la tête sur l'oreiller. Il lui demanda des tas de détails sur les Indes et sur sa traversée de l'océan. Elle s'aperçut que du fait de son infirmité, il en savait plus sur beaucoup de sujets que les enfants de son âge. Il avait appris à lire très jeune avec une de ses nurses et passait son temps plongé dans des livres aux illustrations superbes.

Bien que son père lui rendît rarement visite quand il était éveillé, il lui offrait de merveilleux cadeaux pour le distraire. Malheureusement, cela n'avait jamais paru l'intéresser. On lui donnait tout ce qu'il désirait, et on ne le forçait jamais à faire quoi que ce soit qui lui déplût.

— Tout le monde doit faire ce que je désire, dit-il d'un air indifférent. Cela me rend malade de me mettre en colère. Personne ne pense que j'atteindrai l'âge adulte.

Il disait cela comme s'il s'était habitué à cette idée, au point de ne plus s'en préoccuper. Il semblait aimer la voix de Mary. Tandis qu'elle continuait de parler, il l'écoutait d'un air inté-ressé, mais légèrement assoupi. Elle se demanda une ou deux fois s'il n'était pas en train de s'endormir tout doucement. Il lui posa finale-ment une question qui relança la conversation.

— Quel âge as-tu? lui demanda-t-il.

— J'ai dix ans, répondit Mary.

Et sans réfléchir, elle ajouta :

— Et toi aussi.

— Comment le sais-tu? lui demanda-t-il d'un air surpris.

— Parce que quand tu es né, on a fermé le jardin secret et enterré la clé. Et cela fait dix ans de cela.

Colin se redressa sur son lit et, s'appuyant sur les coudes, se tourna vers elle.

— Quel jardin? Quelle clé? Et qui a fait cela? s'exclama-t-il avec un intérêt soudain.

— C'est... c'est ce jardin que M. Craven déteste, lui répondit Mary, quelque peu inquiète. Il en a fermé la porte et personne n'a jamais su où il avait enterré la clé.

— De quel sorte de jardin s'agit-il? insista Colin d'une voix où perçait l'impatience.

— Depuis dix ans, personne n'a eu la permission d'y aller, lui répondit-elle prudemment.

Mais il était trop tard pour faire preuve de prudence. Colin lui ressemblait trop. Comme elle, il n'avait jamais rien eu à quoi s'attacher, et l'idée d'un jardin mystérieux excitait sa curiosité, comme elle avait fasciné Mary. Il la harcela de questions. Où était-il situé? Est-ce qu'elle avait cherché à en découvrir la porte? Et les jardiniers, avait-elle seulement songé à leur poser la question?

— Ils ne veulent pas en parler, dit Mary. Je crois qu'on le leur a interdit.

— Je saurais bien les faire parler, moi, affirma Colin.

— Tu crois? balbutia Mary d'une voix tremblotante.

Elle commençait à avoir peur. Si c'était vrai, qu'allait-il se passer?

— Tout le monde doit m'obéir, je te l'ai déjà dit, lui répondit-il. Si je ne meurs pas, c'est moi qui serai un jour le maître de cette maison. Et tout le monde le sait. Il faudra bien qu'ils me le disent.

Mary avait toujours ignoré qu'elle était une enfant gâtée, mais dans le cas de ce mystérieux garçon, elle se rendait parfaitement compte qu'on avait toujours fait ses quatre volontés. Il croyait être le maître de la terre entière. Il était vraiment étonnant, surtout quand il parlait de sa mort.

— Tu crois vraiment que tu vas mourir? lui demanda-t-elle, d'abord par pure curiosité, et ensuite dans l'espoir qu'il en oublierait le jardin.

— Je pense que oui, répondit-il sur le même ton indifférent que la première fois. Aussi loin que je me souvienne, j'ai toujours entendu dire autour de moi que je ne vivrais pas longtemps. Au début, les gens pensaient que j'étais trop jeune pour comprendre, et aujourd'hui, ils croient que je ne les entends pas. Mais ils se trompent. C'est le cousin de mon père qui me soigne. Il est docteur. Il n'est pas très riche, et si je meurs, c'est lui qui héritera du manoir à la mort de mon père. Je me doute qu'il n'a pas très envie de me voir vivre vieux.

— Et toi, est-ce que tu veux vivre? lui demanda Mary.

— Non, répondit-il d'une voix lasse et irritée. Mais je ne veux pas mourir. Quand je me sens mal, je reste couché et je n'arrête pas de penser à cela, au point que je me mets à pleurer, sans m'arrêter, pendant des heures.

— Je t'ai entendu pleurer trois fois, dit Mary, mais je ne savais pas que c'était toi. C'est pour cette raison que tu pleurais?

Elle n'avait qu'une chose en tête : lui faire oublier le jardin.

— Probablement, lui répondit-il. Mais parlons d'autre chose, de ce jardin par exemple. Tu n'as pas envie de le voir?

— Si, fit-elle à voix basse.

— Moi aussi, poursuivit-il obstinément. C'est bien la première fois que cela m'arrive, mais j'ai vraiment envie de voir ce jardin. Je veux qu'on retrouve la clé et qu'on m'ouvre la porte. Je pourrais alors m'y faire amener dans mon fauteuil. Comme ça, je prendrais l'air. Je vais les obliger à m'ouvrir cette porte.

Il était de plus en plus excité et ses yeux étranges s'étaient mis à briller comme des étoiles et paraissaient plus grands que jamais.

— Ils ne doivent pas me contrarier, dit-il. Ils vont m'y amener et tu viendras avec moi.

Mary se tordait les mains de désespoir. Il allait tout gâcher — tout... Dickon ne voudrait plus revenir, et elle ne se sentirait plus jamais pareille à une grive en sécurité dans son nid.

— Oh, non! Je t'en supplie, ne fais pas ça,

204

s'il te plaît, surtout pas! finit-elle par s'écrier.

Il la dévisagea comme si elle était brusquement devenue folle.

— Pourquoi? s'exclama-t-il. Tu as pourtant dit que tu aimerais le voir!

— C'est vrai, répondit-elle avec comme des sanglots dans la voix. Mais si tu fais ouvrir la porte pour y aller, comme ça, alors ce ne sera plus un secret.

Il se pencha un peu plus en avant.

— Un secret? dit-il. Que veux-tu dire? Explique-toi.

Les mots se précipitaient dans la bouche de Mary.

— Tu comprends, fit-elle d'une voix haletante, si nous sommes les seuls à être au courant, s'il y avait une porte dissimulée quelque part sous le lierre, s'il y en a vraiment une et que nous la trouvions tout seuls, nous pourrions nous introduire en cachette à l'intérieur du jardin et fermer la porte derrière nous. Personne ne saurait que nous sommes là et nous dirions que c'est notre jardin secret, comme si on était des grives et que ce soit notre nid. On pourrait y aller tous les jours pour jouer. On jardinerait, on y planterait des fleurs pour le faire revivre.

— Tu crois qu'il n'y pousse plus rien? l'interrompit Colin.

— C'est probable si personne ne s'en est occupé depuis dix ans, poursuivit-elle. Les bulbes sont résistants, mais les roses, elles...

Il l'interrompit à nouveau; il était tout aussi excité qu'elle.

— Qu'est-ce que c'est que ces bulbes? lui demanda-t-il d'une voix pressante.

— Ce sont des oignons qui donnent des jonquilles, des perce-neige et des lis. C'est l'époque où ils germent sous terre, et avec le printemps qui arrive, on voit percer des tas de petites pousses vertes.

— Le printemps arrive? dit-il. Raconte-moi comment c'est. Quand on est malade, on est toujours enfermé et on ne s'en aperçoit pas.

— D'abord, il fait beau et puis il pleut, et puis le soleil se remet à briller après la pluie, et tout se met à germer sous la terre et puis à pousser, lui dit Mary. Si on arrivait à trouver tout seuls le jardin secret et qu'on ne le dise à personne, que ce soit notre secret, on pourrait y aller et voir les fleurs pousser chaque jour un peu plus. Nous saurions alors s'il y a encore des roses. Tu n'es pas de mon avis? Tu ne crois pas que ça serait tellement mieux si c'était un secret entre nous deux?

L'air pensif, il se laissa retomber sur son oreiller.

— Je n'ai jamais eu de secret, dit-il, sauf celui

qui concerne ma mort. Personne ne sait que je suis au courant, c'est donc une sorte de secret. Mais je préfère le tien...

— Si tu ne donnes pas l'ordre qu'on t'ouvre le jardin, avança Mary, je pense que, peut-être, je serai capable de trouver un moyen d'y entrer. Et puis, si le docteur veut que tu sortes dans ton fauteuil et si tu peux toujours faire ce que tu veux, on pourrait peut-être trouver quelqu'un, un garçon, pour pousser ton fauteuil ; comme ça, nous pourrions y aller seuls et cela resterait notre jardin secret.

— Je crois que j'aimerais ça, dit-il très lentement d'un air rêveur. Oui, j'aimerais bien ça. Je crois même que je pourrais supporter d'être au grand air, si c'était dans un jardin secret.

Mary retrouva son calme et se sentit soulagée quand elle comprit que l'idée d'avoir un secret plaisait à Colin. Elle était pratiquement persuadée que si elle n'arrêtait pas de parler et parvenait à lui donner la même vision du jardin qu'elle en avait, il serait tellement séduit qu'il ne pourrait supporter la pensée de partager son secret avec le commun des mortels.

— Je vais te dire comment je l'imagine, lui fit-elle. Cela fait si longtemps que nul n'y a pénétré qu'il doit être complètement envahi par la végétation.

Il l'écoutait, calmement allongé, tandis qu'elle

lui racontait comment les rosiers avaient dû pousser et leurs branches passer d'arbre en arbre pour retomber en cascades jusqu'au sol. Elle lui dit aussi que les oiseaux devaient raffoler de l'endroit, si calme et si sûr pour y bâtir un nid. Et elle lui parla aussi de Ben Weatherstaff et de son ami le rouge-gorge, qui était une vraie mine d'anecdotes. Mary pouvait en parler en toute sécurité et, du coup, elle cessa d'avoir peur. C'était un sujet qui plaisait à Colin, et il était si souriant en l'écoutant qu'il en paraissait presque beau, alors que Mary, au début de leur rencontre, l'avait trouvé encore plus laid qu'elle, avec ses yeux démesurés et la masse de ses cheveux bouclés.

— J'ignorais que les oiseaux pouvaient se comporter ainsi, dit-il. C'est normal puisque je ne quitte jamais ma chambre. Tu en sais des choses, toi. J'ai comme l'impression que tu es déjà allée dans ce jardin.

Ne sachant trop que dire, Mary se tut. Mais de toute évidence, Colin ne s'attendait pas à ce qu'elle lui réponde, car l'instant d'après, il lui fit une surprise.

— Je vais te montrer quelque chose, lui dit-il. Tu vois ce rideau de soie rose sur le mur, au-dessus de la cheminée?

Mary ne l'avait pas remarqué en entrant, mais, levant les yeux, elle l'aperçut. Au-dessus de la cheminée, il y avait un grand pan d'étoffe chatoyante qui semblait recouvrir un tableau.

— Je le vois, répondit-elle.

— Il y a un cordon sur le côté, dit Colin. Va le tirer.

Mary se leva, sa curiosité en éveil, et elle saisit le cordon. Elle le tira et, aussitôt, le rideau coulissa sur la tringle pour découvrir un tableau. C'était le portrait d'une jeune fille au visage souriant. Ses cheveux blonds était relevés et attachés avec un ruban bleu. Elle avait des yeux adorables et pleins de gaîté. Ils étaient exactement comme ceux de Colin, immenses et gris, couleur d'agate, avec des cils si noirs et si longs qu'ils en semblaient encore plus grands que nature.

— C'est ma mère, dit Colin d'une voix plaintive. Je ne comprends pas pourquoi elle est morte si jeune. Parfois je lui en veux.

— Quelle idée! fit Mary.

— Si elle n'était pas morte, je crois que je ne serais pas devenu infirme, marmonna-t-il. Je crois même que j'aurais pu vivre longtemps. Et mon père ne me détesterait pas à ce point. Je suis sûr que mon dos n'aurait pas été si faible. Maintenant, remets le rideau à sa place.

Mary lui obéit et revint s'asseoir sur son tabouret.

— Elle est plus jolie que toi, dit-elle. Mais tu

as exactement les mêmes yeux, du moins, ils ont la même forme et la même couleur. Pourquoi y a-t-il un rideau devant son portrait?

Il sembla mal à l'aise.

— C'est moi qui l'ai voulu, dit-il. Par moments, je ne supporte pas son regard. Elle a un tel sourire alors que je suis malade et malheureux. De plus, c'est ma mère, et je ne veux pas que tout le monde puisse la voir.

Il y eut un moment de silence, puis Mary reprit.

— Que va dire Mme Medlock quand elle apprendra que je suis venue ici? demanda-t-elle.

— Elle fera ce que je lui dirai de faire, répondit-il. Et je lui dirai que c'est moi qui t'ai demandé de venir, et que je veux te voir tous les jours, pour bavarder avec toi. Je suis content que tu sois venue.

— Moi aussi, dit Mary. J'essaierai de venir le plus souvent possible. Mais — elle hésita — il va aussi me falloir du temps pour chercher la porte du jardin.

— Oh, oui, il faut que tu la trouves, lui dit Colin. Et après, tu viendras tout me raconter.

De nouveau, il resta silencieux quelques minutes, l'air songeur, puis il poursuivit.

— Je crois que je ne vais rien dire à ton sujet. Ce sera aussi un secret, dit-il. Jusqu'à ce qu'on s'en aperçoive. Je ferai sortir la nurse, en lui disant que j'ai envie d'être seul. Tu connais Martha?

— Oui, je la connais très bien, répondit Mary. C'est elle qui me sert.

D'un signe de tête, il lui montra le couloir et la porte qui faisait face à celle de sa chambre.

— Elle dort en ce moment dans la pièce à côté. L'infirmière est partie hier pour passer la nuit chez sa sœur. Dans ces cas-là, c'est Martha qui s'occupe de moi. Je l'enverrai te chercher quand je voudrai te voir.

Mary comprit alors l'air gêné de Martha quand elle l'avait questionnée au sujet de ces pleurs mystérieux.

— Est-ce que Martha a toujours été au courant de ton existence? dit-elle.

— Oui, elle s'occupe souvent de moi. L'infirmière aime bien se libérer de temps à autre, et c'est alors Martha qui la remplace.

— Cela fait un bon moment que je suis là, dit Mary. Puis-je m'en aller, maintenant? Tu sembles avoir sommeil.

— J'aimerais bien m'endormir avant que tu ne me quittes, lui dit-il avec une certaine timidité.

— Ferme les yeux, lui dit Mary qui approcha son tabouret du lit de Colin. Je vais faire comme mon ayah aux Indes, et te caresser la main tout en te chantant une chanson douce.

— Si tu veux, fit-il en bâillant.

Mary éprouvait une certaine pitié pour lui et avait envie de le voir s'endormir avant de le quitter. Se penchant au-dessus de lui, elle lui prit donc la main et se mit à la caresser, tout en chantonnant un petit air tendre en hindoustani.

— C'est joli, lui dit-il, d'une voix encore plus somnolente.

Elle continua de le bercer jusqu'au moment où elle vit ses grands yeux aux longs cils noirs se fermer : il s'était endormi. Se levant alors, tout doucement, elle prit sa bougie et se glissa sans bruit hors de la chambre.

CHAPITRE 14

LE PETIT MAHARADJAH

Lorsque le jour se leva, la lande était noyée de brume et la pluie tombait toujours à torrents. Il n'était pas question de mettre le nez dehors. Martha avait trop de travail pour bavarder avec Mary, mais l'après-midi, celle-ci lui demanda de venir passer un moment avec elle dans la nursery. Martha vint avec son tricot comme elle en avait l'habitude, quand elle n'avait rien d'autre à faire.

— Que se passe-t-il? lui demanda Martha dès qu'elles furent installées. On dirait que vous avez quelque chose à me dire.

— Oui. J'ai enfin éclairci le mystère des pleurs, lui dit Mary.

Martha lâcha son tricot et la regarda, les yeux écarquillés.

— Non, s'écria-t-elle. Ce n'est pas possible.

— J'ai entendu du bruit, cette nuit, poursuivit Mary. Alors, je me suis levée et je suis allée voir d'où cela venait. C'était Colin qui pleurait. J'ai fini par le trouver.

Martha, effrayée, changea de couleur.

— Oh, mademoiselle Mary! fit-t-elle, pleurant presque. Vous n'auriez pas dû, non. Je vais avoir des ennuis. Je ne vous ai pourtant jamais rien dit, mais je suis sûre que ça va retomber sur moi. On va me renvoyer, et qu'est-ce que ma mère va faire?

— Mais non, on ne va pas vous renvoyer, dit Mary. Colin était content que je sois venue. Nous avons parlé sans arrêt et il m'a dit que cela lui faisait très plaisir de me voir.

— Il a dit ça? s'écria Martha. Vous en êtes sûre? Vous ne pouvez pas savoir comment il est quand il se met en colère. Ce n'est pourtant pas de son âge de pleurer comme un tout petit bébé, mais quand il est fâché, il crie comme un diable juste pour nous faire peur. Il sait bien qu'on ne peut rien contre lui.

— Il n'était pas fâché, dit Mary. Je lui ai même demandé s'il voulait que je m'en aille, et c'est lui qui m'a dit de rester. Il m'a posé une foule de questions et je me suis assise sur un tabouret près de son lit pour lui répondre. Je lui ai parlé des Indes et du rouge-gorge et des jardins. Il ne voulait pas me laisser partir. Il m'a montré le portrait de sa mère. Avant de le quitter, je lui ai même chanté une berceuse.

Martha en était bouche bée d'étonnement.

— J'ai du mal à le croire, protesta-t-elle. Comme si vous me disiez que vous êtes entrée dans la cage aux lions. S'il avait été dans son état habituel, il aurait piqué une de ces colères à réveiller toute la maison. Il n'aime pas être vu par des inconnus.

— Cela ne l'a pas dérangé, puisque je l'ai regardé toute la nuit, et lui aussi m'a regardée. Qu'est-ce que nous nous sommes regardés! affirma Mary.

— Qu'est-ce que je vais bien pouvoir faire? dit Martha qui était dans tous ses états. Si Mme Medlock l'apprend, elle va croire que j'ai désobéi aux ordres et que c'est moi qui vous ai tout dit. Elle va me renvoyer chez ma mère.

— Colin ne dira rien à Mme Medlock pour le moment. Il considère cela comme une sorte de secret entre nous, lui affirma Mary d'un ton assuré. De toute façon, il dit que tout le monde doit lui obéir.

— Pour ça, oui, le sale gosse! soupira Martha en s'essuyant le front du bout de son tablier.

— Même Mme Medlock, d'après lui, doit lui obéir. Il veut que je vienne le voir tous les jours pour parler avec lui. Et c'est vous qui serez chargée de me transmettre ses messages.

— Moi? dit Martha. Alors là, pour le coup, je vais perdre ma place, c'est sûr!

— Certainement pas, si vous faites exactement ce qu'il vous demande et si tout le monde doit lui obéir, soutint Mary.

— Est-ce que vous essayez de me faire croire qu'il a vraiment été gentil avec vous? s'écria Martha, les yeux ronds d'étonnement.

— Je crois même qu'il m'aime bien, répondit Mary.

— Alors, vous avez dû l'ensorceler, conclut Martha dans un grand soupir.

— Vous voulez dire comme par magie? lui demanda Mary. Aux Indes, j'ai entendu parler de magie, mais moi je ne sais pas en faire. Je suis simplement entrée dans sa chambre et quand je l'ai vu, j'ai été tellement surprise que je suis restée complètement figée à le contempler. Alors, il s'est retourné et il m'a regardée, lui aussi. Et il a pensé que j'étais un fantôme ou un rêve. Moi aussi, je me suis demandé si je rêvais. C'était vraiment bizarre d'être en face l'un de l'autre, sans se connaître, au beau milieu de la nuit. Et nous avons commencé à nous poser des questions et quand je lui ai demandé s'il voulait que je m'en aille, il m'a dit de rester.

— C'est la fin du monde! s'écria Martha qui en suffoquait.

— Mais qu'est-ce qu'il a? lui demanda Mary.

— Personne n'en sait rien, au juste, dit Martha. A sa naissance, M. Craven a failli perdre la raison. On a même cru qu'il faudrait l'envoyer à l'asile. Tout ça, parce que Mme Craven est morte, comme je vous l'ai déjà raconté. Il ne voulait même pas regarder le bébé. Il était comme fou et n'arrêtait pas de dire que l'enfant serait bossu, tout comme lui, et qu'il vaudrait mieux qu'il meure.

— Est-ce que Colin est vraiment bossu? demanda Mary. On ne le dirait pas à le voir.

— Pas encore, dit Martha. Mais, dès sa naissance, tout a marché de travers. Ma mère dit qu'il y avait de quoi, dans une maison de fous comme ici. On avait peur qu'il ait le dos faible et il fallait tout le temps faire attention qu'il reste couché et surtout qu'il ne marche pas. On lui a même fait porter un appareil, une sorte de corset, mais cela l'a mis dans un tel état qu'il s'est rendu vraiment malade. Alors, on a fait venir un grand docteur de Londres. C'est lui qui a ordonné qu'on lui retire son appareil. Il était très poli, mais il n'a pas été tendre avec l'autre docteur; il a dit qu'on lui donnait trop de médicaments, et qu'on lui laissait trop faire ses caprices.

— A mon avis, dit Mary, c'est vraiment un enfant gâté.

— Je n'ai jamais vu un sale gosse pareil, ajouta Martha. Il a des excuses, notez bien. Il est souvent malade. Deux ou trois fois, il a

218

même failli mourir de mauvais coups de froid. Il a eu des fièvres rhumatismales et même la typhoïde. Qu'est-ce que Mme Medlock a pu avoir peur, cette fois-là! Il délirait et comme elle pensait qu'il ne pouvait pas comprendre, elle a dit à l'infirmière : « Il va certainement mourir, et c'est la meilleure chose qui puisse arriver, pour lui comme pour nous. » Alors, elle s'est tournée pour le regarder, et juste à ce moment-là, il avait les yeux grands ouverts et il l'a dévisagée. Il avait l'air aussi lucide que vous et moi. Mme Medlock ne savait pas ce qui allait se passer. Mais il s'est contenté de la regarder dans les yeux et de lui dire : « Donnez-moi à boire et taisez-vous! »

— Croyez-vous qu'il va mourir? demanda Mary.

— Ma mère dit qu'un enfant qui ne prend jamais l'air, qui est tout le temps au lit et passe son temps à lire et à avaler des médicaments, n'a pas grande chance de vivre. Il est très faible et déteste qu'on le sorte, et comme il attrape froid très facilement, il dit que ça lui fait du mal.

Assise devant la cheminée, Mary regardait le feu.

— Je me demande, dit-elle lentement, si cela ne lui ferait pas du bien, au contraire, d'aller au jardin et de regarder pousser les fleurs. Moi, ça m'a bien profité.

— La pire des crises qu'il ait jamais eue, ajouta Martha, c'est la fois où on l'a emmené se promener près des massifs de rosiers, autour de la fontaine. Il venait juste de lire dans un journal un article sur le « rhume des roses », ou quelque chose de ce goût-là, et il s'est mis à éternuer et à dire qu'il l'avait attrapé. De plus, il y avait un jardinier, un nouveau qui n'était pas au courant. Il est passé juste à ce moment-là et par curiosité, il a regardé Colin. Vous ne pouvez pas savoir dans quel état cela l'a mis. Il disait que le jardinier l'avait regardé parce qu'il allait devenir bossu. Il a tellement pleuré qu'il en a eu de la fièvre et qu'il a été malade toute la nuit.

— S'il se met en colère contre moi, je ne retournerai plus jamais le voir, dit Mary.

— Il saura bien vous y forcer, s'il le veut, répondit Martha. Autant que vous le sachiez tout de suite.

Peu après, une cloche sonna et Martha rangea son tricot.

— Je crois que c'est l'infirmière, dit Martha. Elle a sans doute besoin que je reste un moment avec lui. J'espère qu'il est de bonne humeur.

Elle s'absenta pendant dix bonnes minutes avant de revenir, l'air perplexe.

— Eh bien, on peut dire que vous l'avez vraiment ensorcelé, dit-elle. Il est assis sur son divan en train de regarder des livres. Il a dit à l'infirmière de le laisser jusqu'à six heures et quant à moi, je devais attendre dans la pièce à côté. Dès qu'elle est partie, il m'a fait venir et il m'a dit : « Je veux voir Mary Lennox. Dites-lui de venir bavarder avec moi, et surtout n'en parlez à personne, je vous le rappelle. » Vous feriez bien de vous dépêcher.

Mary était prête à aller le voir tout de suite. Bien sûr, elle aurait préféré voir Dickon, mais elle avait bien envie aussi de voir Colin.

Lorsqu'elle entra dans sa chambre, il y avait un grand feu qui brûlait dans la cheminée. A la lumière du jour, elle put se rendre exactement compte de la beauté de la pièce. Les riches couleurs des tapis, des tentures, des tableaux et des livres qui couvraient les murs, donnaient à la chambre un côté gai et confortable en dépit du ciel gris et de la pluie continuelle. Colin semblait sorti tout droit d'un tableau. Il était pelotonné dans une robe de chambre de velours et s'appuyait sur un gros coussin de brocard. Il avait deux taches rouges sur les pommettes.

— Entre, dit-il. J'ai pensé à toi toute la matinée.

— Moi aussi, répondit Mary. Tu ne peux pas savoir comme Martha a peur. Elle dit que Mme Medlock va la renvoyer, car elle croira que c'est elle qui m'a parlé de toi.

Il fronça les sourcils.

— Va la chercher, dit-il. Elle est dans la pièce à côté.

Mary sortit et revint avec elle. Martha était dans ses petits souliers et tremblait comme une feuille. Colin avait toujours son air sévère.

— N'est-ce pas votre devoir que de m'obéir? lui demanda-t-il.

Martha rougit jusqu'aux oreilles.

— Si, Monsieur, lui dit-elle, la voix défaillante.

— Et n'est-ce pas aussi le devoir de Mme Medlock?

— C'est le devoir de tout le monde, Monsieur, répondit Martha.

— Donc, si c'est moi qui vous ai donné l'ordre de faire venir mademoiselle Mary, comment Mme Medlock pourrait-elle vous renvoyer en l'apprenant?

— Vous ne la laisserez pas faire ça, Monsieur, le supplia Martha.

— C'est elle que je renverrai, si elle ose seulement dire un mot à ce sujet, dit le jeune M. Craven, très grand seigneur. Et elle n'apprécierait pas du tout la chose, croyez-moi!

— Merci, Monsieur, dit Martha en esquissant une courbette, je suis votre servante.

— Et cela consiste à m'obéir, en tout et pour tout, dit Colin, encore plus noblement. Je vous protégerai. Vous pouvez disposer, maintenant.

Lorsque Martha eut refermé la porte derrière elle, Colin se tourna vers Mary qui le regardait d'un drôle d'air.

— Pourquoi me fixes-tu ainsi? lui demanda-t-il. A quoi penses-tu?

— Je pense à deux choses.

— Quoi donc? Assieds-toi et raconte-moi cela.

— Voici la première, lui dit Mary en prenant place sur le grand tabouret. Un jour aux Indes, j'ai eu l'occasion de voir un petit maharadjah. Il était entièrement couvert de pierres précieuses, des diamants, des rubis et des émeraudes. Il parlait à ses domestiques exactement comme toi avec Martha. Tout le monde devait obéir à ses ordres, mais sur-le-champ, sinon, je crois bien qu'il les aurait fait tuer.

— Tu me parleras de maharadjah tout à l'heure, dit-il, avant, j'aimerais que tu me dises quelle est la deuxième chose à laquelle tu pensais.

— Je me disais que tu ne ressemblais pas du tout à Dickon, lui dit Mary.

— Qui est Dickon? fit-il. Et quel drôle de nom!

Mieux valait lui en parler, se disait-elle. Elle n'était pas obligée de lui raconter ce qui concernait le jardin secret. Pour sa part, elle avait toujours été intéressée par ce que Martha lui racontait sur son frère, et elle avait envie de parler de lui. Il lui semblerait alors plus proche.

— C'est le frère de Martha. Il a douze ans, lui expliqua-t-elle. Il ne ressemble à personne d'autre; il sait apprivoiser les renards et les écureuils et les oiseaux, comme les indigènes qui charment les serpents aux Indes. Il lui suffit de jouer tout doucement un petit air sur son pipeau, et les voilà qui s'approchent pour l'écouter.

Il y avait de gros livres sur une table à côté de Colin, et il en tira brusquement un à lui.

— Là-dedans, il y a un dessin d'un charmeur de serpent, s'exclama-t-il. Viens voir.

C'était un livre superbe avec de magnifiques illustrations en couleurs, et lui en montrant une, Colin lui demanda vivement :

— Est-ce qu'il est capable de faire ça?

— Il se contente de jouer du pipeau et les animaux l'écoutent, expliqua Mary. Mais il ne dit pas que c'est de la magie. Il pense que c'est parce qu'il les connaît bien, à force de vivre comme eux sur la lande. Parfois, il a même l'impression d'être l'un d'entre eux, m'a-t-il raconté, un oiseau ou un lapin, cela dépend. Il aime vraiment beaucoup les bêtes. Je crois même qu'il connaît le langage des oiseaux. Quand il siffle, le rouge-gorge lui répond et on dirait qu'ils bavardent tous les deux.

Colin reposa la tête sur son coussin, ses yeux étaient de plus en plus grands et il avait les joues brûlantes.

— Parle-moi encore de lui, dit-il.

— Il reconnaît les nids et les œufs de tous les oiseaux, poursuivit Mary. Il connaît les endroits où vivent les renards, les blaireaux et les loutres, mais il n'en dit rien à personne pour que les autres garçons n'aillent pas leur faire peur. Il connaît tout ce qui pousse ou vit sur la lande.

— Est-ce qu'il aime la lande? demanda Colin. Comment est-ce possible? C'est tellement immense et désespérément vide et triste.

— C'est le plus bel endroit du monde, protesta Mary. Il y a des milliers de plantes merveilleuses qui y poussent et des milliers d'animaux qui y vivent. Des tas d'oiseaux y font leur nid et des petites bêtes y creusent leur terrier. Tout ce petit monde est extrêmement vivant et ne cesse de s'activer, sous terre comme dans la bruyère ou sur les arbres. C'est un véritable univers!

— Comment sais-tu tout cela? lui demanda Colin, en s'appuyant sur un coude pour mieux la voir.

— En fait, je n'y suis jamais allée, reconnut Mary. Je l'ai seulement traversée une fois, de nuit. A cette époque, j'ai trouvé cela affreusement laid. C'est Martha qui m'en a parlé la première, et puis après, Dickon. Quand il vous en parle, on a l'impression de voir et d'entendre les choses comme si on y était, comme si on se trouvait juste au beau milieu de la bruyère, sous les rayons du soleil, entouré de genêts qui fleurent bon le miel et où butinent des milliers d'abeilles et de papillons.

— Quand on est malade, on ne voit rien de tout ça, dit fiévreusement Colin.

On aurait dit quelqu'un qui entend un bruit nouveau dans le lointain et se demande ce que cela peut bien être.

— Bien sûr, si tu restes toujours enfermé, lui dit Mary.

— Je ne pourrai jamais aller sur la lande, fit-il d'un ton amer.

Mary se tut pendant une bonne minute, puis elle lui lança :

— Cela pourrait bien t'arriver un jour.

Il sursauta, comme si une mouche l'avait piqué.

— Sortir ? Aller sur la lande ? Mais c'est impossible, puisque je vais mourir.

— Qu'en sais-tu ? lui répondit froidement Mary.

Elle n'aimait pas sa façon de parler constamment de sa mort prochaine. Elle ne le plaignait guère. Elle avait même plutôt le sentiment qu'il abusait de la situation.

— Autant que je me souvienne, je l'ai toujours entendu dire, rétorqua-t-il d'un ton furieux. On n'arrête pas d'en parler autour de moi, comme si j'étais sourd et incapable de comprendre. Tout le monde n'attend que ça.

Mary sentit la moutarde lui monter au nez. Elle pinça les lèvres.

— Si cela devait leur faire tant plaisir à tous, eh bien, moi, je me garderais bien de mourir, dit-elle. Qui souhaite donc ta mort, à ton avis?

— Les domestiques, et surtout le docteur Craven. Il hériterait du manoir et deviendrait riche, lui qui est si pauvre. Il n'ose pas en parler, mais je vois bien son air réjoui quand mon état empire. Quand j'ai eu la typhoïde, il a même engraissé. Et puis mon père aussi serait content, je pense.

— Je n'en crois pas un mot! lui répondit Mary.

Du coup, Colin se tourna et leva les yeux dans sa direction.

— Non? dit-il.

Puis, il se laissa retomber sur son coussin et garda le silence comme pour mieux réfléchir. Ils ne dirent rien pendant un bon moment. Sans doute pensaient-ils tous deux à des choses auxquelles les enfants songent rarement.

— Le grand docteur de Londres, c'est un homme qui me plaît bien parce qu'il t'a fait

228

enlever ton corset de fer, finit par dire Mary.
Est-ce qu'il t'a dit que tu allais mourir?

— Non.

— Qu'est-ce qu'il a dit?

— D'abord, il parlait à voix haute, répondit
Colin. Il a dû se douter que je détestais les
messes basses. Je l'ai entendu dire, à intelligible
voix : « L'enfant ne vivra que s'il le désire
vraiment. Donnez-lui en donc l'envie. » Il avait
l'air très en colère.

— Moi, je sais ce qu'il te faudrait pour te
donner envie de vivre, dit Mary, songeuse.

Il fallait qu'elle tire la chose au clair, d'une
façon ou d'une autre.

— Je crois que Dickon en serait capable,
ajouta-t-elle. Il parle toujours de la vie, jamais
de la mort ou de la maladie. Il passe son temps
le nez en l'air à observer les oiseaux qui
traversent le ciel de la lande ou à regarder le sol
pour voir pousser les plantes. Il a des yeux
bleus, tout ronds à force de les ouvrir bien grand
pour mieux voir ce qui l'entoure. Quand il rit, sa
bouche paraît immense, et cela fait un de ces
bruits, et il a les joues plus rouges que des
pommes d'api.

Elle approcha son tabouret du divan et son
expression changea du tout au tout tandis
qu'elle évoquait le large sourire de Dickon et ses
yeux ronds comme des billes.

— Ecoute, dit-elle. Nous n'allons pas parler de la mort, je n'aime pas ça. Parlons de la vie, si tu le veux bien, et de Dickon. Après, nous regarderons ton livre d'images.

Elle n'aurait pas pu lui proposer mieux. Parler de Dickon, cela voulait dire, parler de la lande, du cottage et de ses quatorze habitants qui y vivaient avec seize shillings par semaine, et des enfants qui se nourrissaient de l'herbe de la lande, comme les poneys sauvages, sans oublier la mère de Dickon qui lui avait donné une corde à sauter, et le soleil sur la lande qui faisait sortir de terre toutes sortes de petites pousses vertes. Tout cela était tellement vivant dans son esprit que Mary était intarissable sur le sujet. Colin l'écoutait et lui posait des questions comme jamais cela ne lui était arrivé. Et ils se mirent à rire d'un rien, comme deux enfants heureux d'être ensemble. Ils riaient si fort qu'ils faisaient autant de bruit que deux bambins de deux ans en pleine santé et tout à fait normaux, à vous faire douter qu'ils n'étaient en réalité qu'une petite fille dure et sans cœur et un garçonnet souffreteux, qui croyait qu'il allait mourir.

Ils s'amusaient tellement qu'ils en oublièrent le livre d'images et ne virent pas le temps passer. Ils venaient juste de parler gaiement de Ben Weatherstaff et de son ami, le rouge-gorge. Colin était assis normalement, comme s'il avait oublié la faiblesse de son dos lorsqu'il songea brusquement à quelque chose.

— Tu sais, dit-il, il y a une chose à laquelle nous n'avons même pas pensé. C'est que nous sommes cousins, tous les deux.

Et ils trouvèrent tellement bizarre de ne pas y avoir songé plus tôt qu'ils se mirent à rire de plus belle, tout simplement parce qu'ils se sentaient d'humeur à rire de tout et de rien. Quand, au beau milieu d'un fou rire, la porte s'ouvrit pour laisser entrer le docteur Craven, accompagné de Mme Medlock.

Le docteur eut un sursaut en les voyant et bouscula Mme Medlock qui faillit en tomber à la renverse.

— Mon Dieu! s'écria la pauvre femme, les yeux exorbités. Mon Dieu!

— Que se passe-t-il? dit le docteur Craven en s'avançant vers eux. Qu'est-ce que cela veut dire?

Pour la deuxième fois, Mary eut l'impression de se trouver face à un petit maharadjah. Colin répondit, comme s'il se moquait de l'inquiétude du docteur et de la panique de Mme Medlock. Cela ne semblait pas lui faire plus d'effet que s'il avait vu pénétrer dans sa chambre un chien ou un gros chat.

— Voici ma cousine, Mary Lennox, dit-il. C'est moi qui l'ai priée de venir bavarder avec moi. Je l'aime bien et je veux qu'elle vienne me voir à chaque fois que je le lui demanderai.

Le regard lourd de reproches, le docteur se tourna vers Mme Medlock.

— Vraiment, monsieur, lui dit-elle d'une voix entrecoupée, je ne sais pas ce qui a pu se passer. Il n'y a pas un seul domestique dans la maison qui oserait ouvrir la bouche. Ils connaissent les ordres.

— Personne ne lui a rien dit du tout, dit Colin. Elle m'a entendu pleurer et a trouvé ma chambre toute seule. Je suis content qu'elle soit venue. Ne dites donc pas de bêtises, Medlock!

Pour sa part, le docteur n'avait pas l'air content, Mary s'en rendit compte. Mais de toute évidence, il n'osait pas contrarier son patient. Il vint s'asseoir près de Colin et lui prit le pouls.

— J'ai bien peur qu'il y ait eu trop d'agitation autour de vous. Vous savez que cela ne vous fait pas de bien, mon garçon, dit-il.

— Cela me ferait encore plus de mal si l'on m'empêchait de la voir, répondit Colin avec une lueur inquiétante dans le regard. Cela me fait du bien et je me sens mieux. Dites à l'infirmière de nous faire apporter deux thés. Nous allons goûter ensemble.

Mme Medlock et le docteur échangèrent un regard, l'air perplexe. Mais, apparemment, il n'y avait rien à faire.

— Il a l'air plutôt mieux, avança Mme Medlock. Mais, en y réfléchissant bien, il avait meilleure mine, ce matin, avant qu'elle ne vienne.

— C'est parce qu'elle était déjà venue la nuit dernière. Elle est restée un long moment avec moi. Elle m'a chanté une berceuse en hindoustani pour m'aider à m'endormir, dit Colin. Voilà pourquoi j'allais mieux ce matin et que j'ai même pris tout mon petit déjeuner. Et maintenant, j'ai envie de goûter. Dites-le à l'infirmière, Medlock !

Le docteur Craven ne s'attarda pas. Il s'entretint quelques minutes avec l'infirmière quand elle entra dans la chambre et fit quelques recommandations à Colin. Il ne fallait pas qu'il parle trop, et surtout il ne devait pas oublier qu'il était malade et qu'il avait tendance à se fatiguer rapidement. De l'avis de Mary, cela faisait vraiment trop de choses désagréables à ne pas oublier.

Colin avait un air maussade et gardait les yeux rivés sur le docteur Craven.

— C'est justement ce que je veux oublier, finit-il par dire. Et grâce à Mary, j'y arrive. C'est pourquoi je tiens à la voir.

En quittant la pièce, le docteur Craven n'avait pas l'air content. Il jeta un regard perplexe à la petite fille qui était assise sur son tabouret. Dès qu'il avait pénétré dans la chambre de Colin, Mary avait pris une attitude rigide et n'avait pas dit un mot. Le docteur n'arrivait pas à comprendre quel charme on pouvait lui trouver, mais son malade semblait réellement mieux se porter. Poussant un gros soupir, il s'en fut par le couloir.

— On veut toujours me forcer à manger des choses dont je n'ai pas envie, dit Colin alors que l'infirmière leur apportait à goûter et disposait son plateau sur une table près du divan. Mais si tu manges quelque chose, j'en prendrai aussi. Ces brioches toutes chaudes ont l'air bien appétissantes. Et maintenant, raconte-moi des histoires de maharadjah.

CHAPITRE 15

LE TEMPS DES NIDS

Après une autre semaine de pluie, le soleil et le ciel bleu revinrent et il se mit à faire assez chaud. Bien qu'il ne lui ait pas été possible de retourner dans le jardin secret ou de revoir Dickon, Mary ne s'était pas ennuyée et le temps lui avait paru court. Elle était allée voir Colin tous les jours et avait passé des heures avec lui, dans sa chambre, à parler de maharadjahs, de jardinage, de Dickon et de sa maisonnette sur la lande. Ensemble, ils avaient regardé les beaux livres d'images de Colin, et tantôt c'était Mary qui avait fait la lecture, tantôt c'était Colin qui lui avait lu des pages à haute voix. Quand le sujet l'intéressait et qu'il s'amusait, pensa Mary, il n'avait pas l'air d'un infirme, si l'on ne tenait pas compte de son teint pâle et du fait qu'il était toujours sur son divan.

Mme Medlock avait dit un jour à Mary :

— Vous êtes drôlement culottée d'être sortie

comme ça de votre chambre, pour aller voir d'où venait le bruit que vous aviez entendu cette fameuse nuit. Mais on ne peut que vous en féliciter. C'est une vraie bénédiction pour nous tous. Depuis que vous êtes amis, il n'a pas fait une seule colère, ni une seule crise de nerfs. L'infirmière était prête à abandonner la partie, tellement elle en avait assez. Mais maintenant que vous partagez la tâche avec elle, elle dit qu'elle veut bien rester ici, avait conclu Mme Medlock avec un petit rire.

Mary avait essayé d'être prudente dans ses conversations avec Colin et d'éviter le sujet du jardin secret. Il y avait certains points qu'elle voulait éclaircir, mais elle se rendait bien compte qu'elle n'arriverait à rien en lui posant des questions directes. D'abord, tout en commençant à apprécier sa compagnie, elle voulait savoir s'il était le genre de garçon à qui l'on pouvait confier un secret. Il ne ressemblait pas du tout à Dickon, mais il paraissait tellement aimer l'idée d'un jardin ignoré de tous, qu'elle se disait qu'on pouvait peut-être lui faire confiance. Mais elle ne le connaissait pas depuis assez longtemps pour en être complètement sûre. Il y avait un second point qu'elle aurait aimé tirer au clair : si on pouvait lui faire confiance — mais totalement — serait-il possible de l'emmener dans le jardin à l'insu de tous? Le docteur de Londres avait bien dit qu'il lui fallait du grand air, et Colin était d'accord dans la mesure où ce serait dans le jardin secret. S'il prenait l'air, apprenait à connaître Dickon et le rouge-gorge et regardait pousser les fleurs du jardin, peut-être penserait-il moins à mourir.

Mary s'était rendu compte, en se regardant dans la glace ces derniers temps, qu'elle avait elle-même changé depuis son arrivée. Elle était bien différente de la fillette qui était venue des Indes et avait un air plus plaisant. Même Martha s'était aperçue du changement.

— L'air de la lande vous a déjà profité, avait-elle dit. Vous avez le teint moins jaune et vous êtes moins maigrichonne. Même vos cheveux sont plus jolis ; ils ne sont plus tout plats comme avant, et ils gonflent.

— Ils se sont épaissis et ont pris de la vigueur, tout comme moi, dit Mary. Je suis sûre que j'en ai plus qu'avant.

— Ça en a l'air, en tout cas, répondit Martha qui, joignant le geste à la parole, fit bouffer la coiffure de Mary. Vous êtes bien moins laide comme ça, et vous avez meilleure mine, avec vos joues rouges.

Si le bon air du jardin lui avait réussi, peut-être ferait-il également de l'effet sur Colin ? Mais s'il détestait qu'on le regarde, peut-être refuserait-il de voir Dickon.

— Pourquoi détestes-tu qu'on te regarde ? lui demanda-t-elle un jour.

— J'ai toujours eu horreur de ça, même quand j'étais tout petit, lui répondit Colin. A ce moment-là, on m'emmenait à la mer, et je passais mon temps allongé dans ma voiture d'infirme. Tout le monde me regardait, et les dames venaient parler à l'infirmière. Quand elles se mettaient à chuchoter, je pouvais être sûr qu'elles étaient en train de dire que je ne vivrais pas vieux. Parfois, il y en avait même qui venaient me caresser la joue, en disant : « Le pauvre petit ! » Un jour, je me suis mis à hurler et j'en ai mordu une à la main. Elle a eu tellement peur qu'elle est partie en courant!

— Elle a dû penser que tu étais devenu enragé, comme un chien, dit Mary d'un ton qui n'avait rien d'admiratif.

— Je me moque bien de ce qu'elle a pu penser, fit Colin en se renfrognant.

— Je me demande pourquoi tu ne t'es pas mis à hurler et à mordre, quand je suis entrée l'autre soir dans ta chambre! dit Mary avec un léger sourire au coin des lèvres.

— J'ai cru que tu étais un fantôme ou un rêve, dit Colin. On ne peut pas mordre un fantôme ou un rêve, ça ne sert à rien de hurler, ça ne leur fait pas peur.

— Est-ce que tu penses que tu pourrais supporter que... qu'un garçon te regarde? lui demanda alors Mary avec une certaine hésitation.

Se laissant retomber sur son oreiller, Colin réfléchit un moment.

— Il y en a bien un, répondit-il, très lentement comme s'il pesait tous ses mots; il y a un garçon qui, je crois, pourrait le faire sans que cela me gêne. C'est ce garçon qui sait où vivent les renards, Dickon.

— Je suis sûre que cela ne te gênerait pas, dit Mary.

— Les oiseaux lui font bien confiance et pas mal d'autres bêtes encore, dit-il d'un air toujours songeur. Je ne vois pas pourquoi je n'en ferais pas autant. C'est une sorte de charmeur et je suis moi-même un drôle d'animal.

Ils se mirent alors à rire tous les deux, sans pouvoir s'arrêter, trouvant très drôle l'idée qu'il était un garçon sauvage terré dans son trou, comme un animal.

Quand Mary quitta Colin ce jour-là, elle était sûre qu'elle n'avait pas de souci à se faire pour Dickon.

Le premier jour où le temps se remit au beau, Mary se réveilla de bonne heure. Le soleil laissait passer ses rayons à travers les persiennes et c'était un spectacle tellement réjouissant qu'elle bondit de son lit pour se précipiter à la fenêtre. Repoussant les rideaux, elle l'ouvrit toute grande pour laisser pénétrer l'air parfumé du matin. Le ciel était tout bleu au-dessus de la lande, et la terre entière semblait complètement transformée, comme par magie. L'air était plein de légers gazouillis, comme si les oiseaux accordaient leurs voix avant de commencer leur concert. Mary étendit les bras à l'extérieur pour mieux sentir la chaleur du soleil.

— Qu'il fait bon, comme c'est agréable! dit-elle. Par ce temps, les petites pousses vertes du jardin vont avoir à cœur de sortir de terre au plus vite et les bulbes vont pouvoir germer de plus belle!

S'agenouillant, elle se pencha le plus possible par la fenêtre pour inspirer à grandes bouffées l'air frais du matin et elle se mit soudain à rire en se rappelant la mère de Dickon qui comparait les narines de son fils à celles d'un lapin.

— Il doit être très tôt, dit-elle. Je n'ai jamais vu un ciel pareil avec de si jolis petits nuages roses. Tout le monde dort encore, je n'entends même pas le palefrenier.

Elle eut tout à coup une idée qui la fit bondir sur ses pieds.

— Je ne peux pas attendre! Il faut que j'aille voir le jardin!

Depuis le temps, elle avait appris à s'habiller seule et il ne lui fallut que cinq minutes pour être prête. Elle connaissait une petite porte qu'elle pouvait ouvrir seule. Elle se précipita en chaussettes au rez-de-chaussée et, une fois dans le hall, elle enfila ses bottines. Otant la chaîne, elle déverrouilla la porte et une fois dehors, elle bondit sur la pelouse dont l'herbe lui parut plus verte. Le soleil dardait ses rayons et de doux parfums flottaient dans l'air qu'emplissait le chant mélodieux des oiseaux. De joie, elle battit des mains et leva les yeux vers le bleu du ciel qui répandait une merveilleuse lumière de printemps aux couleurs blanche et rose nacré. Tout cela lui donnait envie de chanter à tue-tête, et elle comprit que les alouettes, les grives ou les rouges-gorges ne pouvaient tout simplement pas s'empêcher de chanter. En courant, elle traversa les bosquets et parcourut les allées qui menaient au jardin secret.

— Comme tout a vite changé! dit-elle. L'herbe est bien plus verte, et tout pousse. Il y a déjà des bourgeons qui percent. Je suis sûre que Dickon viendra cet après-midi.

Cette longue semaine de pluie chaude avait apporté de nombreux changements, et les plates-bandes qui bordaient l'allée le long du mur de lierre étaient couvertes de petites pousses qui sortaient de terre. Dans les massifs de fleurs, on pouvait voir, de-ci de-là, percer le pourpre et le jaune des crocus. Six mois auparavant, Mlle Mary n'aurait même pas remarqué l'éveil de la nature, mais aujourd'hui, rien ne lui échappait.

Une fois devant la porte cachée sous le lierre, elle entendit un drôle de bruit. C'était le croassement d'un corbeau et cela venait du haut du mur. Elle leva les yeux et découvrit un gros oiseau dont le plumage brillant avait des reflets bleutés et qui la regardait d'un air sérieux. Elle n'avait jamais eu l'occasion de voir un corbeau de si près et se sentait un peu nerveuse, mais l'instant d'après, il s'envola à tire d'aile dans le jardin. Elle espérait qu'il n'y resterait pas, et tout en s'interrogeant, elle ouvrit la porte. Une fois dans le jardin, elle l'aperçut, perché sur un pommier nain, et elle dut se rendre à l'évidence : il devait bel et bien avoir l'intention de rester. Sous le même arbre, il y avait un petit animal au poil roux et à la queue en broussailles. Comme le corbeau, il observait le dos rond et la tête rousse de Dickon, qui, penché sur la terre, travaillait dur.

Mary le rejoignit en courant.

— Oh, Dickon! Dickon! s'écria-t-elle. Tu es déjà là! Comment as-tu pu arriver si tôt? Le soleil vient juste de se lever!

Il se redressa en riant. Il était rouge et tout ébouriffé. Ses yeux étaient aussi bleus que le ciel.

— Oh là là! dit-il. Mais j' me suis levé bien avant lui! J'arrivais pas à rester au lit. Le monde entier a r'commencé à vivre, ce matin, et toute la lande s'est mise au travail. Les abeilles butinent, les oiseaux font leur nid en chantant, et les fleurs sentent si bon qu'il est impossible de rester couché et qu'on doit sortir. Lorsque l' soleil s'est l'vé, la lande entière se tenait plus d' joie, et moi avec. J'ai couru comme un fou dans la bruyère en chantant à tue-tête. Et j' suis venu tout droit ici. J'aurais pas pu faire autrement, rien que d' penser que l' jardin m'attendait.

Mary en avait le souffle coupé et porta la main à sa poitrine comme si c'était elle qui venait d'accomplir cette longue course.

— Ah, Dickon! dit-elle. Je suis tellement contente que j'ai du mal à respirer.

Voyant que Dickon parlait à une inconnue, le petit animal à la queue touffue quitta son pommier nain et s'avança vers eux ; le corbeau, en croassant, s'envola de sa branche et vint se percher tranquillement sur l'épaule du garçon.

— C'est le p'tit renard que j'ai trouvé, dit-il en caressant la tête de la petite bête au pelage roux. Il s'appelle Capitaine. Et voilà Suie. Il m'a suivi sur la lande, en volant tout au long du ch'min. Quant à Capitaine, il courait derrière moi comme s'il était poursuivi par une meute de chiens. Ils étaient aussi joyeux qu' moi.

Les deux bêtes ne semblaient pas avoir peur de Mary le moins du monde et quand Dickon se mit à arpenter le jardin, Suie resta perché sur son épaule et Capitaine trottina allègrement à ses côtés.

— Regarde, là ! dit Dickon. Tu vois comme tout a bien poussé, et ici, et là encore ! Oh ! Mais r'garde-moi donc ça !

Il se jeta à genoux dans l'herbe et Mary en fit tout autant. Ils étaient tombés sur une énorme touffe de crocus en fleur. Il y en avait des pourpres, des orange et des jaune d'or. Mary enfouit son visage au beau milieu des fleurs et se mit à les couvrir de baisers.

— On n'embrasse jamais les gens comme ça, dit-elle en relevant la tête. Mais les fleurs, ce n'est pas la même chose.

Bien qu'étonné, Dickon garda le sourire.

— Eh bien, moi, dit-il, ça m'arrive souvent d'embrasser ma mère comme ça, quand j' rentre à la maison après une bonne journée d' vadrouille, et que je la trouve devant notre porte, en train d' prendre le soleil, toute heureuse et accueillante.

Ils parcoururent le jardin d'un bout à l'autre, découvrant à chaque pas de nouvelles merveilles au point qu'ils étaient obligés de se rappeler mutuellement à l'ordre pour ne pas faire trop de bruit et parler à voix basse. Dickon lui fit voir les bourgeons tout neufs qui avaient poussé sur des branches de rosiers qu'ils avaient cru morts. Puis il lui montra les mille et une nouvelles petites pousses vertes qui sortaient de terre. Les narines frémissantes, ils respiraient à pleins poumons la bonne odeur printanière qui montait de la terre chaude. Ils se mirent au travail, bêchant, creusant, tellement heureux qu'ils riaient en sourdine, et bientôt Mary eut, comme Dickon, les cheveux tout ébouriffés et les joues rouges comme des coquelicots.

Le jardin secret renfermait tout le bonheur du monde, ce matin-là, et il s'y passait, de surcroît, une chose merveilleuse, encore plus magnifique

que les autres. Une petite flamme rouge vif, portant quelque chose dans son bec, survola le mur et dans un bruissement d'ailes, passa comme un éclair au-dessus des arbres pour aller atterrir dans un coin écarté du jardin. Saisissant Mary par le bras, Dickon s'immobilisa, comme si on venait de les surprendre en train de rire dans une église.

— Faut pas bouger, lui murmura-t-il, et à peine respirer. J' savais bien qu'il s' cherchait une compagne, la dernière fois que je l'ai vu. C'est l' rouge-gorge de Ben Weatherstaff. Il est en train de faire son nid. Si on lui fait pas peur, il s'en ira pas.

Sans bruit, ils s'assirent doucement dans l'herbe et restèrent immobiles.

— Faudrait pas avoir l'air de l' regarder de trop près, poursuivit Dickon. Il se fâcherait pour de bon avec nous s'il avait l'impression qu'on s' mêle de ce qui nous regarde pas. Tant qu'il aura pas fini son nid, il sera pas tout à fait l' même. Il est en train de s'installer, et ça l' rend plus craintif et plus susceptible. Il a pas d' temps à perdre à faire des politesses ou la causette. Faut essayer d' rester calme, et faire comme si on était des arbres ou de l'herbe. Quand il sera habitué à nous voir, j' lui parlerai un peu ; alors, il comprendra qu' nous voulons pas l' déranger.

Mary n'était pas sûre du tout de pouvoir,

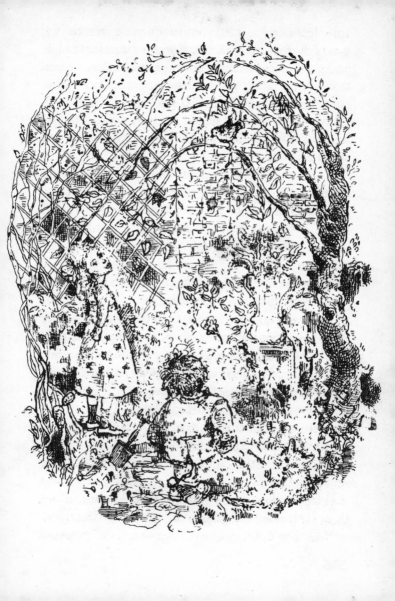

comme Dickon, se transformer en arbre ou en brin d'herbe, mais il avait énoncé cette étrange proposition d'un ton si naturel, comme si c'était la chose la plus simple au monde qui, apparemment, ne lui posait aucun problème, qu'elle se mit à l'observer attentivement, s'attendant presque à le voir tranquillement devenir vert ou se couvrir de feuilles et de branches. Mais, en fait, il se contenta de rester merveilleusement immobile et quand il lui parla, ce fut d'une voix si douce et si basse que Mary était même étonnée de pouvoir l'entendre.

— Le printemps, c'est la saison où les oiseaux font leur nid, lui expliqua-t-il. Je suis sûr qu' ça s'est toujours passé comme ça, depuis que l' monde est monde. Les oiseaux l' savent bien et, tous les ans, ils font leur nid sans qu'on ait besoin de s'en mêler. Et si on est trop curieux à cette saison-là, on peut être sûr d' perdre un ami.

— Si nous continuons à parler de lui, je ne pourrai pas m'empêcher de le regarder, dit Mary le plus doucement possible. Changeons de sujet. J'ai quelque chose à te dire.

— Si nous parlons d'autre chose, il préférera ça, répondit Dickon. Qu'est-ce que tu voulais m' raconter?

— Eh bien, est-ce que tu es au courant, au sujet de Colin? chuchota-t-elle.

Il tourna la tête pour la regarder.

— Et toi, qu'est-ce que t'en sais? lui demanda-t-il.

— Je l'ai vu et je suis allée le voir tous les jours, cette semaine. C'est lui qui m'a demandé de venir. Il dit que, grâce à moi, il ne pense plus à sa maladie ni à la mort, répondit Mary.

Dickon eut d'abord l'air surpris, mais au fur et à mesure que Mary parlait, il parut soulagé.

— J' suis bien content! s'exclama-t-il. Ça m' fait vraiment plaisir, et puis, ça m' soulage. J' savais qu'il fallait pas en parler, et j'aime pas les cachotteries.

— Et pour le jardin, est-ce que cela te gêne? dit Mary.

— J' dirai rien à personne, jamais, répondit-il. Mais j'en ai parlé à ma mère. « Maman », je lui ai dit, « on m'a confié un secret. C'est rien de mal — tu m' connais. C'est comme de pas dire aux autres gars où nichent les oiseaux. Ça t' fait rien, j'espère? »

Mary était toujours contente quand on lui parlait de Mme Sowerby.

— Qu'est-ce qu'elle a répondu? lui demanda-t-elle, sans la moindre appréhension.

Dickon eut un beau sourire heureux.

— Y'a qu'elle pour parler comme ça, répondit-il. Elle m'a juste passé la main dans les cheveux en riant, et elle a dit : « Tu peux avoir tous les secrets que tu veux, je n' me fais pas de soucis, ça fait douze ans que j' te connais, moi. »

— Mais qui t'a parlé de Colin? lui demanda Mary.

— Tout l' monde est au courant et sait bien qu' M. Craven a un p'tit garçon qui va devenir infirme. Et on sait aussi qu' M. Craven veut pas qu'on en parle. Tout l' monde a eu beaucoup d' peine pour lui, parce que sa femme était très jolie et qu'ils s'adoraient tous les deux. Chaque fois que Mme Medlock va à Thwaite, elle s'arrête chez nous et elle bavarde avec ma mère, sans s' gêner pour nous, parce qu'elle sait qu'on est bien élevés. Mais toi, comment t'as su, pour Colin? Martha était drôlement ennuyée, la dernière fois qu'elle est venue à la maison. Elle a dit que tu l'avais entendu pleurer et que tu t'es mise à poser des questions. Elle savait pas quoi t' répondre.

Alors, Mary lui raconta toute l'histoire, à commencer par les rugissements du vent qui l'avaient réveillée au beau milieu de la nuit; comment elle avait entendu, au loin, d'étranges bruits sourds qui ressemblaient à des gémissements étouffés; comment elle avait longuement erré dans les couloirs sombres, une chandelle à la main, pour finalement aboutir dans la chambre où elle avait découvert, dans la pénombre, Colin qui reposait sur son lit à colonnes. Quand elle lui fit le portrait de Colin, décrivant son teint d'ivoire et ses yeux étranges, bordés de longs cils noirs, Dickon secoua la tête.

— Il a les mêmes yeux qu' sa mère ; seulement, elle souriait tout l' temps, à ce qu'on raconte, dit-il. On dit qu' M. Craven veut pas voir son fils quand il est éveillé, parce qu'il a exactement les mêmes yeux qu' sa mère, mais qu' lui, il a tout l' temps l'air malheureux.

— Tu crois que M. Craven souhaite qu'il meure ? chuchota Mary.

— Non, mais il aurait sans doute préféré qu'il soit pas né. Ma mère pense qu'il y a rien de plus triste pour un enfant. D'ailleurs, les enfants pas désirés font pas d' vieux os. M. Craven est prêt à dépenser des fortunes pour le pauvre malheureux, mais, dans l' fond, il désire qu'une chose, oublier qu'il existe. Il a surtout peur qu'il soit comme lui un jour et qu'en grandissant, il devienne bossu.

— Colin en a tellement peur, lui aussi, qu'il n'ose même pas s'asseoir, dit Mary. Il dit qu'il deviendrait fou s'il sentait une bosse se former dans son dos et que cela le ferait hurler à en mourir.

— Il devrait pas rester couché comme ça, et ruminer des choses pareilles, dit Dickon. Impossible de guérir avec de telles idées en tête.

Le renard était sagement allongé sur l'herbe, à côté de lui, quêtant de temps à autre une caresse. Dickon se pencha, lui passa la main sur la nuque et réfléchit un moment en silence.

— La première fois qu'on est entré dans l' jardin, reprit-il, tout était gris. Regarde maintenant, et dis-moi si tu vois pas une différence.

Mary se mit à regarder autour d'elle et retint son souffle.

— Ça alors! s'écria-t-elle. Mais on dirait que le mur a changé. Il est comme recouvert d'une sorte de léger voile vert, on croirait presque de la gaze!

— Eh oui, fit Dickon. Et ça va dev'nir de plus en plus vert, jusqu'à ce qu'on voie plus une seule branche grise. Devine à quoi j' pense.

— Je suis sûre que c'est quelque chose de gentil, dit Mary qui brûlait d'impatience. Je crois même savoir que cela concerne Colin.

— J'étais en train d' me dire que s'il était ici avec nous, il penserait pas à son dos. Il pourrait regarder les bourgeons qui éclosent sur les rosiers; alors, il irait sûrement mieux, expliqua Dickon. Je m' demande comment on pourrait l' décider à accepter d' sortir et à passer un moment ici, sous les arbres, allongé sur sa voiture.

— C'est ce que je me suis demandé, moi aussi. Chaque fois que je suis allée le voir dans sa chambre, je pensais à ça, dit Mary. Je me suis demandé si on pouvait lui confier un secret, et comment le faire venir ici sans que personne s'en aperçoive. J'ai pensé que tu pourrais peut-être pousser son fauteuil. Le docteur a dit qu'il devait prendre l'air, et s'il accepte de sortir avec nous, personne n'osera s'y opposer. Il ne veut sortir avec personne d'autre; alors, si nous arrivons à le convaincre, peut-être nous laissera-t-on faire. Il pourrait donner l'ordre aux jardiniers de se tenir à l'écart pour qu'ils ne nous voient pas.

Dickon réfléchissait profondément, tout en grattant le dos de Capitaine.

— Ça pourrait lui faire que du bien, je t' l' garantis, dit-il. Nous, il nous viendrait jamais à l'idée de souhaiter qu'il soit pas né. On serait juste deux enfants qui passent leur temps au jardin à r'garder les fleurs pousser, et lui, il serait un enfant comme nous. Deux petits gars et une fille tout heureux de voir l' printemps arriver. J' suis sûr que ça lui f'rait plus d' bien que tous ces médicaments qu' les docteurs lui donnent.

— Ça fait tellement longtemps qu'il est enfermé dans sa chambre, et il a tellement peur de devenir bossu que ça l'a rendu bizarre, dit Mary. Il a appris beaucoup de choses dans les livres, mais il ne sait rien d'autre. Il dit qu'il a toujours été trop malade pour prêter attention au reste, et il a horreur de sortir, et il déteste autant les jardins que les jardiniers. Mais quand je lui ai parlé du nôtre, cela lui a plu, parce que c'était un secret. Je n'ai pas osé lui raconter grand-chose, mais il m'a dit qu'il aimerait bien le voir.

— J' suis sûr qu'on arrivera à l'amener jusqu'ici, un jour, dit Dickon. J' suis assez fort pour pousser tout seul son fauteuil. T'as r'marqué comme le rouge-gorge et sa compagne ont bien travaillé pendant qu' nous restions sagement assis? Regarde-le, il est perché sur cette branche, là, et il s' demande où il faut mettre cette brindille qu'il tient dans son bec.

Dickon émit un très léger sifflement, qui ressemblait à un appel, et le rouge-gorge, sa brindille toujours au bec, tourna la tête pour le regarder d'un air interrogateur. Dickon lui parla comme Ben Weatherstaff, mais sur un ton beaucoup plus amical.

— Où qu' tu mettes ta brindille, dit-il, ça s'ra la bonne place. Tu savais déjà comment faire un nid, avant d' sortir de l'œuf. Alors, continue, mon gars, t'as pas d' temps à perdre!

— Ah! J'aime bien t'entendre parler avec lui, dit Mary en riant, l'air ravi. Ben Weatherstaff le houspille tout le temps et il se moque de lui. Mais le rouge-gorge sautille quand même tout autour de Ben et on dirait qu'il comprend tout, et il aime ça, je le vois bien. Ben dit qu'il est tellement vaniteux qu'il préférerait qu'on lui jette des pierres plutôt que de rester ignoré.

A son tour, Dickon se mit à rire, puis il reprit.

— Tu sais qu'on te dérangera pas, dit-il au rouge-gorge. Nous sommes un peu sauvages, nous aussi, et grâce à toi, nous pouvons aussi aménager notre nid. Mais n' va pas le chanter sur tous les toits!

Le rouge-gorge avait toujours sa brindille au bec et ne leur répondit pas. Il s'envola pour regagner son coin de jardin, mais à la lueur qui brillait dans ses yeux de jais, Mary comprit qu'il ne les trahirait pour rien au monde.

CHAPITRE 16

« NON, JE N'IRAI PAS »,
DIT MARY

Ce matin-là, ils eurent fort à faire, et Mary revint en retard à la maison. Elle avait tellement hâte de retourner au jardin qu'elle ne pensa à Colin qu'à la dernière minute.

— Dites à Colin que je ne peux pas venir le voir maintenant, confia-t-elle à Martha. J'ai du travail qui m'attend au jardin.

Martha eut un air plutôt effrayé.

— Oh, mademoiselle Mary! dit-elle. Il va être de mauvaise humeur quand je vais lui annoncer ça.

Mais Mary n'avait pas aussi peur de Colin que les autres personnes de la maison, et elle n'avait pas l'esprit de sacrifice, non plus.

— Je n'ai pas le temps, répondit-elle. Dickon m'attend.

Et elle partit en courant.

L'après-midi passa de façon encore plus agréable que le matin, et ils abattirent encore plus de travail. Il n'y avait pratiquement plus une seule mauvaise herbe dans le jardin, et les rosiers avaient tous été taillés et butés. Dickon avait apporté une pelle de chez lui et avait montré à Mary comment se servir de ses outils. Il était maintenant évident que ce petit coin sauvage n'allait certes pas devenir un vrai jardin de jardinier, mais qu'avant la fin du printemps, on y verrait fleurir une profusion de fleurs.

— Les pommiers et les cerisiers vont nous faire un vrai ciel de fleurs, dit Dickon qui travaillait d'arrache-pied. On n' verra plus les murs derrière les pêchers et les pruniers en fleurs, et l'herbe sera comme un grand tapis fleuri.

Le petit renard et le corbeau partageaient leur joie et s'activaient autant qu'eux. Quant au couple de rouges-gorges, il allait et venait, traversant l'azur, vif comme l'éclair. De temps en temps, le corbeau prenait son envol et allait faire un tour dans le parc, au-dessus des grands arbres. Chaque fois qu'il revenait, il allait se percher près de Dickon et croassait, comme pour lui raconter ses aventures. Dickon lui répondait alors, tout comme il l'avait fait avec le rouge-gorge. A un moment, Dickon était tellement absorbé par son travail qu'il ne lui répondit pas tout de suite. Suie vint alors se poser sur son épaule et lui mordilla gentiment l'oreille à petits coups de bec. Quand Mary avait envie de se reposer un peu, Dickon allait s'asseoir sous un arbre avec elle. Une fois, il sortit même son pipeau et joua son petit air étrange et doux, et deux écureuils apparurent en haut du mur et se mirent à l'écouter.

— T'es bien plus solide qu'avant, dit Dickon en la voyant bêcher. T'as changé, y'a pas de doute.

L'exercice et le bonheur avaient donné des couleurs à Mary.

— Je grossis de jour en jour, dit-elle, ravie. Mme Medlock va bientôt devoir m'acheter de nouvelles robes. Martha m'a dit que mes cheveux avaient épaissi. Ils sont moins raides et moins plats qu'auparavant.

Le soleil commençait à décliner et une lumière d'or perçait sous les arbres lorsqu'ils se séparèrent.

— Il va faire beau demain, dit Dickon. Je serai là dès le lever du soleil.

— Moi aussi, répondit Mary.

Courant le plus vite possible, Mary se dépêcha de rentrer à la maison. Elle mourait d'envie de raconter à Colin sa matinée avec Dickon, le renardeau et le corbeau, et tout ce que le printemps avait apporté de nouveau dans le jardin. Elle était persuadée qu'il serait content d'apprendre toutes ces bonnes nouvelles. Aussi

fut-elle désagréablement surprise de découvrir, en ouvrant la porte de sa chambre, la mine éplorée de Martha qui l'attendait.

— Que se passe-t-il? demanda-t-elle. Comment Colin a-t-il réagi quand vous lui avez dit que je ne viendrais pas?

— Oh, là, là! dit Martha, j'aurais préféré que vous y alliez vous-même. Il a failli piquer une de ces colères! On a passé tout l'après-midi à essayer de le calmer, ça n'a pas été une partie de plaisir. Il n'a pas arrêté de regarder l'heure.

Mary prit un air pincé. Pas plus que Colin, elle n'avait l'habitude de penser aux autres, et elle ne voyait pas de quel droit un petit garçon au sale caractère allait l'empêcher de faire ce qui lui plaisait. Elle ne savait pas combien les gens malades et nerveux sont à plaindre, car ils sont incapables de contrôler leurs nerfs et, de ce fait, font inutilement souffrir leur entourage. Quand elle était aux Indes, il lui était arrivé d'avoir mal à la tête et de se conduire alors de telle façon que nul n'était épargné, et de faire tout son possible pour donner la migraine à tout le monde. Et tout cela, avec le sentiment d'être dans son bon droit. Mais, aujourd'hui, elle était naturellement d'un tout autre avis, et trouvait que Colin était dans son tort.

Lorsqu'elle entra dans la chambre de son cousin, elle ne le trouva pas sur son divan, mais allongé sur son lit. Il ne daigna même pas tourner la tête dans sa direction. L'entrevue commençait mal. Mary s'avança vers lui, raide comme la justice.

— Pourquoi es-tu encore couché? lui dit-elle.

— Je m'étais levé ce matin, parce que je croyais que tu allais venir, répondit Colin sans lui accorder un regard. Mais j'ai demandé qu'on me remette au lit, cet après-midi. J'avais mal au dos et à la tête, et puis j'étais fatigué. Pourquoi n'es-tu pas venue?

260

— J'avais à faire au jardin, je travaillais avec Dickon, dit Mary.

Daignant enfin la regarder, Colin fronça les sourcils.

— Je vais interdire à ce garçon de venir, dit-il, si tu dois passer ton temps avec lui, au lieu de me tenir compagnie.

Mary prit la mouche. Elle était capable de se mettre en colère sans faire d'éclats. Elle devenait alors acerbe et entêtée comme une mule, se moquant totalement des conséquences.

— Si tu empêches Dickon de revenir, rétorqua-t-elle, je ne mettrai plus jamais les pieds dans ta chambre.

— Tu seras bien forcée de venir si je l'exige, dit Colin.

— Jamais, répliqua-t-elle.

— Je t'y obligerai, quitte à te faire traîner ici de force.

— Essaie donc, Monsieur le Maharadjah! répondit rageusement Mary. On peut toujours me traîner, mais une fois ici, on ne pourra pas me forcer à parler. Je ne desserrerai pas les dents et tu ne me feras pas dire un mot. Je ne te regarderai même pas, je resterai les yeux collés au plancher.

Ils étaient bien assortis, tous les deux, aussi mauvais l'un que l'autre, à se regarder en chiens de faïence. S'ils avaient été des enfants des rues, ils se seraient jetés l'un sur l'autre et se seraient battus comme des chiffonniers. Mais ce qu'ils firent n'était guère mieux.

— Tu n'es qu'une sale égoïste, s'écria Colin.

— Et toi, alors! dit Mary. Il n'y a que les égoïstes pour dire ça. Si on ne veut pas faire leurs quatre volontés, ils vous traitent d'égoïste. Tu es le plus grand égoïste que j'aie jamais vu.

— Ce n'est pas vrai! hurla Colin. Je suis moins égoïste que ton sale Dickon. Lui, il t'accapare toute la journée pour jouer dans la poussière, alors que je me morfonds tout seul ici. C'est lui qui est un bel égoïste, si tu veux savoir!

Mary fulminait, ses yeux lançaient des éclairs.

— C'est le plus gentil garçon du monde entier, soutint-elle. C'est... c'est un ange!

C'était une chose plutôt ridicule à dire, mais elle s'en moquait.

— Un drôle d'ange, oui, répliqua méchamment Colin sur un ton méprisant. Ce n'est qu'un sale petit paysan de la lande!

— Ça vaut toujours mieux qu'un sale petit maharadjah, rétorqua Mary, mille fois mieux.

Elle était la plus forte et commençait à avoir l'avantage. La vérité, c'est que Colin ne s'était jamais disputé de sa vie avec quelqu'un qui lui ressemblât, et dans l'ensemble, cela ne pouvait lui faire que du bien. Mais, évidemment, ni lui ni Mary ne s'en rendaient compte. Il détourna la tête et ferma les yeux ; une grosse larme perla au coin de ses paupières pour rouler sur sa joue. Il était en train de se plaindre et de s'apitoyer sur lui-même, et sur personne d'autre.

— Je ne suis pas aussi égoïste que toi, parce que je suis toujours malade et que je suis sûr que je vais avoir une bosse dans le dos, dit-il. Et, en plus, je vais bientôt mourir.

— Ce n'est pas vrai, répliqua froidement Mary.

Il la regarda d'un air profondément indigné. Jamais personne n'avait osé lui dire une chose pareille, et il était à la fois furieux et assez content, s'il est possible d'éprouver ces deux sentiments en même temps.

— Ce n'est pas vrai ? s'écria-t-il. Si, c'est vrai ! Tu le sais bien. Tout le monde le dit.

— Je n'en crois pas un mot, lui répondit Mary d'un ton acerbe. Tu dis ça pour qu'on te plaigne. Tu en tires même une certaine fierté, à mon avis. Mais je ne te crois pas. Si tu étais gentil, ça serait peut-être vrai, mais tu es trop méchant.

Malgré la faiblesse de son dos, Colin s'assit dans son lit, sous l'empire d'une saine colère.

— Sors d'ici ! Quitte cette pièce ! hurla-t-il.

Et saisissant son oreiller, il le lança dans sa direction. Mais il manquait de force et l'oreiller

tomba aux pieds de Mary qui avait un air plus
pincé que jamais.

— Je m'en vais, dit-elle. Je ne reviendrai pas!

Elle se dirigea vers la porte et, juste avant de
sortir, elle se retourna et lui lança :

— J'allais te raconter toutes sortes de choses
passionnantes. Dickon est venu, il a amené son
renardeau et son corbeau, et je venais te
raconter tout en détail. Mais maintenant, je ne
te dirai plus rien.

Elle franchit alors la porte et la ferma derrière
elle pour se trouver, à son grand étonnement,
nez à nez avec l'infirmière. Elle devait avoir tout
entendu et, plus surprenant encore, cela la
faisait rire. C'était une grande jeune femme,
pleine d'allure, qui n'aurait jamais dû faire ce
métier-là, car elle détestait les malades et cherchait toujours de bons prétextes pour laisser
Colin sous la garde de Martha ou de quiconque
acceptait de la remplacer. Mary n'avait aucune
sympathie pour elle et se contenta de la regarder
bien dans les yeux, tandis qu'elle continuait à
rire, le visage enfoui dans son mouchoir.

— Qu'est-ce qui vous fait rire comme ça? lui
demanda Mary.

— Vous deux, répondit l'infirmière. C'est la
meilleure chose qui puisse lui arriver, à ce petit
tyran maladif, que quelqu'un d'aussi gâté que
lui lui tienne tête.

Et elle se remit à pouffer de rire dans son mouchoir avant de poursuivre :

— S'il avait eu une petite chipie de sœur avec qui se disputer, il n'en serait pas là aujourd'hui.

— Est-ce qu'il va mourir? lui demanda Mary.

— Je l'ignore et ça m'est égal, répondit l'infirmière. Les trois quarts de ses problèmes viennent de ses crises d'hystérie et de colère.

— Qu'est-ce que c'est qu'une crise d'hystérie? demanda Mary.

— Vous verrez bien s'il en pique une après cette séance. Mais au moins, grâce à vous, ce ne sera pas pour rien, et cela me fait bien plaisir.

Mary regagna sa chambre dans un tout autre état d'esprit qu'à son retour du jardin. Elle était furieuse et déçue, mais ne plaignait pas du tout Colin. Elle avait vraiment eu envie de lui raconter des tas de choses et cherché à savoir si elle pouvait lui confier son grand secret. Elle s'y était presque décidée, mais maintenant, elle avait complètement changé d'avis. Elle ne lui dirait jamais rien, et il pouvait rester dans sa chambre sans jamais prendre l'air et même y mourir, si cela lui chantait. Ce serait bien fait pour lui. Elle se sentait tellement de mauvaise humeur et pleine de rancune que pendant quelques minutes, elle en oublia Dickon et la douceur du vent qui venait de la lande, et le voile vert qui enveloppait le monde.

Martha l'attendait, l'air curieux et intéressé, et non plus éploré comme l'instant précédent. Sur la table, se trouvait une caisse en bois dont on avait ôté le couvercle et qui contenait de nombreux paquets bien emballés.

— C'est M. Craven qui vous a envoyé ça, dit Martha. On dirait qu'il y a des livres à l'intérieur.

Mary se souvint alors que son oncle lui avait demandé, le jour de leur entrevue dans son bureau, si elle désirait quelque chose, des poupées, des jouets ou des livres. Elle ouvrit un des paquets. Peut-être lui avait-il acheté une poupée? Si c'était le cas, qu'allait-elle pouvoir en faire? Mais ce n'était pas cela. Il y avait plusieurs beaux livres, comme ceux de Colin, dont deux étaient consacrés au jardinage et étaient abondamment illustrés. Il y avait deux ou trois jeux de sociétés, ainsi qu'un magnifique petit nécessaire à correspondance, marqué à ses initiales dorées, avec une plume en or et un encrier.

Tout était si beau que sa mauvaise humeur se mit à fondre comme neige au soleil. Jamais elle n'aurait cru que son oncle penserait à elle, et son petit cœur de pierre en fut tout réchauffé.

— Comme j'écris mieux normalement qu'en majuscules, dit-elle, la première lettre que je ferai avec cette plume sera pour le remercier et pour lui exprimer toute ma reconnaissance.

Si elle n'avait pas été fâchée avec Colin, elle se serait précipitée pour lui montrer tout de suite ses cadeaux. Ils auraient feuilleté ensemble les ouvrages de jardinage et regardé les illustrations. Peut-être auraient-ils même étrenné les jeux de société et Colin se serait tellement amusé qu'il n'aurait pas pensé une seule fois à sa mort et qu'il en aurait oublié de se tâter le dos pour découvrir s'il lui venait une bosse. Elle ne pouvait supporter cette manie qu'il avait. Cela lui procurait une déplaisante sensation de peur, tant il avait lui-même l'air effrayé. Il disait que le jour où il se sentirait la moindre petite boule dans le dos, il saurait que sa bosse avait commencé à pousser. Un jour, il avait entendu Mme Medlock parler avec l'infirmière et lui murmurer au creux de l'oreille quelque chose qui lui avait mis cette idée-là en tête, et depuis, il n'avait pas cessé d'y penser en secret, au point que c'était devenu une obsession. Mme Medlock disait que son père était devenu bossu de cette façon-là. Colin n'en avait jamais parlé à personne, mais avait confié à Mary que la plupart de ses « crises », comme tout le monde au manoir avait coutume de les appeler, provenaient de cette peur irraisonnée qu'il éprouvait en son for intérieur. Mary avait été très peinée quand il le lui avait raconté.

— Chaque fois qu'il est en colère ou fatigué, il est hanté par cette pensée, se dit-elle. Et aujourd'hui, il s'est mis en colère. Peut-être a-t-il passé l'après-midi à ne penser qu'à ça.

Fixant le tapis de ses yeux, elle réfléchissait. Elle hésitait encore, les sourcils froncés.

— J'ai dit que je n'y retournerais jamais. Mais, à la rigueur, je pourrais peut-être aller le trouver demain matin, s'il veut me voir. Il va peut-être me jeter son oreiller à la figure, mais je crois que je vais quand même y aller.

CHAPITRE 17

UNE CRISE D'HYSTÉRIE

Mary s'était levée très tôt, ce matin-là, et elle avait tellement travaillé au jardin qu'elle était très fatiguée et avait sommeil. Aussi quand Martha lui apporta son repas, elle dîna et fut contente d'aller se coucher tout de suite après. Juste avant de poser sa tête sur l'oreiller, elle murmura :

— Demain matin, je sortirai avant le petit déjeuner pour travailler avec Dickon, et puis après, je crois que j'irai voir Colin.

Mais au beau milieu de la nuit, elle fut réveillée en sursaut par de terribles hurlements. D'un bond, elle quitta son lit. Qu'est-ce que cela pouvait bien être? Elle n'hésita pas longtemps, devinant ce qui se passait. Des portes claquaient et des bruits de pas précipités résonnaient dans les couloirs. Quelqu'un pleurait et criait tout à la fois, mais d'une façon absolument horrible.

— C'est Colin, se dit-elle. Il est en train de

piquer une de ses crises, une crise d'hystérie, comme dit l'infirmière. Quel bruit! C'est affreux!

En entendant ces sanglots épouvantables, elle comprit pourquoi les domestiques avaient peur de Colin et préféraient lui passer tous ses caprices plutôt que de subir ses cris. Elle se boucha les oreilles; elle tremblait et se sentait prise de nausée.

— Qu'est-ce que je peux faire? Mais qu'est-ce que je peux bien faire? se répétait-elle. C'est insupportable.

Elle se demanda même un moment si le fait d'aller le voir le ferait s'arrêter. Mais, alors, elle se rappela qu'il l'avait mise à la porte de sa chambre, et elle se dit que s'il la voyait, cela n'arrangerait peut-être pas les choses. Même en pressant très fort ses mains sur ses oreilles, elle entendait encore ses cris affreux. C'était tellement insupportable et effrayant qu'elle finit par se mettre en colère. Si cela continuait, se dit-elle, elle allait, elle aussi, piquer une crise, et l'effrayer à son tour. Elle n'avait pas l'habitude de subir le mauvais caractère des autres. Cessant de se boucher les oreilles, elle se mit à taper du pied.

— On devrait l'arrêter. Il faudrait que quelqu'un fasse cesser cela. Mais qu'on le batte! s'écria-t-elle.

Juste à ce moment-là, elle entendit quelqu'un accourir dans le couloir, et sa porte s'ouvrit pour laisser entrer l'infirmière. Elle ne riait plus du tout et avait même l'air assez pâle.

— Il est en pleine crise, se dépêcha-t-elle de dire. Il va se faire du mal, et il n'y a rien à faire. Venez, et essayez de le calmer, comme une brave petite fille. Il vous aime bien, vous.

— Il m'a pourtant mise à la porte de sa chambre, ce matin, dit Mary en tapant rageusement du pied.

L'infirmière parut apprécier son mouvement d'humeur. Pour dire la vérité, elle avait eu peur de trouver une Mary en pleurs, la tête cachée sous les draps.

— Très bien, dit-elle. Vous êtes exactement dans le bon état d'esprit. Allez-y, et secouez-le! Faites-le penser à autre chose. Allez, ma petite, et faites vite!

Ce ne fut que bien plus tard que Mary comprit ce que la situation avait de comique, malgré son aspect dramatique et combien il était drôle que des adultes soient effrayés au point de faire appel à une petite fille, pour la seule raison qu'ils la trouvaient presque aussi méchante que Colin.

Elle se précipita dans les couloirs, et plus elle approchait de la source des cris, plus sa colère montait. Elle était positivement en rage quand elle parvint devant la porte de la chambre. L'ouvrant d'un grand coup, elle bondit jusqu'au lit à colonnes.

— Tu vas arrêter? cria-t-elle en hurlant presque. Arrête! Je te déteste! Tout le monde te déteste. Je voudrais que tout le monde s'en aille, et te laisse tout seul dans la maison à hurler jusqu'à ce que mort s'ensuive. D'ailleurs, si tu continues à crier comme ça, tu vas mourir, je l'espère bien!

Jamais un enfant gentil et charitable n'aurait eu l'idée, ni le courage, de dire de telles horreurs, mais en fait, c'était la meilleure chose à faire pour calmer ce garçon hystérique que personne n'avait jamais osé contrarier, ni même contredire.

Couché sur le ventre, il n'arrêtait pas de bourrer son oreiller de coups de poing. Lorsqu'il entendit la voix furieuse de Mary, il bondit presque et se retourna. Il avait le visage affreusement congestionné, il hoquetait et était hors d'haleine. Mais cette petite peste de Mary s'en moquait comme d'une guigne.

— Si tu hurles encore une fois, lui dit-elle, je vais m'y mettre, moi aussi. Et je hurlerai plus fort que toi. Je te ferai peur, vraiment peur!

Elle l'avait tellement surpris qu'il s'était en fait arrêté de crier, le hurlement qu'il allait pousser comme coincé en travers de la gorge. Il avait le visage ruisselant de larmes et tremblait comme une feuille.

— Je ne peux pas m'arrêter, parvint-il à hoqueter, la voix haletante. Je ne peux pas, je ne peux pas!

— Si, tu peux! glapit Mary. Tu fais de l'hystérie, voilà pourquoi tu es malade. Tu as mauvais caractère et tu es hystérique, et rien d'autre, rien d'autre!

Et elle tapait du pied pour accentuer ses paroles.

— J'ai senti ma bosse! Je l'ai sentie! dit Colin en éclatant en sanglots. Je savais bien que je la sentirais. Je vais avoir une bosse dans le dos, et je vais mourir.

Détournant son visage, il se remit à se tordre, à sangloter et à gémir, mais sans hurler, cette fois-ci.

— Tu n'as rien senti du tout, répliqua Mary avec force. Et si tu as senti quelque chose, c'est parce que tu es hystérique. Tu as les nerfs en boule, et rien de plus. Quant à ton dos, il n'a rien du tout. Tourne-toi que je voie ça de plus près!

Elle n'arrêtait pas de répéter le mot « hystérique » et s'en gargarisait, sentant confusément qu'il faisait également de l'effet sur Colin. Cela devait lui plaire, à lui aussi, car il ne l'avait jamais entendu auparavant.

— Mademoiselle, ordonna-t-elle. Venez donc, et faites-moi voir son dos immédiatement!

Depuis le début de la séance, l'infirmière, Mme Medlock et Martha étaient restées serrées les unes contre les autres, debout près de la porte, la regardant fixement, bouche bée, et plus d'une fois, elles avaient eu des sursauts de frayeur. L'infirmière s'avança, l'air à demi rassuré. Colin était secoué de gros sanglots et respirait avec peine.

— Je ne sais pas... s'il va vouloir... dit-elle à voix basse, laissant percer son hésitation.

Mais Colin l'entendit et entre deux sanglots, parvint à articuler :

274

— M... montrez-lui donc! Elle v-verra bien!

Son pauvre petit dos tout maigre faisait peine à voir. On aurait pu compter chaque côte et chaque vertèbre. Mais Mary ne perdit pas son temps à les dénombrer; avec un air profondément sérieux sur son petit visage méchant, elle se pencha en avant pour l'examiner de plus près. Elle avait pris un tel air de vieille fille pincée que l'infirmière avait du mal à réprimer un sourire. Il y eut une longue minute de silence pendant laquelle Colin essaya de retenir son souffle, tandis que Mary parcourait du regard sa colonne vertébrale. Le grand docteur de Londres n'aurait pas eu l'air plus absorbé.

— Il n'y a pas la moindre bosse, finit-elle par dire. Pas même de la taille d'une tête d'épingle. Ce ne sont que les vertèbres qui ressortent, parce que tu es trop maigre. Moi aussi, quand j'y touche, je sens les miennes percer sous la peau. Avant, elles saillaient tout comme les tiennes. Mais maintenant, j'ai grossi, mais pas assez, cependant, pour qu'on ne les sente plus. Ne me parle plus de ça ou j'éclate de rire!

Seul Colin eut conscience de l'effet que ces paroles désagréables, prononcées par une enfant, eurent sur lui. S'il avait eu quelqu'un à qui parler de ses hantises cachées, s'il avait eu le courage d'oser poser des questions, s'il avait eu des amis de son âge, et n'était pas tout le temps resté couché, confiné dans l'immense demeure toujours close, subissant une atmosphère lourde de crainte créée par un entourage de personnes incultes et lasses de le supporter, il se serait rendu compte que sa maladie et la plupart de ses terreurs n'étaient que le fruit de son imagination. Mais cela faisait des heures, et des jours, et des mois, et des années entières qu'allongé sur son lit, il ne pensait qu'à lui-même, à ses douleurs et à sa lassitude. Et voilà qu'il suffisait qu'une petite fille désagréable et en colère s'obstine à lui répéter qu'il n'était absolument pas ce qu'il s'imaginait, pour qu'il commence à penser qu'elle avait peut-être raison.

— Je ne savais pas, avança l'infirmière, qu'il croyait avoir une bosse dans le dos. S'il a le dos faible, c'est parce qu'il n'ose pas s'asseoir. J'aurais pu lui confirmer qu'il n'avait pas l'ombre d'une bosse.

Colin avala péniblement sa salive avant de se tourner légèrement vers elle.

— C'est vrai? dit-il avec une pauvre petite voix.

— Oui, Monsieur.

— Tu vois! lui dit Mary.

Et elle aussi avait la gorge serrée.

Colin détourna de nouveau le visage, et respirant avec peine après cette crise de sanglots, il resta une minute sans bouger. Des flots de

larmes roulaient sur ses joues; son oreiller en était tout trempé. Mais ses pleurs étaient la preuve du soulagement que, curieusement, il commençait à éprouver. Au bout d'un moment, il se tourna et regarda de nouveau l'infirmière, mais cette fois-ci, il lui adressa la parole sur un ton qui, c'était assez surprenant, n'était plus du tout celui d'un maharadjah.

— Pensez-vous — que je — vivrai? dit-il.

L'infirmière qui n'était ni très intelligente, ni particulièrement charitable, trouva tout de même le moyen de répéter ce que le docteur de Londres avait dit.

— Certainement, si vous faites ce que l'on vous demande, si vous arrivez à maîtriser vos nerfs et passez beaucoup de temps au grand air.

La crise de Colin était terminée. Il en sortait faible et épuisé à force d'avoir hurlé, et c'est peut-être pour cette raison qu'il se sentait doux comme un agneau. Il tendit la main vers Mary; et, vous serez heureux de l'apprendre, Mary se sentant également apaisée, lui tendit aussi la sienne. Et c'est ainsi qu'ils firent la paix.

— Je sortirai avec toi, Mary, dit-il. Je pourrai supporter d'être au grand air si nous arrivons à trouver...

Il se reprit juste à temps, car il allait dire : « la porte du jardin secret. »

— Je serai content de sortir avec toi, poursuivit-il, si Dickon veut bien pousser mon fauteuil. J'ai tellement envie de voir Dickon, avec son renard et son corbeau.

L'infirmière remit en ordre le lit défait, tapotant et redressant les oreillers. Puis elle prépara une tasse de bouillon à Colin et en donna également une à Mary, qui en avait bien besoin après une telle agitation. Mme Medlock et Martha furent contentes de pouvoir enfin s'éclipser, et après avoir tout remis en place et redonné à la pièce son air habituel, l'infirmière aurait bien aimé en faire de même. C'était une jeune femme normalement constituée, et elle commençait à leur en vouloir d'avoir gâché sa nuit. Elle bâilla très ostensiblement en regardant Mary, qui avait approché son siège du lit de Colin pour pouvoir lui tenir la main.

— Il faut regagner votre chambre, maintenant, et rattraper votre sommeil, dit-elle à Mary. Il ne va pas tarder à s'endormir, s'il n'est pas trop énervé. J'irai ensuite m'allonger dans la chambre à côté.

— Cela te ferait-il plaisir que je te chante cette chanson indienne que mon ayah m'a apprise? glissa Mary dans l'oreille de Colin.

Il lui pressa doucement la main en la suppliant d'un regard las.

— Oh, oui! répondit-il. C'est une chanson si douce! Je ne vais pas tarder à m'endormir.

— Je vais le faire dormir, dit Mary à l'infirmière qui bâillait de plus belle. Vous pouvez nous laisser, si vous le désirez.

— Bien, acquiesça l'infirmière.

Faisant semblant de se montrer réticente, elle ajouta toutefois :

— Mais si, dans une demi-heure, il ne dort toujours pas, vous viendrez me chercher.

— C'est entendu, répondit Mary.

L'infirmière quitta la pièce dans la minute qui suivit, et dès qu'elle fut sortie, Colin pressa de nouveau la main de Mary.

— J'ai failli en dire trop, fit-il, mais je me suis arrêté à temps. Je ne vais pas parler, je vais dormir, mais tu m'as dit que tu avais des tas de choses agréables à me raconter. Est-ce que tu as... penses-tu avoir découvert un moyen quelconque d'entrer dans le jardin secret?

Mary regarda son pauvre petit visage fatigué et ses yeux gonflés, et fut prise de pitié.

— Oui, répondit-elle. Je crois avoir trouvé. Et si tu t'endors gentiment, je te raconterai tout demain.

Colin en avait les mains toutes tremblantes d'émotion.

— Oh, Mary! dit-il. Oh, Mary! Je crois que je vivrais si je pouvais y aller. Et si, au lieu de me chanter la chanson de ton ayah, tu me racontais, comme la première fois, comment

280

tu imagines ce jardin? Tu veux bien? Je suis sûr que cela m'aiderait à trouver le sommeil.

— Si tu veux, acquiesça Mary. Ferme les yeux d'abord.

Il ferma les yeux et se tint tranquille. Lui tenant la main, elle se mit à parler très doucement, à voix basse.

— Voilà comment je le vois, comme un merveilleux fouillis de végétation, depuis le temps qu'il a été abandonné. Les rosiers ont dû pousser et tout envahir, les murs, les arbres, et même courir sur l'herbe, leurs branchages recouvrant tout comme une sorte de brume grise. Certains plants n'ont pas résisté, mais la plupart ont survécu, et l'été, il doit y avoir une telle profusion de roses que tout doit crouler sous les fleurs. Et il doit y avoir des tas de jonquilles, et des perce-neige, des lis et des iris en train de germer maintenant que le printemps est arrivé. Peut-être... qui sait?

Elle se rendit compte que le son de sa voix semblait le calmer. Alors elle continua.

— Toutes ces fleurs commencent peut-être à sortir de terre, maintenant, et, qui sait, il y a peut-être déjà des bouquets tout fleuris de crocus pourpres et jaune or. Sur les arbres, les bourgeons vont peut-être bientôt éclater pour laisser percer leurs toutes petites feuilles vertes. Et toute la grisaille de l'hiver va disparaître pour laisser la place à une douce gaze verte qui va s'étendre partout jusque dans les moindres recoins. Et les oiseaux viendront nombreux pour voir ce spectacle et se réfugier dans ce nid de verdure, si calme et si sûr.

Et elle conclut d'une voix de plus en plus douce, parlant le plus lentement possible :

— Et, qui sait, le rouge-gorge a peut-être trouvé une compagne et commencé à faire son nid.

Mais Colin s'était endormi.

CHAPITRE 18

« Y A POINT DE TEMPS A PERDRE »

Evidemment, le lendemain matin, Mary ne se réveilla pas de bonne heure. Elle dormit tard, car elle était fatiguée. Martha, en lui servant son petit déjeuner, lui apprit que Colin était malade et avait de la fièvre, comme chaque fois qu'il se mettait dans des états pareils, mais qu'il était calme. Mary l'écoutait attentivement, tout en dégustant son petit déjeuner.

— Il dit qu'il aimerait bien que vous veniez le voir, dès que possible, lui rapporta Martha. C'est bizarre comme il s'est entiché de vous. Vous l'avez drôlement maté, la nuit dernière, pas vrai? Personne n'aurait osé en faire autant. Ah! le pauvre gosse! Il a été trop gâté, y'a rien à faire. Ma mère dit toujours qu'il n'y a que deux choses de vraiment mauvaises pour les enfants : trop de liberté ou pas de liberté du tout. Elle ne sait pas ce qui est le pire. Faut dire que vous étiez rudement en colère, vous aussi. Mais quand je suis entrée ce matin dans sa chambre, il m'a dit : « Martha, s'il vous plaît, allez demander à Mlle Mary si elle veut bien venir bavarder avec moi. » Vous vous rendez compte, me dire « s'il vous plaît », à moi? Vous allez y aller, n'est-ce pas, Mademoiselle?

— Je vais d'abord me dépêcher d'aller voir Dickon, dit Mary. Et puis, non. Je vais d'abord aller voir Colin et lui dire... Je sais bien ce que je vais lui dire! ajouta-t-elle, l'air brusquement inspiré.

Lorsqu'elle entra dans la chambre de Colin, elle avait son chapeau sur la tête et, l'espace d'un instant, il eut l'air déçu. Il était allongé sur son lit et avait un pauvre petit visage tout pâle et les yeux largement cernés de noir.

— Je suis content que tu sois venue, lui dit-il. J'ai mal à la tête et je souffre de partout, parce que je suis extrêmement fatigué. Tu vas sortir?

Mary s'approcha du lit et se pencha vers Colin.

— Cela ne sera pas long, lui confia-t-elle. Le temps d'aller voir Dickon et de revenir. Colin, c'est... C'est à propos du jardin secret.

Le visage de Colin s'éclaira tout entier et retrouva quelques couleurs.

— Oh! Vraiment? s'exclama-t-il. J'en ai rêvé toute la nuit. Je t'ai entendu me dire quelque chose sur le gris qui se transforme en vert, et j'ai

rêvé que je me trouvais dans un endroit où l'air tremblait du bruissement de toutes petites feuilles vertes, et il y avait des nids avec des oiseaux partout, et tout était calme et paisible. Je vais rester dans mon lit et y penser, en attendant ton retour.

Cinq minutes plus tard, Mary avait retrouvé Dickon dans le jardin secret. En plus du renardeau et du corbeau, il avait avec lui deux écureuils apprivoisés.

— J' suis venu sur mon poney, c' matin, lui dit-il. Il s'appelle Jump. Ça, c'est une brave bête! J'ai pris aussi ces deux lascars avec moi, un dans chaque poche. Celui-là, c'est Casse, et l'autre, je l'appelle Noisette.

Quand il prononça le nom de Casse, un des écureuils vint se percher sur son épaule droite, et ce fut ensuite au tour de Noisette de grimper sur la gauche.

Mary et Dickon s'assirent dans l'herbe, Capitaine couché à leurs pieds ; Suie, l'air solennel, était perché sur une planche, et les écoutait parler. Quant à Casse et Noisette, ils n'arrêtaient pas de fureter tout près d'eux. Mary avait l'impression qu'elle ne pourrait jamais s'arracher à de telles délices. Mais quand elle commença à raconter les événements de la nuit précédente, le visage de Dickon prit une curieuse expression qui la fit peu à peu changer d'opinion. Elle se rendait compte qu'il éprouvait plus de peine qu'elle pour Colin. Il leva les yeux au ciel, puis regarda tout autour de lui.

— Ecoute-moi ça, tous ces oiseaux, on dirait que le monde en est plein. Et ça siffle, et ça chante, dit-il. Regarde-les filer comme des flèches, ils s'appellent d'un bout à l'autre du jardin. Quand l' printemps arrive, c'est l' grand signal. Les bourgeons éclatent pour faire voir leurs jolies petites feuilles. Et ça sent si bon.

Il reniflait, comme pour s'emplir les narines de la bonne odeur de la terre, le nez plus retroussé que jamais.

— Et quand j' pense à c' pauvre gars qui est toujours au lit, enfermé dans sa chambre et qui voit jamais rien et n' pense qu'à des choses tristes qui l' font pleurer! Y faut absolument l' faire venir ici, qu'il puisse voir tout ça, écouter l' chant des oiseaux, respirer l' bon air et profiter du soleil. Y a point d' temps à perdre!

Quand il était pris par son sujet, il arrivait souvent à Dickon de parler patois, mais quand il était avec Mary, il s'efforçait de parler normalement, pour qu'elle le comprenne plus facilement. Cependant, Mary aimait bien quand il parlait en dialecte du Yorkshire. Elle avait même essayé de l'apprendre et commençait à se débrouiller.

— Pour sûr, y'a point d' temps à perdre, répéta-t-elle en patois. J'vas te dire ce qu'on va faire pour commencer.

Dickon se mit à sourire, car cela l'amusait beaucoup de voir la petite fille essayer de parler comme lui.

— Il n' jure que par toi, poursuivit-elle. Il voudrait te connaître, toi, et aussi Suie et Capitaine. En rentrant à la maison, j' vas bavarder avec lui et j' lui demanderons si tu pouvions v'nir le voir, avec tes p'tites bêtes. Et puis, plus tard, quand les arbres auront plus d' feuilles, on l' fera sortir et tu pousseras son fauteuil. Et il verra l' jardin, et tout.

Jamais elle n'avait réussi un si long discours

en patois, et elle était assez fière d'elle, quand elle l'eut terminé. Elle n'avait pas trébuché une seule fois sur les mots.

— Faudrait parler un peu patois comme ça à M'sieur Colin, lui dit Dickon avec un petit rire. Ça l'amusera, et y a rien d' meilleur pour un malade. Ma mère dit toujours qu'à son avis, une bonne pinte de rire chaque matin guérirait même un bonhomme du typhus.

— Je vais suivre ton conseil, et pas plus tard qu'aujourd'hui, lui répondit Mary en se mettant à rire, elle aussi.

C'était l'époque où, comme par miracle, le jardin se transformait en une seule nuit, chaque jour apportant de merveilleux changements. Mary avait du mal à en partir, surtout avec Noisette qui s'était agrippée à sa robe tandis que Casse, grimpé sur le tronc du pommier sous lequel Dickon était assis avec elle, la regardait de ses petits yeux inquisiteurs. Mais elle se décida tout de même à rentrer à la maison, et quand elle fut assise près du lit de Colin, il se mit à renifler, tout comme Dickon avait l'habitude de le faire, mais d'une façon beaucoup moins experte.

— Tu sens comme les fleurs, une odeur de fraîcheur, s'écria-t-il, l'air réjoui. Qu'est-ce que c'est? C'est à la fois frais, doux et chaleureux.

— C'est l' vent qui vient d' la lande, lui

répondit Mary. Ça vient d'être restée assise dans l'herbe sous un arbre, avec Dickon et Capitaine, Suie, Casse et Noisette. C'est l'odeur du printemps, et du bon air, et du soleil qui fait tout sentir bon.

Et elle fit toute cette tirade en roulant les « r », car il n'y a pas plus rocailleux que le patois du Yorkshire. Colin se mit à rire.

— Qu'est-ce qui t'arrive? dit-il. Jamais tu ne m'as parlé comme ça. C'est drôlement bizarre.

— C'est juste un petit aperçu de mes connaissances en patois, lui répondit Mary d'une voix triomphante. Evidemment, je ne parle pas aussi bien que Dickon ou Martha, mais, comme tu peux le constater, je ne me défends pas trop mal. Est-ce que tu me comprends un peu, quand je te parle comme ça? Et dire que tu es né dans ce pays et que tu y as toujours vécu! Tu devrais avoir honte!

Et là-dessus, elle éclata de rire, elle aussi, et Colin en fit autant. Ils ne pouvaient plus s'arrêter. La pièce entière résonnait de leurs rires au point que Mme Medlock, qui allait entrer dans la chambre, battit en retraite dans le couloir où elle resta un moment à les écouter, toute abasourdie.

— Ben, c'est-y Dieu possible! dit-elle, et comme il n'y avait personne pour l'entendre, voilà qu'elle se laissait aller, à son tour, à parler patois. Elle n'en revenait pas de sa surprise.

— J'aurions jamais cru entendre ça un jour, c'est pas pensable!

Les sujets de conversation ne manquaient pas aux deux enfants. Colin ne se lassait pas d'entendre parler de Dickon et de ses petits amis, Capitaine, Suie, Casse et Noisette, et Jump, le poney. Mary était allée dans les bois du parc avec Dickon pour voir l'animal. C'était un petit poney de la lande, aux poils rudes; il avait une crinière toute bouclée, qui lui retombait sur les yeux, et un museau adorable, humide et doux comme un bout de velours rose. C'était une bête assez maigre, se nourrissant uniquement de l'herbe pauvre de la lande, mais elle était robuste et nerveuse, avec des muscles durs comme de l'acier. En voyant Dickon, Jump avait relevé la tête et poussé un petit hennissement, et il était venu à sa rencontre. En signe d'accueil, il lui avait posé la tête sur l'épaule. Dickon lui avait alors glissé quelques mots à l'oreille, et Jump lui avait répondu en hennissant d'une curieuse façon, soufflant et reniflant. A la demande de Dickon, il avait salué Mary de son sabot de devant, et lui avait donné un baiser sur la joue avec son petit museau de velours.

— Est-ce qu'il comprend vraiment tout ce que Dickon lui dit? demanda Colin.

— Apparemment oui, répondit Mary. D'après

lui, quand on aime, on arrive toujours à se comprendre, mais il faut que ça vienne du fond du cœur.

Colin resta un court moment complètement immobile. Ses étranges yeux gris semblaient contempler le mur, mais Mary savait qu'il était en train de réfléchir.

— J'aimerais bien être capable d'aimer, finit-il par dire, mais je ne peux pas. Je n'ai jamais rien eu à aimer, et je ne supporte pas les gens.

— Même moi? lui demanda Mary.

— Toi, si, répondit-il. C'est même bizarre, mais je t'aime bien.

— Ben Weatherstaff dit que je suis comme lui, lui confia Mary. D'après lui, nous aurions aussi mauvais caractère l'un que l'autre. Je crois que tu lui ressembles, toi aussi. Nous sommes pareils tous les trois, toi, Ben et moi. Comme il dit, nous ne sommes pas beaux à voir, et nous sommes aussi désagréables que nous en avons l'air. Mais depuis que je connais Dickon et le rouge-gorge, je ne me sens plus aussi méchante qu'avant.

— Est-ce que tu avais l'impression de détester tout le monde?

— Oui, répondit Mary sans la moindre affectation. Et si je t'avais rencontré avant de connaître Dickon et le rouge-gorge, je t'aurais détesté, toi aussi.

Colin tendit la main et effleura Mary du bout des doigts.

— Mary, avoua-t-il, je regrette bien d'avoir dit, l'autre soir, que je voulais interdire à Dickon de venir ici. Quand tu as dit que c'était un ange, je t'ai détestée et je me suis même moqué de toi, mais tu avais peut-être raison.

— C'était plutôt ridicule comme comparaison, admit-elle sans difficulté. Il a le nez retroussé, une bouche immense et des vêtements tout rapiécés ; en plus, il parle patois. Mais s'il était possible qu'un ange vienne vivre dans le Yorkshire, sur la lande, s'il existait un ange du Yorkshire, je suis persuadée qu'il connaîtrait toutes les fleurs du pays et tous les animaux, comme Dickon. Et les bêtes sauraient bien qu'il est leur ami.

— Ça me serait égal que Dickon me regarde, dit Colin. J'ai très envie de le voir.

— Je suis contente que tu me dises cela, répondit Mary, parce que, figure-toi...

Et, tout à coup, il lui vint à l'esprit que le moment était venu de tout lui dire. Colin comprit alors qu'elle allait lui apprendre une merveilleuse nouvelle.

— Parce que quoi? s'écria-t-il, avide de savoir.

Mary était tellement anxieuse qu'elle se leva de son tabouret et, s'approchant de lui, lui saisit les deux mains.

— Est-ce que je peux avoir confiance en toi?
Avec Dickon, cela n'a pas posé de problèmes,
parce que même les oiseaux lui confient tous
leurs secrets. Mais toi, est-ce que je peux te faire
confiance, pour de vrai? lui dit-elle d'un ton
suppliant.

Elle avait un air tellement grave que Colin ne
put que murmurer :
— Mais oui, je te le jure.

— Eh bien, Dickon va venir te voir demain matin, et il amènera tous ses animaux.

— Oh! s'exclama Colin, ravi.

— Mais ce n'est pas tout, poursuivit Mary, avec un air si sérieux qu'elle en était toute pâle. Il y a encore mieux. J'ai trouvé l'entrée du jardin secret. C'est une porte qui est cachée sous le lierre qui recouvre le mur.

Si Colin avait été un garçon robuste et en bonne santé, il en aurait hurlé de joie et crié trois fois hourra. Mais comme c'était un petit être affaibli et au tempérament hystérique, il ne put qu'ouvrir des yeux de plus en plus grands et en perdit presque le souffle.

— Oh, Mary! s'écria-t-il en sanglotant presque. Le verrai-je un jour? Pourrai-je seulement y aller? Est-ce que je vivrai assez longtemps pour cela?

Et lui saisissant les mains, il l'attira vers lui.

— Mais, bien sûr, que tu le verras! lui lança-t-elle, l'air indigné. Evidemment que tu ne vas pas mourir et que tu pourras y aller! Ne dis donc pas de bêtises!

Et elle prononça ces mots d'une façon tellement naturelle et enfantine, sans la moindre trace d'hystérie, qu'il se calma sur-le-champ et se mit à rire. Quelques minutes plus tard, elle avait regagné son siège et lui racontait, mais sans faire semblant d'inventer cette fois-ci, comment le jardin était en réalité. Du coup, Colin en oubliait sa fatigue et sa maladie, et complètement sous le charme, il buvait ses paroles.

— C'est exactement comme tu l'imaginais, finit-il par lui dire. A croire que tu l'avais déjà vu, comme je te l'ai dit une fois, tu te rappelles?

Mary hésita pendant quelques secondes, puis, prenant son courage à deux mains, elle se décida à lui dire la vérité.

— En fait, je l'avais déjà vu, dit-elle, et j'y étais déjà entrée. Il y a quelques semaines que j'ai trouvé la clé et que j'y suis allée, mais je n'osais pas t'en parler, parce que j'avais peur de ne pas pouvoir te faire vraiment confiance.

CHAPITRE 19

« LE PRINTEMPS
EST ENFIN LÀ »

Evidemment, comme après chaque crise, on avait envoyé chercher le docteur Craven dans la matinée pour venir voir Colin. C'était la première chose que l'on faisait en de telles circonstances. Le docteur arrivait pour trouver un petit être pâle et défait, boudant au fond du grand lit à colonnes, et encore si énervé qu'il était prêt à éclater en sanglots au moindre mot. Pour le docteur Craven, c'était toujours un mauvais moment à passer; il redoutait tellement ces visites que, cette fois-ci, il arriva au manoir l'après-midi seulement.

— Comment est-il? demanda-t-il d'une voix irritée à Mme Medlock. Si cela continue, il va finir par se rompre une veine pendant une de ses crises. Cet enfant est à moitié fou, tellement il se laisse aller à ses moindres caprices.

— Eh bien, docteur, lui répondit Mme Medlock, vous n'allez pas en revenir. Il a été quasiment ensorcelé par cette fillette au visage ingrat qui, comme lui, a un caractère épouvantable. Personne ne sait comment elle s'y est prise. Dieu sait pourtant qu'elle ne paie pas de mine, elle ne dit pas grand-chose, mais elle l'a maté, comme aucun de nous n'aurait osé le faire. Elle l'a engueulé comme du poisson pourri, la nuit dernière, elle s'est mise à taper du pied et lui a ordonné d'arrêter de hurler. Elle lui a fait tellement peur qu'il a cessé aussitôt. Et cet après-midi... Mais, prenez la peine de monter, docteur, et vous pourrez constater par vous-même. C'est à peine croyable.

Et, en effet, le docteur ne manqua pas d'être surpris par le spectacle qui se présenta à lui lorsqu'il entra dans la chambre de son patient. Lorsque Mme Medlock lui ouvrit la porte, il entendit des bruits de voix et des éclats de rire. Vêtu d'une robe de chambre, Colin était assis sur son divan, le dos bien droit et il regardait une illustration dans un livre de jardinage, tout en menant une grande conversation avec cette petite fille qu'on prétendait laide et qui, à cet instant précis, avait un visage si joyeux qu'on pouvait difficilement la trouver vilaine.

— Ces fleurs bleues à grandes tiges, nous en mettrons beaucoup, était en train de dire Colin. Cela s'appelle des delphiniums.

— Dickon dit que ce sont des pieds-d'alouette, parce que ça y ressemble beaucoup, s'écria Mary. Il y en a déjà des tas, dans le jardin.

C'est alors qu'ils aperçurent le docteur Craven. Aussitôt, ils se turent, Mary se figea instantanément. Quant à Colin, il prit un air irrité.

— On m'a dit que vous aviez été malade, la nuit dernière. Vous m'en voyez désolé, mon garçon, dit le docteur Craven avec une certaine agitation, car c'était un homme plutôt nerveux de nature.

— Cela va mieux, beaucoup mieux, lui répondit Colin d'un ton princier. Dans un jour ou deux, je pense sortir dans mon fauteuil, si le temps le permet. J'ai envie de prendre un peu l'air.

Le docteur Craven vint s'asseoir au chevet de Colin, lui prit le pouls et le regarda d'un drôle d'air.

— Le temps devra être vraiment beau, dit-il, et il vous faudra bien faire attention à ne pas vous fatiguer.

— Ce n'est pas le grand air qui va me fatiguer, lui répliqua notre petit maharadjah.

Ce même petit bonhomme lui ayant, en de nombreuses occasions, affirmé avec insistance et force cris de rage qu'il ne supportait pas le grand air, que cela le rendait malade et risquait de lui donner la mort, le docteur se sentait plutôt perplexe, et cela n'avait rien d'étonnant, en l'occurrence.

— Je croyais que vous n'aimiez pas prendre l'air, lui dit-il.

— Je n'aime pas sortir seul, répondit notre petit prince indien. Mais ma cousine va venir avec moi.

— L'infirmière aussi, bien sûr? suggéra le docteur.

— Non, il n'en est pas question.

Et Colin prononça ces mots sur un ton si condescendant que Mary ne put s'empêcher de songer au petit maharadjah couvert de pierres précieuses et à cette façon qu'il avait d'agiter sa petite main chargée de diamants, d'émeraudes et de perles fines pour donner des ordres à ses domestiques, qui se confondaient en courbettes, à l'écoute du moindre de ses caprices.

— Ma cousine est parfaitement capable de s'occuper de moi. Je me sens toujours mieux quand elle est à mes côtés. C'est elle qui a réussi à me calmer, la nuit dernière. Je connais un garçon qui pourra pousser mon fauteuil. Il est assez fort pour cela.

Le docteur Craven était plutôt inquiet. S'il arrivait par hasard que cet insupportable petit hystérique guérisse, cela signifierait que, de son côté, le docteur perdrait toute chance d'hériter un jour du manoir. Mais le docteur n'était pas dépourvu de scrupules, même s'il avait ses faiblesses, et il n'avait pas l'intention de laisser courir le moindre danger à Colin.

— Il faudra que ce soit un garçon robuste et de confiance, dit-il. Je veux le connaître. Qui est-ce? Comment s'appelle-t-il?

Mary intervint brusquement :

— C'est Dickon, dit-elle.

Elle ne se trompait pas en pensant que tout le monde, sur la lande, devait connaître Dickon. En effet, le docteur, qui avait eu l'air soucieux quelques instants auparavant, paraissait maintenant soulagé.

— Ah bon, si c'est avec Dickon, dit-il en souriant, il n'y a rien à craindre. Il est aussi fort qu'un poney du Yorkshire, ce garçon-là.

— Et on peut compter d'ssus. C'est l'plus brave gars de tout l'pays, ajouta Mary qui, oubliant qu'elle n'était plus seule avec Colin, se remettait à parler patois.

— C'est Dickon qui vous a appris à parler comme ça? demanda le docteur, en riant.

— J'apprends le patois comme d'autres apprennent le français, répliqua Mary d'un ton assez froid. C'est comme les dialectes indigènes des Indes. Il y a beaucoup de gens très savants qui veulent les apprendre. Je fais ça par plaisir, et Colin y a pris goût aussi.

300

— Bien, bien, fit-il. Si cela vous amuse, je ne vois rien de mal à ça. Colin, avez-vous pris votre bromure, hier soir?

— Non, répondit Colin. J'ai d'abord refusé de le prendre, et puis après, je n'en ai plus eu besoin. Mary m'a calmé en me parlant jusqu'à ce que je m'endorme. Elle m'a raconté, d'une voix toute douce, comment le printemps transforme un jardin.

— Voilà une bonne chose, dit le docteur Craven.

Mais jamais il n'avait été plus intrigué. Il regardait Mlle Mary qui, tranquillement assise sur son tabouret, se contentait de fixer le tapis en silence.

— De toute évidence, vous allez mieux, poursuivit-il. Mais n'oubliez pas...

Reprenant son petit ton de maharadjah, Colin lui coupa la parole.

— Mais c'est justement ce que je désire : oublier! Lorsque je suis tout seul dans mon lit et que je réfléchis, je me mets à souffrir de partout et je pense à des choses tellement horribles que cela me fait hurler. S'il y avait, dans le monde, un docteur capable de me faire oublier que je suis malade, au lieu de me le rappeler sans cesse, vous pouvez être sûr que je le ferais venir ici. C'est justement parce que ma cousine m'aide à oublier que je me sens mieux.

Et il le congédia d'un geste de sa main fine qui aurait vraiment mérité d'être couverte de bagues, comme celle d'un prince.

Le docteur Craven n'était jamais resté aussi peu de temps après une « crise ». D'habitude, la visite s'éternisait, et il avait fort à faire. Cet après-midi-là, il n'eut même pas à laisser de nouvelles instructions à l'infirmière, ni à prescrire de remèdes, pas plus qu'à subir la moindre scène déplaisante. Il avait un air pensif en descendant au rez-de-chaussée, et ce fut un homme fort perplexe qui alla retrouver Mme Medlock dans la bibliothèque.

— Eh bien, docteur, avança-t-elle, auriez-vous cru cela possible?

— Le fait est, répondit le docteur, que la situation a changé. Et il est indéniable que c'est un progrès par rapport au passé.

— En ce qui me concerne, je finis par croire que Susan Sowerby a raison, dit Mme Medlock. Je me suis arrêtée au cottage, hier, en allant à Thwaite, et j'ai bavardé un moment avec elle. Et elle m'a dit ceci : « Vous voyez, Sarah Ann, la p'tite n'est peut-être pas très gentille, ni très jolie, mais c'est une enfant. Et les enfants doivent vivre avec les enfants. » Nous sommes allées à l'école ensemble, Susan et moi.

— C'est la meilleure garde-malade que je connaisse, dit le docteur Craven. Quand je la trouve chez un de mes patients, je sais que j'ai toutes les chances de le sauver.

Mme Medlock sourit, car elle avait beaucoup d'affection pour Susan Sowerby.

— Elle a vraiment l'art et la manière, cette bonne Susan, poursuivit-elle d'un ton volubile. Toute la matinée, j'ai pensé à ce qu'elle m'a dit hier. Elle m'a raconté la chose suivante : « Un jour que je faisais la morale aux enfants qui venaient de s'chamailler, je leur ai dit comme ça : quand j'étais à l'école, j'ai appris, dans mon livre de géographie, qu'la terre était faite comme une orange. Et avant d'avoir atteint mes dix ans, j'savais déjà que personne peut la posséder tout entière. Chaque homme a droit à son petit bout de quartier, et des fois, on dirait même qu'il y en a pas assez pour tout l'monde. Donc, faut pas vous imaginer, et j'dis ça pour vous tous, que vous pouvez avoir l'orange tout entière pour vous tout seuls. Sinon, vous vous rendrez vite compte que vous vous êtes trompés, et ça ne s'passera pas sans plaie ni bosse. » Et elle a ajouté : « Quand ils sont avec les autres, les enfants apprennent vite que ça sert à rien d'vouloir l'orange tout entière avec la peau. Parce que s'ils essaient, ils risquent de même pas avoir les pépins, et ils sont pourtant trop amers pour être mangés. »

— C'est une fine mouche, votre amie, dit le

docteur Craven, tout en enfilant son manteau.

— C'est vrai qu'elle a un don pour vous dire les choses, conclut Mme Medlock. Souvent je me dis que si ce n'était pas qu'une simple paysanne parlant patois, il y a longtemps qu'elle aurait fait son chemin, Susan.

Cette nuit-là, Colin dormit d'un trait, sans se réveiller une seule fois. Lorsqu'il ouvrit les yeux, au matin, il resta couché et sourit sans le savoir. Il souriait tout simplement parce qu'il se sentait étrangement bien. Il éprouvait un réel plaisir à être éveillé, et se retournant dans son lit, il s'étira de tous ses membres avec délices. Il avait l'impression de ne plus être aussi tendu, comme si les liens qui le retenaient prisonnier jusqu'alors venaient de se desserrer. Si le docteur Craven avait été là, il lui aurait expliqué que c'était ses nerfs qui s'étaient détendus et reposés. Mais cela, Colin l'ignorait. Au lieu de rester couché à fixer le mur et à regretter d'être déjà éveillé, il pensait aux projets qu'ils avaient faits la veille, Mary et lui, la tête pleine de visions du jardin et de Dickon et de ses animaux. C'était bien agréable d'avoir à penser à quelque chose. Cela faisait à peine dix minutes qu'il était éveillé quand il entendit soudain quelqu'un courir dans le couloir. C'était Mary qui arrivait à sa porte. L'instant d'après, elle était dans sa chambre et accourait vers lui, fleurant bon l'air matinal.

— Tu es sortie, s'écria Colin. Je le sens à cette bonne odeur de feuillage.

Mary était venue en courant et avait les cheveux ébouriffés, un teint éblouissant de fraîcheur et les joues roses. Mais dans la pénombre de la chambre, Colin ne pouvait pas s'en rendre compte.

— C'est tellement bien, dit-elle, un peu essoufflée par sa course. Tu n'as jamais rien vu d'aussi beau. Le printemps est enfin là. L'autre matin, je croyais qu'il était arrivé, mais cela ne faisait que commencer. Maintenant, il est bel et bien arrivé. C'est le printemps. C'est Dickon qui me l'a dit.

— C'est vrai? s'écria Colin.

Pour lui qui n'était jamais sorti, cela ne signifiait pas grand-chose, mais pourtant, il sentit son cœur battre à tout rompre. Du coup, il se redressa carrément sur son lit.

— Ouvre la fenêtre, ajouta-t-il.

Et lui qui redoutait tant l'air du dehors, il riait autant de joie que de sa folle témérité.

— Nous allons peut-être entendre les trompettes d'argent qui annoncent sa venue.

Il avait beau plaisanter, Mary ne se le fit pas dire deux fois. Elle se précipita à la fenêtre et ne tarda pas à l'ouvrir toute grande, laissant pénétrer dans la chambre l'air frais du matin chargé de doux parfums et du chant des oiseaux.

— Voilà, dit-elle. Maintenant, allonge-toi et respire à fond l'air pur. C'est ce que fait Dickon quand il se couche dans l'herbe sur la lande. Il dit qu'il le sent passer dans ses veines, et que cela lui donne des forces. Il a l'impression alors qu'il pourrait vivre pendant des siècles et des siècles. Allons, respire, remplis-toi les poumons.

Elle ne faisait que répéter les paroles de Dickon, mais cela impressionna Colin.

— Pendant des siècles et des siècles! C'est vraiment ce qu'il ressent? dit Colin.

Et il lui obéit à la lettre et se mit à respirer à pleins poumons jusqu'au moment où il éprouva une sensation merveilleuse et totalement nouvelle pour lui.

Mary revint à son chevet.

— Tout est en train de renaître, dit-elle. Il y a des fleurs et des bourgeons qui s'ouvrent partout, et le voile vert a recouvert presque tout le gris. Les oiseaux sont très pressés de faire leur nid avant que la saison soit trop avancée. Il y en a même qui se battent pour avoir une place dans le jardin secret. Les rosiers ont l'air plus vivaces que jamais. Et les allées et le bois sont envahis de primevères. Et les fleurs que nous avons plantées commencent à sortir de terre. Aujourd'hui, Dickon est venu avec ses animaux; il y avait un renard, un corbeau, deux écureuils et un agneau nouveau-né...

Mary avait prononcé ce discours d'une seule traite et elle dut s'arrêter pour reprendre son souffle. L'agneau nouveau-né était la dernière découverte de Dickon. Il avait trouvé trois jours auparavant le petit animal couché près du cadavre de sa mère au milieu des genêts. Ce n'était pas la première fois que pareille aventure lui arrivait et il savait ce qu'il devait faire dans ce cas. Il l'avait enveloppé dans sa veste et rapporté chez lui. Là, il l'avait installé près de la cheminée et lui avait donné du lait chaud. C'était une petite bête toute douce, plutôt haute sur pattes, avec une adorable tête de bébé légèrement ahuri. Dickon l'avait emmené avec lui sur la lande, ce matin. Il avait mis un biberon de lait dans sa poche où était également fourré un des écureuils, et quand Mary s'était assise sous un arbre, le petit corps chaud de l'animal reposant contre sa poitrine, elle avait ressenti une telle joie qu'elle en était restée sans voix. Un agneau, un vrai petit agneau bien vivant qu'on pouvait tenir dans ses bras et nourrir comme un petit bébé!

Voilà ce qu'elle racontait, toute joyeuse, à Colin qui l'écoutait tout en respirant à pleins poumons l'air frais du matin. C'est alors que l'infirmière entra dans la chambre. En voyant la fenêtre grande ouverte, elle parut légèrement surprise, elle qui avait passé un bon nombre d'après-midi à étouffer dans cette pièce, parce que son malade était persuadé que les gens s'enrhumaient quand on ouvrait les fenêtres.

— Vous êtes sûr de ne pas avoir froid, monsieur Colin? demanda-t-elle.

— Non, lui répondit-il. Je me remplis les poumons d'air frais. Cela donne des forces. J'ai l'intention de me lever, ce matin, et de prendre mon petit déjeuner sur le divan. Ma cousine prendra également le sien ici, en ma compagnie.

Dissimulant un sourire, l'infirmière sortit pour aller commander les deux petits déjeuners. Elle préférait très nettement l'office à la chambre de Colin. L'endroit était bien plus distrayant, et, depuis quelque temps, les nouvelles du malade y étaient accueillies avec intérêt par tout le personnel. On se moquait beaucoup de son jeune patient que personne n'aimait. « Il a trouvé son maître, et ce n'est pas trop tôt! » disait la cuisinière. Tous les domestiques étaient las de ses crises d'hystérie, et le majordome qui était père de famille lui-même, avait plus d'une fois laissé entendre qu'une bonne raclée n'aurait pu lui faire que du bien.

Lorsque Colin fut installé sur son divan devant les petits déjeuners servis, il prit son ton le plus princier pour faire la déclaration suivante à l'infirmière.

— Ce matin, un garçon va venir me voir. Il

sera accompagné d'un renard, d'un corbeau, de deux écureuils et d'un petit agneau. Dès leur arrivée, je veux qu'on les fasse monter ici. Il n'est pas question qu'ils s'arrêtent en cours de route à l'office pour que l'on y joue avec les animaux et qu'on les y retienne. Je veux qu'ils viennent ici directement.

L'infirmière eut un léger sursaut qu'elle tenta de dissimuler en toussotant.

— Bien, Monsieur, répondit-elle.

— Voilà ce que vous allez faire, poursuivit Colin en agitant la main. Vous direz à Martha de les faire monter dans ma chambre. Le garçon est son frère. Il s'appelle Dickon et il a le don d'apprivoiser les animaux.

— J'espère que ces bêtes ne mordent pas, monsieur Colin, dit l'infirmière.

— Je viens de vous dire qu'elles étaient apprivoisées, lui fit remarquer Colin d'une voix sévère. Et les animaux apprivoisés ne mordent jamais.

— Aux Indes, il y a des charmeurs de serpents, ajouta Mary, et ils vont jusqu'à mettre la tête de l'animal dans leur bouche.

— Mon Dieu! s'exclama l'infirmière en frissonnant.

L'air frais du matin entrait à flots dans la pièce tandis qu'ils prenaient leur petit déjeuner. Colin mangeait de bon appétit tandis que Mary l'observait, avec un air profondément intéressé.

— Tu vas te mettre à prendre du poids, comme moi, lui dit-elle. Quand j'étais aux Indes, je ne mangeais jamais au petit déjeuner, mais maintenant, je dévore.

— Ce matin, j'ai une faim de loup, moi aussi, répondit Colin. C'est peut-être à cause de l'air. Quand Dickon va-t-il venir, à ton avis?

Il ne se fit pas attendre longtemps. Environ dix minutes plus tard, Mary leva la main.

— Ecoute! fit-elle. Tu as entendu? On dirait un croassement.

Colin tendit l'oreille et entendit un son des plus curieux, surtout à l'intérieur d'une maison, le bruit rauque que fait un corbeau qui croasse.

— Oui, j'entends, répondit Colin.

— C'est Suie, expliqua Mary. Ecoute encore. Tu entends ce bêlement, tout faible?

— Oui, oui, s'écria Colin, rougissant d'émotion.

— C'est le petit agneau, poursuivit Mary. C'est Dickon qui arrive!

Dickon était chaussé de grosses bottes qui pesaient aux pieds et malgré tous ses efforts, le bruit de ses pas résonnait dans les corridors. Mary et Colin suivaient sa progression dans la maison, et bientôt l'entendirent franchir la porte dissimulée sous la tenture qui donnait sur le couloir recouvert d'un épais tapis. Au bout de ce couloir se trouvait la chambre de Colin.

— Si vous permettez, Monsieur, annonça Martha en ouvrant la porte. Si vous le permettez, voici Dickon, avec ses animaux.

Arborant son plus beau sourire, Dickon fit son entrée. L'agneau nouveau-né était dans ses bras, le petit renardeau trottinait à ses côtés. Noisette était perché sur son épaule gauche, Suie sur la droite. Casse, pour sa part, avait préféré la poche de sa veste d'où il ne laissait dépasser que sa tête et ses deux pattes de devant.

Colin se redressa sur son divan, ouvrant des yeux de plus en plus grands, comme la nuit où il avait vu Mary pour la première fois. Mais cette fois-ci, c'était d'émerveillement et de ravissement. A dire vrai, malgré tout ce que Mary lui avait raconté, il avait été incapable de se faire une idée précise du petit paysan. Il pouvait difficilement comprendre que Dickon et ses amis, le renard, le corbeau, les écureuils et l'agnelet soient aussi proches de lui, jusqu'à faire partie de lui-même. De sa vie, il n'avait adressé la parole à un garçon, et sa joie et sa curiosité étaient telles qu'il ne songea même pas à dire un mot.

Mais Dickon n'éprouvait pas la moindre timidité, ni le moindre embarras. Le petit paysan avait trouvé normal, lorsqu'il avait vu Suie pour la première fois, que le corbeau, ne

311

comprenant pas son langage, se mette à le regarder fixement sans lui dire un mot. Les animaux se conduisent tous de cette façon quand ils ne vous connaissent pas encore. Il s'approcha donc du divan et, délicatement, posa l'agneau sur les genoux de Colin. Aussitôt, la petite bête vint se blottir dans sa robe de chambre, fourrant son museau dans les plis du velours et donnant de légers coups de tête dans les côtes de Colin. Y a-t-il un enfant capable de rester muet dans pareil cas? Colin ne put s'empêcher de s'écrier :

— Mais qu'est-ce qu'il fait? Qu'est-ce qu'il cherche?

— Il cherche sa mère, dit Dickon, souriant de plus belle. Je lui ai rien donné avant d' venir. J'ai pensé qu'ça t'plairait de voir comment je l' nourris.

S'agenouillant près du divan, Dickon prit le biberon qui était dans sa poche.

— Viens, p'tit, fit-il en saisissant délicatement d'une main brune la petite tête blanche aux boucles laineuses. V'là ce que tu cherchais. C'est bien meilleur qu' le velours de cette belle robe de chambre.

Et il enfonça la tétine dans le museau de l'animal. Ravi, l'agneau se mit à téter goulûment; puis il s'endormit.

Après cet épisode, la conversation alla bon

train. Les questions n'arrêtaient pas de pleuvoir et Dickon avait réponse à tout. Il leur raconta dans quelles circonstances il avait trouvé le petit agneau. Le soleil venait juste de se lever, c'était trois jours plus tôt. Il était en train d'écouter le chant d'une alouette qu'il voyait grimper de plus en plus haut dans l'azur. Bientôt, ce ne fut plus qu'un petit point se détachant sur le bleu du ciel.

— Je l'avais pratiquement perdue d'vue, mais je l'entendais encore chanter. Je m'demandais même comment c'était possible, et juste à ce moment-là, j'ai entendu un autre bruit qui venait des buissons de genêts, un peu plus loin. C'était un p'tit bêlement, tout faible. Alors, j'ai compris qu'il devait y avoir un p'tit agneau dans l'coin, qui avait faim. S'il avait faim, ça voulait dire que sa mère était morte. Je suis parti à sa recherche. Ah, j'en ai eu du mal à l'trouver! J'ai fouillé dans les genêts, à droite, à gauche, j'ai tout remué, je suis r'venu sur mes pas, mais, rien à faire, j'étais pas dans la bonne direction. Mais, à la fin, j'ai vu quelque chose de blanc sur un rocher, en hauteur, et j'ai grimpé là-haut. C'est là que je l'ai trouvée, la pauvre bête, elle était à moitié morte de faim et de froid.

Pendant que Dickon parlait, Suie n'arrêtait pas de faire la navette entre la pièce et le dehors, et chaque fois qu'il regagnait la chambre, il dispensait en croassant ses commentaires sur le paysage, tandis que Casse et Noisette exploraient les grands arbres du parc, sautant de branche en branche et faisant des glissades le long des troncs. Capitaine était sagement resté aux pieds de Dickon qui lui, avait choisi de s'asseoir sur le tapis, près de la cheminée.

Puis les trois enfants se plongèrent dans les livres de jardinage, regardant les illustrations.

Dickon connaissait toutes les fleurs par leur nom populaire et leur désigna celles qui se trouvaient déjà dans le jardin secret.

— Je s'rais incapable de prononcer ce nom-là, dit-il en leur montrant, sur une page, une fleur au-dessous de laquelle était écrit *Aquilegia*. Mais ici, on appelle ça des ancolies, et ça, ce sont des gueules-de-loup, et elles poussent toutes les deux le long des haies. Mais celles-ci sont cultivées en jardin. Elles sont beaucoup plus belles et plus grandes. Il y a des tas d'ancolies dans le jardin, et quand ça va fleurir, ça fera comme des milliers d'ailes de papillons bleues et blanches.

— Je veux absolument voir cela, s'écria Colin. Je veux les voir!

— Pour sûr, lui déclara Mary le plus sérieusement du monde. Et y'a point d'temps à perdre!

CHAPITRE 20

« JE VIVRAI PENDANT DES SIÈCLES ET DES SIÈCLES »

Mais il leur fallut patienter plus d'une semaine, car il y eut d'abord quelques jours de grand vent. Ensuite, Colin faillit avoir un rhume. Ces deux contretemps se produisant l'un après l'autre n'auraient pas manqué de mettre Colin dans une rage folle s'il n'y avait pas eu tous ces plans mystérieux à mettre soigneusement au point. D'autre part, Dickon venait presque tous les jours et leur racontait tout ce qui se passait sur la lande, dans les chemins creux, le long des haies et au bord des rivières. Tout ce qu'il disait au sujet des loutres, des blaireaux et des nids que construisent les campagnols, sans parler de ceux des oiseaux et des terriers des mulots, était à vous faire trembler d'enthousiasme, car, en connaisseur du monde animal, Dickon avait une façon très évocatrice de décrire, par mille détails, l'activité débordante de la faune vivant sur la lande.

— Ils sont tout comme nous, dit Dickon. Seulement, ils doivent bâtir leur maison tous les ans, eux. Et ça leur donne tellement d'travail qu'ils doivent faire vite pour y arriver.

Cependant, ce qui occupa la majeure partie de leur temps fut l'organisation minutieuse du transport de Colin jusqu'au jardin secret. Personne ne devait voir ni Mary, ni Dickon, ni le fauteuil roulant, après qu'ils auraient franchi un certain passage du potager et pénétré dans l'allée qui longeait le mur couvert de lierre. Plus les jours passaient, plus Colin était persuadé que le plus grand charme du jardin secret résidait dans le mystère qui l'entourait. Il ne fallait pas gâcher cela. On ne devait pas se douter qu'ils avaient un secret. Les gens devaient penser que Colin allait simplement se promener avec Mary et Dickon parce qu'il les aimait bien et ne voyait pas d'inconvénient à ce qu'ils le regardent. Ils vécurent des heures merveilleuses à parler de l'itinéraire qu'ils suivraient. Ils allaient monter par ce chemin, puis descendre celui-là, traverser cet autre et tourner autour des parterres comme s'ils voulaient voir les fleurs fraîchement dépotées que M. Roach, le jardinier en chef, venait de faire planter. Cela paraîtrait tellement naturel que personne n'aurait le moindre soupçon. Ensuite, ils emprunteraient les allées du potager et, à l'abri de tous les regards indiscrets, ils gagneraient le long mur couvert de lierre. Tout était étudié et mis au point presque aussi sérieusement que les plans de bataille d'un grand général en temps de guerre.

Des rumeurs concernant les événements nouveaux et surprenants qui se passaient dans les appartements du jeune infirme étaient, bien entendu, arrivées de l'office jusqu'aux écuries et s'étaient répandues parmi les jardiniers. Mais cela n'empêcha pas M. Roach d'être surpris le jour où lui parvint, de la chambre de M. Colin, l'ordre de se rendre en personne en ces lieux où nul étranger n'avait encore pénétré. Le petit malade désirait lui parler.

— Eh bien, se dit-il en se dépêchant de changer de veste. On aura tout vu. Son Altesse Royale, que personne ne doit regarder, veut recevoir un homme qu'elle ne connaît pas!

La curiosité de M. Roach était piquée au vif. Il n'avait jamais eu l'occasion de jeter ne serait-ce qu'un coup d'œil sur le petit garçon, mais avait entendu des douzaines d'histoires extravagantes sur son compte. Les gens disaient un tas de choses sur son apparence et ses façons inquiétantes et ses crises d'hystérie. Ce qui revenait le plus souvent, c'était qu'il pouvait mourir d'un instant à l'autre, et les descriptions de son dos bossu et de ses membres malingres étaient toutes aussi nombreuses que fantaisistes, provenant de personnes qui ne l'avaient jamais vu.

— Il y a du changement dans cette maison, monsieur Roach, dit Mme Medlock en le conduisant par l'escalier de service jusqu'au couloir où donnait la chambre mystérieuse.

— Il faut espérer que c'est pour le mieux, madame Medlock, répondit le jardinier.

— Cela ne pouvait pas être pire, poursuivit la gouvernante. Mais aussi étrange que cela paraisse, le travail est devenu plus facile à supporter pour certains. Ne soyez pas surpris, monsieur Roach, de vous trouver au beau milieu d'une véritable ménagerie en entrant. Il y a aussi le frère de Martha Sowerby, qui est plus à l'aise ici que vous et moi ne le serions jamais.

Comme Mary le pensait souvent, Dickon produisait un effet quasi magique sur les gens. Dès que M. Roach entendit prononcer son nom, il eut un sourire d'indulgence.

— Ce petit gars se sentirait autant chez lui au palais de Buckingham qu'au fond d'une mine de charbon. Et ce n'est pas de l'insolence de sa part. C'est vraiment un brave garçon, ce Dickon, dit-il.

C'était sans doute une bonne chose que M. Roach ait été prévenu, car il n'aurait pas manqué d'être surpris. Quand la porte s'ouvrit, un gros corbeau confortablement perché sur le haut dossier d'une chaise sculptée, annonça l'entrée du visiteur par un croassement bien sonore. Malgré les avertissements de Mme Medlock, le jardinier en chef faillit faire un bond en arrière, évitant de peu le ridicule.

Notre jeune maharadjah n'était ni dans son lit, ni sur son divan. Il était assis dans un fauteuil et un petit agneau se tenait à ses pieds, remuant la queue comme le font tous les agnelets en train de boire. Dickon, à genoux, lui donnait un biberon de lait. Grignotant consciencieusement une noisette, un des écureuils était juché sur le dos du petit paysan. Quant à la fillette qui venait des Indes, elle observait la scène du haut de son tabouret.

— Monsieur Colin, voici monsieur Roach, annonça Mme Medlock.

Le petit maharadjah se tourna et toisa son domestique; du moins, c'est l'impression qu'éprouva le jardinier en chef.

— C'est bien vous, Roach? fit-il. Je vous ai envoyé chercher pour vous donner des ordres de la plus haute importance.

— Très bien, Monsieur, répondit Roach qui se demandait si on allait lui donner l'instruction d'abattre tous les chênes du parc ou de transformer les vergers en pièces d'eau.

— Je vais sortir dans mon fauteuil roulant, cet après-midi, dit Colin. Si je supporte le grand air, je sortirai tous les jours dorénavant. A ce moment-là, aucun jardinier ne devra se trouver à proximité du long mur de lierre qui entoure les jardins. Il ne devra y avoir personne à cet endroit. Je sortirai vers deux heures, et il faudra que tout le monde reste à l'écart jusqu'au moment où je ferai dire qu'on peut reprendre le travail.

— Très bien, Monsieur, répondit M. Roach, soulagé d'apprendre que ses chênes et ses vergers n'étaient pas menacés.

— Mary, dit Colin en se tournant vers sa cousine. Que dit-on aux Indes pour congédier les gens quand on a fini de leur parler?

— On dit : « Je vous autorise à vous retirer », répondit Mary.

— Je vous autorise à vous retirer, Roach, fit Colin avec un geste de la main. Mais n'oubliez pas ce que je vous ai dit, c'est très important.

— Croa, croa, ajouta le corbeau d'une voix rauque, mais sans insolence aucune.

— Très bien, Monsieur. Merci, Monsieur, dit Roach avant de sortir sous la conduite de Mme Medlock.

Une fois dans le couloir, M. Roach, qui avait bon caractère, commença par sourire avant de se mettre franchement à rire.

— Ma parole, dit-il, le petit a vraiment des allures de grand seigneur. A lui seul, on dirait la famille royale tout entière, prince consort y compris!

— Ah, fit remarquer Mme Medlock, c'est que depuis qu'il est né, il a fallu le laisser nous marcher sur les pieds, à tous autant que nous sommes. Alors, forcément, pour lui, nous ne valons pas plus que ça.

— Ça lui passera peut-être avec le temps, suggéra M. Roach.

— Eh bien, en tout cas, dit Mme Medlock, il y a une chose de sûre. S'il vit et que cette petite des Indes reste ici, elle va se charger de lui faire comprendre que le monde entier — ou plutôt l'orange entière, comme le dit Susan Sowerby — ne lui appartient pas, je vous le garantis. Et il va vite connaître la taille de son quartier à lui.

Dans sa chambre, Colin s'était carré dans ses coussins.

— Maintenant, tout est arrangé, dit-il. Et cet après-midi, je le verrai enfin. Cet après-midi, j'entrerai dans le jardin secret!

Accompagné de ses animaux, Dickon retourna au jardin tandis que Mary demeurait auprès de Colin. Elle ne lui trouvait pas l'air fatigué, mais il était très calme et le resta pendant tout le repas. Elle se demandait pourquoi et lui posa la question.

— Comme tu as de grands yeux, Colin, dit-elle. Quand tu es en train de réfléchir, ils deviennent immenses. A quoi penses-tu, en ce moment?

— Je ne peux pas m'empêcher de me demander à quoi il ressemble, répondit Colin.

— Tu parles du jardin? demanda Mary.

— Non, du printemps, répondit-il. J'étais en train de me dire que je ne l'avais jamais vraiment vu auparavant. Je sortais tellement rarement, et quand cela m'arrivait, je ne faisais attention à rien. Je n'y pensais même pas.

— Aux Indes, je ne l'ai jamais vu non plus, déclara Mary, parce qu'il n'y en a pas.

Vivant toujours enfermé et perpétuellement malade, Colin avait une imagination plus fertile que Mary, et de plus, il avait passé beaucoup de temps, plongé dans des livres, à contempler de belles images.

— Le matin où tu es entrée en disant « Le printemps est enfin là », cela m'a fait tout drôle. J'avais l'impression de voir une procession qui s'avançait dans des flots de musique éclatante. Il y a une illustration comme ça dans un de mes livres, représentant une foule de personnes très belles et d'enfants qui portent des guirlandes et des rameaux fleuris et qui rient en chœur et qui dansent et jouent de la flûte. Voilà pourquoi j'ai dit « Nous allons peut-être entendre les trompettes d'argent qui annoncent sa venue », et que je t'ai demandé d'ouvrir la fenêtre.

— Comme c'est bizarre, dit Mary. C'est exactement ce que l'on ressent. Ah! Si toutes les fleurs et les feuilles des arbres, et tous les animaux du monde faisaient la ronde! Ah, quel tableau cela ferait! Je suis sûre qu'il y aurait des flots de musique, et des danses et des chants.

Tous deux se mirent à rire, non parce que l'idée leur paraissait drôle, mais parce qu'elle les enchantait.

Quelques instants plus tard, l'infirmière vint habiller Colin pour sa sortie. Elle remarqua qu'au lieu de rester comme une bûche pendant qu'on lui passait ses vêtements, il s'était assis et s'efforçait de l'aider, tout en continuant à deviser gaiement avec Mary.

— Il est dans un de ses bons jours, dit-elle au docteur Craven qui avait fait un saut au manoir pour le voir. Il est de si bonne humeur que cela lui donne des forces.

— Je repasserai plus tard dans l'après-midi, dit le docteur. Je veux voir quel effet aura sur lui cette sortie au grand air.

Et il ajouta à voix basse :

— J'aimerais qu'il vous laisse l'accompagner.

— Je préférerais donner ma démission tout de suite, plutôt que d'assister à la scène qu'il vous fera quand vous le lui suggérerez, répondit l'infirmière avec une soudaine fermeté.

— Mais je n'y songeais pas vraiment, dit le

docteur Craven avec sa nervosité habituelle. Nous allons tenter l'expérience. Dickon est un garçon à qui je ne craindrais pas de confier un nouveau-né.

Le plus fort des domestiques de la maison porta Colin jusqu'au rez-de-chaussée et l'installa dans son fauteuil roulant, auprès duquel Dickon l'attendait. Dès que l'homme eut arrangé ses coussins et tiré les couvertures sur ses genoux, Colin le congédia d'un geste de la main, ainsi que l'infirmière.

— Je vous autorise à vous retirer, dit le petit maharadjah.

Et tous deux disparurent promptement et une fois hors de portée, éclatèrent de rire.

Lentement, régulièrement, Dickon commença à pousser le fauteuil roulant dans lequel Colin était confortablement installé, le visage levé vers le ciel. Mary marchait à ses côtés. La voûte céleste paraissait très haute et les nuages d'un blanc de neige qui la parsemaient ressemblaient à des oiseaux blancs flottant, toutes ailes déployées, dans l'azur cristallin. Le vent qui venait de la lande soufflait doucement, apportant un étrange et doux parfum de fleurs sauvages. Colin inspirait régulièrement, en soulevant sa maigre poitrine et il avait un tel regard qu'on aurait dit qu'il voulait tout dévorer des yeux.

— L'air n'est que bruit et chant, dit-il. Quelle est cette odeur que le vent nous apporte par bouffées?

— C'est l'genêt d'la lande qu'est en fleurs, répondit Dickon. Ah! Les abeilles vont pouvoir s'en donner à cœur joie, aujourd'hui!

Les trois enfants ne rencontrèrent pas âme qui vive sur leur chemin. Le fait est que tous les jardiniers et leurs aides avaient disparu, comme par enchantement. Mais pour le simple plaisir de faire des mystères, les enfants parcoururent les allées du potager et firent mille détours dans les parterres fleuris, suivant l'itinéraire qu'ils avaient établi. Et quand, finalement, ils arrivèrent dans l'allée du long mur de lierre, éprouvant un intense frisson d'émotion, ils se mirent à chuchoter inexplicablement.

— C'est ici, murmura Mary. C'est ici que je me promenais en me posant une foule de questions.

— Ici? s'exclama Colin, et il fouilla du regard l'épais rideau de lierre qui couvrait le mur. Mais je ne vois rien, chuchota-t-il. Il n'y a pas de porte.

— C'est ce que je pensais, moi aussi, dit Mary.

Il y eut alors un merveilleux moment de silence. Puis le fauteuil poursuivit sa route.

— Voilà le jardin où travaille Ben Weatherstaff, dit Mary.

— Là? fit Colin.

Quelques mètres plus loin, Mary ajouta :

— C'est ici que le rouge-gorge est passé de l'autre côté du mur.

— Là? répéta Colin. Oh! Comme j'aimerais qu'il revienne!

— Et ceci, poursuivit Mary en montrant d'un geste solennel un petit tas de terre au pied d'un lilas, est l'endroit où l'oiseau s'est perché pour me montrer la clé.

Colin se redressa dans son fauteuil.

— Où ça? Où ça? s'écria-t-il.

Et ses yeux étaient aussi grands que ceux du loup dans l'histoire du petit chaperon rouge. Dickon s'arrêta et le fauteuil s'immobilisa.

— Et voici où j'étais, fit Mary en montant sur la bordure qui longeait le mur de lierre, quand il s'est mis à chanter du haut du mur. Et voilà la branche que le vent a soulevée, ajouta-t-elle en écartant le rideau de lierre.

— Oh! C'est là? dit Colin d'une voix entrecoupée.

— Et voilà la poignée, et puis la porte. Vite, Dickon, fais-le entrer!

Et d'une seule poussée énergique, Dickon fit rouler le fauteuil dans le jardin.

Colin s'était complètement laissé retomber sur ses coussins, le souffle coupé. Il avait posé ses mains sur ses yeux et les y maintenait pour ne rien voir avant d'être à l'intérieur du jardin, attendant que le fauteuil s'arrête comme par magie et que la porte se referme derrière eux. Ce ne fut qu'à ce moment-là qu'il se découvrit les yeux et regarda autour de lui, ainsi que Dickon et Mary l'avaient fait naguère. Comme une fine gaze vert tendre, des milliers de petites feuilles toutes neuves recouvraient tout le jardin, les murs, le sol, les arbres, les ponts de branchages et les ramilles des rosiers; et partout éclataient les taches de couleur pourpre, or et blanche des fleurs qui parsemaient l'herbe sous les arbres et dans les cabinets de verdure. Au-dessus de sa tête, les arbres avaient revêtu leurs manchons de fleurs roses et blanches, et l'air n'était qu'un bruissement d'ailes, vibrant du doux chant des oiseaux et du bourdonnement des abeilles, et embaumant mille parfums. Un chaud soleil caressait doucement le visage du garçon. Tout émerveillés, Mary et Dickon contemplaient Colin, immobiles. Son visage, son cou et ses mains à la blancheur d'ivoire s'était teintés de rose et il en paraissait totalement transformé.

— Je vais guérir, je vais guérir! s'exclama-t-il. Mary, Dickon, je vais guérir et je vivrai pendant des siècles et des siècles!

CHAPITRE 21

BEN WEATHERSTAFF

Dans la vie, c'est étrange, mais c'est seulement par moments que l'homme éprouve le sentiment d'être éternel. Pour les uns, cela se passe parfois à l'aube. L'homme se lève alors pour aller se promener seul dans la nature et, rejetant la tête en arrière, il contemple le ciel pâle qui se met à changer et à prendre couleur tandis que se déroulent des choses étranges et merveilleuses, au point qu'il en a le cœur qui bondit dans sa poitrine et qu'il s'exclame de joie devant le spectacle majestueux et toujours neuf du lever du soleil — spectacle qui a lieu tous les jours depuis des milliers et des milliers d'années. Et l'espace d'un instant, l'homme a alors conscience de vivre pour toujours. Pour d'autres, c'est au crépuscule que leur vient ce sentiment d'éternité lorsqu'à travers les branches, dans les bois, les derniers rayons du soleil répandent une douce et mystérieuse lumière d'or et qu'une petite voix semble murmurer un message malheureusement insaisissable. Pour d'autres encore, c'est au plus profond de la nuit, dans le silence le plus complet, sous un ciel bleu noir clouté d'étoiles que leur vient la révélation. Parfois, l'homme en a la certitude en entendant une musique lointaine, ou bien en plongeant son regard dans les yeux de quelqu'un.

Et pour Colin, ce fut le printemps qui lui apporta la lumière, quand, entre les quatre grands murs du jardin secret, il vit, entendit et sentit pour la première fois de sa vie ce qu'était cette radieuse saison. Cet après-midi-là, le monde tout entier semblait vouloir se montrer parfait et rayonnant de beauté et d'amour pour lui tout seul. Et c'était sans doute par pure bonté céleste que le printemps avait répandu ses bienfaits dans cet endroit unique. Plus d'une fois, Dickon interrompit son travail et resta un moment immobile, les yeux pleins d'émerveillement.

— Ah! C'est exceptionnel, dit-il en secouant légèrement la tête. J'ai douze ans et je vais sur mes treize ans. Et treize ans, ça fait pas mal d'après-midi, mais ça m'a tout l'air d'être la plus belle de toutes.

— Pour sûr que c'est merveilleux, fit Mary en soupirant de joie. Je jurerais bien que c'est la plus belle qu'on ait jamais vue.

— Vous croyez pas, dit Colin, traînant rêveusement la voix, que c'est tout exprès pour moi qu' la journée est si belle?

— Mais ma parole, s'exclama Mary, admirative, en v'là du bon patois. C'est que tu l' causes rudement bien, toi, pour ça, oui.

Ils nageaient dans le bonheur.

Ils poussèrent le fauteuil de Colin sous le prunier dont les fleurs d'un blanc de neige bourdonnaient du chant des abeilles. Son feuillage formait une sorte de dais royal, digne du prince des fées. Tout près, il y avait des cerisiers fleuris et des pommiers en boutons roses et blancs dont quelques-uns étaient éclos, çà et là. Entre les branches fleuries du dais, les enfants distinguaient des lambeaux de ciel bleu.

Mary et Dickon jardinèrent un peu, par-ci

par-là, tandis que Colin les regardait. Ils vinrent lui montrer mille merveilles : des boutons de fleurs sur le point d'éclore, des boutons encore bien fermés, des morceaux de branches où de petites feuilles vertes commençaient à poindre, une plume de pic-vert qui était tombée dans l'herbe, une coquille vide d'où était sorti un petit oisillon. Puis, poussant doucement le fauteuil de Colin, Dickon promena le jeune garçon tout autour du jardin, s'arrêtant à tout instant pour lui faire admirer tout ce qui y poussait. C'était comme si le roi et la reine des fées lui faisaient visiter leur pays merveilleux aux innombrables richesses.

— Je me demande si nous verrons le rouge-gorge, dit Colin.

— Vous allez l'voir plus souvent que d'coutume, dans un p'tit peu de temps, répondit Dickon. Quand ses p'tits vont sortir de l'œuf, il s'ra tellement occupé qu'il saura plus où donner de la tête. Vous pourrez l'voir aller et venir, portant des vers aussi gros que lui. Et ça va faire un d'ces bruits quand il arrivera près du nid! Il va presque en perdre la tête et il saura plus où fourrer le premier morceau. Et ça va claquer du bec et piailler de tous les côtés. Ma mère dit que quand elle voit tout le travail qu'a un rouge-gorge pour nourrir sa nichée d'affamés, elle a l'impression d'être une grande dame, elle, et d'avoir rien à faire. Elle dit que les gens s'en rendent pas compte, mais ces petites bêtes-là suent sang et eau pour élever leurs enfants.

La description de Dickon fit tellement rire Mary et Colin qu'ils durent mettre la main devant leur bouche pour ne pas être entendus. Pendant les jours qui avaient précédé la première sortie de Colin, le garçon avait appris à parler à voix basse et à chuchoter. Ce côté mystérieux de leur aventure lui plaisait bien et il faisait des efforts pour y parvenir, mais dans le feu de l'excitation, il lui était difficile de se retenir.

Chaque minute de l'après-midi leur apportait des joies nouvelles. D'heure en heure, le soleil prenait une teinte de plus en plus dorée. Dickon avait ramené le fauteuil roulant sous le dais fleuri et s'était assis dans l'herbe. Il venait juste de sortir son pipeau, lorsque Colin vit quelque chose qu'il n'avait pas encore remarqué.

— C'est un très vieil arbre, là-bas, n'est-ce pas? dit-il.

Dickon et Mary regardèrent l'arbre au milieu de l'herbe, et il y eut un court moment de silence.

— Oui, répondit Dickon avec une grande douceur.

Mary contemplait l'arbre, pensive.

— Ses branches sont toutes grises, et il n'y a

pas la moindre feuille, poursuivit Colin. Il est complètement mort, n'est-ce pas?

Dickon acquiesça.

— C'est vrai, dit-il, mais l'rosier grimpant qui l'a envahi va bientôt cacher complètement le bois mort quand y'aura des feuilles et des fleurs. Il aura plus l'air mort, à c'moment-là. Ce sera même le plus beau d'tous les arbres du jardin.

Perdue dans ses pensées, Mary contemplait toujours l'arbre.

— On dirait qu'une grosse branche s'est cassée, dit Colin. Je me demande comment c'est arrivé.

— Ça fait déjà longtemps, répondit Dickon. Tiens! s'exclama-t-il tout à coup, l'air soulagé, en touchant Colin de la main. Regarde le rouge-gorge! Le v'là! Il est allé chercher à manger pour sa p'tite femme.

Colin faillit le manquer et eut juste le temps d'apercevoir, tel l'éclair, l'oiseau au jabot rouge qui portait quelque chose dans son bec. Il fila comme une flèche dans un coin touffu de verdure et disparut sous le feuillage. Avec un petit rire, Colin se laissa retomber sur ses coussins.

— Il lui apporte son goûter. Il est peut-être quatre heures. Moi aussi, je pense que j'aimerais bien prendre le mien à cette heure.

Le danger était écarté.

Plus tard, Mary confia secrètement à Dickon :

— Le rouge-gorge nous a sauvés, en surgissant comme par magie. Je suis sûre que c'était par magie.

Les deux enfants avaient eu peur que Colin leur pose des questions au sujet de l'arbre mort dix ans plus tôt, et ils en avaient longuement discuté avant de venir dans le jardin. Dickon avait eu un air ennuyé et s'était longuement frotté la tête.

— Faudra prétendre que c'est un arbre comme les autres, et faire semblant de rien, avait-il suggéré. C'est pas possible de lui raconter la vérité et d'lui dire comment la branche s'est cassée. S'il nous demande quoi que ce soit à ce sujet, faudra essayer d'avoir l'air gai.

— C'est entendu, lui avait répondu Mary.

Mais elle avait été incapable de détacher son regard du vieil arbre et de prendre un air gai. Elle ne cessait de se demander s'il y avait quelque chose de vrai dans ce que Dickon lui avait confié, lors de cette conversation. Il avait continué à se gratter la tête, l'air perplexe, mais bientôt, son regard avait pris une grande douceur.

— Mme Craven était une dame bien gentille, avait-il poursuivi d'une voix quelque peu hésitante. Et ma mère pense qu'elle revient souvent au manoir pour veiller sur Colin, comme le font toutes les mères qui sont plus d'ce monde. Elles peuvent pas s'empêcher de revenir, tu comprends? Alors, peut-être bien qu'elle est aussi revenue dans l'jardin et qu'elle nous a vus nous mettre au travail et que c'est elle qui nous a dit d'amener Colin ici.

Pour Mary, Dickon avait dû vouloir dire que tout cela était de la magie. La fillette croyait beaucoup à la magie, et elle était intimement persuadée que Dickon était un peu magicien lui-même — bien sûr, sa magie ne pouvait être que bénéfique — et que c'était pour cette raison que tout le monde l'aimait autant et que les animaux lui faisaient entière confiance. Et, évidemment, elle se demandait si ce n'était pas lui qui avait fait intervenir le rouge-gorge à point nommé, juste au moment où Colin leur posait cette question embarrassante. Elle avait l'impression que les pouvoirs magiques du petit paysan agissaient depuis le début de l'après-midi et transformaient Colin du tout au tout. Il n'avait plus rien du petit être furieux qui avait hurlé, mordu et bourré ses oreillers de coups de poing. Son teint d'ivoire paraissait changé et il continuait à avoir les joues, les mains et le cou délicatement teintés de rose, comme au moment où il était entré dans le jardin. Ce n'était plus la pâle figure de cire que Mary avait connue, mais bien un être de chair et d'os.

Deux ou trois fois, ils virent le rouge-gorge apporter quelque chose à manger à sa compagne et cela faisait tellement penser à l'heure du goûter que Colin se dit qu'il leur fallait absolument prendre le thé, eux aussi.

— Va dire aux domestiques de nous porter à goûter dans un panier, dans l'allée des rhododendrons, dit-il à Mary. Ensuite, tu iras le chercher avec Dickon.

C'était une bonne idée, et aussitôt dit, aussitôt fait. Après avoir disposé la nappe blanche sur l'herbe et déballé les tartines beurrées et les galettes et servi le thé chaud, tout le monde goûta de bon appétit. Une nuée d'oiseaux s'arrêtèrent au passage, se demandant ce qui se passait, et vinrent picorer activement les miettes du repas. Casse et Noisette grimpaient dans tous les arbres, emportant à chaque fois des morceaux de gâteau, tandis que Suie s'emparait de la moitié d'une galette et s'isolait dans un coin pour la tourner et la retourner en faisant des remarques de sa voix rauque, jusqu'au moment où il se décida, tout joyeux, à l'avaler tout rond.

L'après-midi tirait à sa fin. C'était l'heure la plus douce de la journée où les rayons d'or du soleil se font obliques, où les abeilles regagnent leur ruche et où les oiseaux se font plus rares dans le ciel. Dickon et Mary étaient assis dans

l'herbe. Ils avaient mis les restes du goûter dans le panier pour le rapporter à la maison, et Colin était confortablement installé sur ses coussins. Il avait rejeté en arrière ses grandes boucles, dégageant ainsi son front, et son visage avait pris une couleur presque naturelle.

— Je voudrais que cet après-midi ne finisse jamais, dit-il. Mais je reviendrai demain, et après-demain, et tous les jours qui suivront.

— Dorénavant, tu vas prendre l'air tous les jours, n'est-ce pas? dit Mary.

— Je ne ferai plus que ça, répondit-il. Maintenant que je sais ce qu'est le printemps, je veux connaître l'été. Je verrai pousser toutes les fleurs de ce jardin, et puisque tout y pousse, j'y grandirai moi aussi.

— Pour sûr, dit Dickon. Et on va pas tarder à te voir marcher et jardiner, tout comme nous.

Colin rougit violemment.

— Marcher! fit-il. Jardiner! Tu crois?

Dickon lui lança un regard prudent. Ni Mary ni lui n'avaient jamais osé lui demander s'il avait quelque chose aux jambes.

— Bien sûr que oui, affirma-t-il avec force. T'as des jambes comme tout le monde.

Mary était assez inquiète jusqu'à ce qu'elle entende la réponse de Colin.

— En fait, je n'ai rien aux jambes, dit-il. Elles sont seulement maigres et faibles. Elles tremblent tellement que je n'ose pas me lever.

Mary et Dickon eurent un soupir de soulagement.

— Quand tu auras plus peur, eh bien, tu t' lèveras, dit Dickon, avec un regain d'enthousiasme. Et dans peu d' temps, ça te fera plus peur du tout!

— Vraiment? dit Colin.

Et il se tut, comme s'il réfléchissait à une foule de choses.

Pendant un court moment, les enfants gardèrent le silence. Le soleil était de plus en plus bas dans le ciel. C'était l'heure où tout devient calme. L'après-midi avait été laborieuse et riche en émotions. Colin semblait se prélasser voluptueusement dans son fauteuil. Même les animaux avaient cessé leurs allées et venues et s'étaient rassemblés auprès des enfants pour se reposer. Suie, en équilibre sur une patte, s'était posé sur une branche basse et, l'air ensommeillé, avait baissé les yeux, laissant voir la membrane grise de ses paupières. Mary avait l'impression qu'il allait se mettre à ronfler d'une minute à l'autre.

Et c'est au beau milieu de cette douce quiétude que Colin, levant la tête, les fit sursauter en s'écriant tout à coup d'une voix inquiète :

— Qui est cet homme?

Mary et Dickon se levèrent d'un bond.

— Un homme? s'exclamèrent-ils tous deux en chœur. Où ça?

Colin tendit le doigt vers un des grands murs du jardin.

— Regardez, murmura-t-il tout excité. Là!

Mary et Dickon se retournèrent brusquement pour voir. Au-dessus du mur apparaissait la tête de Ben Weatherstaff qui, juché en haut d'une échelle, les fixait d'un air indigné. Il levait le poing en direction de Mary.

— Ah! cria-t-il. Si j'étais ton père, je te flanquerais une bonne raclée!

L'air outré, il escalada encore un barreau de l'échelle, comme s'il avait l'intention de sauter par-dessus le mur pour mettre sa menace à exécution. Mais tandis que Mary s'avançait vers lui, il eut une meilleure idée, et juché sur le dernier barreau de l'échelle, il brandit le poing d'un air menaçant.

— Je n'ai jamais eu bonne opinion de toi, lui lança-t-il. Dès que je t'ai vue, je n'ai pas pu te souffrir, espèce de petite effrontée. Tu es toute maigrichonne et jaune comme un coing et tout le temps en train de poser des questions et de fourrer ton nez là où il ne faut pas. Je n'ai jamais compris comment tu as pu m'embobiner. S'il n'y avait pas eu ce damné rouge-gorge, bon sang...

— Ben Weatherstaff! cria Mary, retrouvant soudain l'usage de la parole.

Du pied du mur, elle l'interpellait d'une voix haletante.

— Ben Weatherstaff, répéta-t-elle, c'est le rouge-gorge qui m'a montré le chemin!

Cela mit Ben tellement en colère qu'on aurait dit qu'il allait bondir par-dessus le mur pour la rejoindre.

— Sale petite peste! lui lança-t-il. Mettre ça sur le dos du rouge-gorge! Je sais bien que c'est un rude coquin, mais quand même! Lui, te montrer le chemin? Lui? Hé, espèce de bonne à rien! Comment diable as-tu fait pour entrer ici?

On voyait bien qu'il ne pouvait se retenir de poser cette question, tellement il avait envie de savoir.

— C'est le rouge-gorge qui m'a montré le chemin, s'obstina-t-elle à répéter. Il ne savait peut-être pas ce qu'il faisait, mais c'est bien lui. D'où je suis, je ne peux pas vous expliquer comment cela s'est passé, surtout si vous n'arrêtez pas de me menacer du poing.

A cet instant précis, le poing de Ben Weatherstaff retomba brusquement et, la bouche béante de stupéfaction, il regarda au-delà de Mary une forme qui traversait la zone d'herbe et s'avançait vers lui.

En entendant le déluge de mots dont Ben

assommait Mary, Colin avait été tellement surpris qu'il s'était redressé dans son fauteuil et avait écouté comme envoûté. Mais au beau milieu de la harangue, il avait retrouvé ses esprits et, d'un air impérieux, avait fait signe à Dickon.

— Mène-moi jusqu'à eux, ordonna-t-il. Approche-moi le plus près possible du mur et arrête-toi juste devant lui.

Et, si vous voulez le savoir, c'était cela que le vieux jardinier venait d'apercevoir, si bien qu'il en restait la mâchoire pendante — un fauteuil roulant qui s'avançait dans sa direction, tel une sorte de carrosse royal où, parmi des coussins de toute splendeur, se tenait un petit maharadjah aux grands yeux bordés de cils noirs et au regard impérieux, qui tendait sa petite main blanche vers lui. Le fauteuil s'arrêta juste sous le nez de Ben. Il n'y avait rien d'étonnant à ce qu'il en restât bouche bée.

— Savez-vous qui je suis? demanda notre prince.

Ben Weatherstaff ne pouvait détacher son regard de Colin. Ses yeux usés et rougis étaient rivés sur le petit bonhomme, comme s'il voyait un fantôme. Il fixait le garçon d'un air stupide, la gorge serrée, incapable de prononcer un mot.

— Savez-vous qui je suis? répéta Colin d'un ton encore plus impérieux. Répondez-moi!

Ben leva une main noueuse et la passa sur ses yeux, puis sur son front avant de répondre d'une drôle de voix toute tremblante.

— Qui tu es? dit-il. Pour ça oui, que je l' sais. Avec les mêmes yeux que ta mère qui me regardent comme ça. Dieu sait comment tu es venu ici, mais ça doit être toi, le pauvre infirme.

Oubliant son dos malade, Colin devint écarlate et, raide comme un piquet, se redressa dans son fauteuil.

— Je ne suis pas infirme! hurla-t-il de fureur. Ce n'est pas vrai!

— Ce n'est pas vrai! reprit Mary d'une voix tremblante d'indignation. Il n'a pas la moindre bosse. J'ai regardé son dos et je n'ai rien vu du tout. Rien du tout!

Ben se passa de nouveau la main sur le front. Il était incapable de faire autre chose que de dévorer Colin des yeux. Sa main tremblait, sa bouche tremblait et sa voix tremblait. Et comme le vieil homme ignorant et maladroit qu'il était, il ne sut que répéter ce qu'il avait toujours entendu dire autour de lui.

— Tu n'as... tu n'as donc pas le dos de... travers? fit-il d'une voix rauque.

— Non! cria Colin.

— Et tu... tu n'as pas les jambes tordues? balbutia Ben, la voix de plus en plus éraillée.

C'en était trop. Toute l'énergie que Colin déversait généralement dans ses crises d'hystérie, lui revint sous une forme nouvelle. Jamais personne n'avait encore insinué, même à voix basse, qu'il avait les jambes tordues, et le seul fait qu'on pût seulement croire une chose pareille — comme le laissait entendre le vieux jardinier — dépassait les bornes de tout ce qu'un petit maharadjah pouvait supporter. Sous l'empire de la colère, Colin oublia tout l'espace d'un instant et son orgueil bafoué lui insuffla une énergie qu'il n'avait jamais eue auparavant, une force quasi surnaturelle.

— Viens! cria-t-il à Dickon en arrachant les couvertures qui lui recouvraient les jambes. Viens ici, immédiatement!

Dickon accourut en un clin d'œil. Mary se mordit les lèvres et se sentit pâlir.

— Il va y arriver, il va y arriver, il va y arriver... se répétait-elle à voix basse, le plus rapidement possible.

Au milieu d'une grande agitation, les couvertures furent jetées en boule sur l'herbe. Dickon prit Colin par le bras, et une paire de jambes malingres apparut, et les pieds maigrelets touchèrent le sol. Colin était debout — dressé sur ses deux jambes, droit comme un I. Il semblait étrangement grand, la tête rejetée en arrière, ses yeux gris flamboyant de colère.

— Regardez-moi! lança-t-il à Ben Weatherstaff. Regardez-moi, mais regardez-moi donc!

— Il est aussi droit que moi, s'écria Dickon. Aussi droit que n'importe quel gars du Yorkshire.

Et Ben eut alors une réaction qui surprit Mary au-delà de toute mesure. Il suffoquait, la gorge serrée et, tout à coup, les larmes se mirent à rouler sur ses vieilles joues ridées, tandis qu'il joignait les mains.

— Ah! Ce que les gens peuvent dire comme mensonges! laissa-t-il échapper. T'es peut-être maigre comme un clou et blanc comme un navet, mais t'as pas la moindre bosse et tu feras un bel homme. Que Dieu t' bénisse, mon p'tit!

Dickon tenait fermement le bras de Colin, mais le jeune garçon ne vacillait pas. Il se tenait de plus en plus raide et regardait Ben Weatherstaff droit dans les yeux.

— Je suis votre maître, dit-il. Quand mon père n'est pas là, c'est à moi que vous devez obéir. Ce jardin m'appartient. N'en parlez surtout à personne. Vous allez descendre de votre échelle et longer le mur de lierre. Mademoiselle Mary viendra à votre rencontre et vous mènera jusqu'ici. J'ai à vous parler. Nous n'avions pas besoin de vous, mais maintenant, vous êtes dans le secret. Dépêchez-vous.

Le visage buriné du vieux jardinier était encore tout humide après son brusque et surprenant accès de larmes. On avait l'impression qu'il n'arrivait pas à détacher les yeux de Colin qui était là, debout, fin et raide, la tête fièrement dressée.

— Eh bien, mon gars! fit Ben dans un murmure. Eh bien, mon gars!

Puis, se reprenant, il porta respectueusement la main à son chapeau et dit :

— Oui, M'sieur! A vos ordres, M'sieur!

Et descendant de son échelle, il disparut avec obéissance.

CHAPITRE 22

AVANT LE COUCHER
DU SOLEIL

Lorsque Ben fut hors de vue, Colin se tourna vers Mary.

— Va à sa rencontre, lui dit-il.

Et Mary traversa l'herbe en courant jusqu'à la porte cachée sous le lierre.

Dickon observait Colin d'un œil attentif. Ses joues étaient écarlates et il avait un drôle d'air, mais il ne montrait pas le moindre signe de faiblesse.

— Je tiens sur mes jambes, dit-il avec une certaine grandeur, la tête fièrement dressée.

— J' te l'avais bien dit que tu y arriverais quand ça te f'rait plus peur, répondit Dickon. Et ça te fait plus peur, maintenant.

— Oui, c'est vrai, dit Colin.

Puis soudain, il se rappela certaines paroles de Mary.

— Tu ne serais pas un peu magicien? demanda-t-il brusquement.

La bouche de Dickon s'élargit en un grand sourire chaleureux.

— Non, pas plus que toi, fit-il. Ce qui te fait marcher, c'est aussi ce qui fait pousser les fleurs.

Et du bout de sa botte, il montra une touffe de crocus dans l'herbe. Baissant les yeux, Colin les regarda.

— Ah, pour ça, je connais rien de plus magique, dit-il lentement. Non, rien du tout.

Il se redressa plus fièrement que jamais.

— Je vais marcher jusque là-bas, ajouta-t-il en montrant du doigt un arbre qui se trouvait à quelques mètres de lui. Je veux être debout quand Ben Weatherstaff entrera. S'il le faut, je pourrai m'appuyer contre l'arbre et je ne m'assiérai pas tant que je pourrai tenir sur mes jambes. Va chercher une couverture sur mon fauteuil.

Colin marcha jusqu'à l'arbre et bien que Dickon lui tînt le bras, sa démarche était merveilleusement assurée. Lorsqu'il fut près de l'arbre, on ne pouvait pas voir, de loin, qu'il s'appuyait contre le tronc. Il se tenait si raide qu'il en paraissait immense. En arrivant dans le jardin, Ben l'aperçut et entendant Mary marmonner quelque chose, il demanda à la fillette d'un ton irrité :

— Qu'est-ce que tu racontes?

Le jardinier ne pouvait détourner le regard du

spectacle qu'il voyait, il dévorait des yeux la fine silhouette du garçon qui se tenait devant lui, debout sur ses deux jambes, raide comme un piquet, une expression de fierté sur le visage.

Mais Mary ne prit même pas la peine de répondre au vieux Ben. Elle n'arrêtait pas de répéter dans sa tête :

— Tu en es capable, je l'avais bien dit. Tu en es capable, tu en es capable, c'est sûr et certain.

C'était pour Colin qu'elle disait cela, comme une sorte de formule magique, pour qu'il reste debout. Elle ne pouvait supporter l'idée qu'il puisse faiblir devant Ben Weatherstaff. Mais

Colin tint bon. Et elle le trouva alors si beau en dépit de sa minceur qu'elle en fut soudain tout émue. Le jeune garçon fixait le jardinier de son regard étrange et impérieux.

— Regardez-moi, ordonna-t-il. Regardez-moi de la tête aux pieds. Est-ce que je suis bossu? Est-ce que j'ai les jambes tordues?

Ben Weatherstaff n'était pas entièrement remis de ses émotions, mais il commençait à retrouver ses esprits et ce fut presque sur son ton habituel qu'il lui répondit.

— Ah, non, pas toi, dit-il. Pas question d' ça du tout. Mais qu'est-ce que tu fabriquais donc, à te cacher et à laisser croire aux gens que t'étais infirme et à moitié idiot?

— A moitié idiot? dit Colin avec colère. Qui croyait cela?

— Des tas d'imbéciles, dit Ben. Le monde est plein de crétins bêlants qui racontent que des mensonges. Pourquoi est-ce que tu restais enfermé comme ça?

— Tout le monde pensait que j'allais mourir, répondit brièvement Colin. Mais ce n'est pas vrai.

Et il prononça ces mots d'un ton si résolu que Ben Weatherstaff le regarda de la tête aux pieds et des pieds à la tête.

— Toi, mourir? s'exclama-t-il d'une voix triomphante. Ça m'étonnerait bien. T'as trop de cran pour ça. Quand je t'ai vu mettre les pieds par terre, j'ai tout de suite compris que tout allait bien. Assieds-toi donc un peu sur cette couverture, mon p'tit gars et dis-moi ce que tu veux.

Le comportement du vieux jardinier était un mélange surprenant de tendresse bourrue, de bon sens et de finesse. Lorsque Mary était allée le chercher pour le mener dans le jardin, elle avait tâché de lui expliquer la situation le plus vite possible. Le plus important, lui avait-elle dit, c'était de se rappeler que Colin allait mieux, beaucoup mieux. C'était au jardin qu'on le devait. Il ne fallait surtout pas laisser son cousin penser, ne serait-ce qu'une seconde, à la mort ou à sa maladie.

Le petit prince consentit à s'asseoir sur la couverture, au pied de l'arbre.

— Quel travail faites-vous dans les jardins, Weatherstaff? voulut-il savoir.

— Tout ce qu'on me dit de faire, répondit le vieux Ben. On me garde par charité — parce qu'elle m'aimait bien.

— Elle? dit Colin.

— Ta mère, répondit Ben.

— Ma mère? dit l'enfant, regardant lentement autour de lui. C'était donc son jardin?

— Oui, pour sûr.

Et Ben, à son tour, jeta un regard circulaire sur le jardin, puis il ajouta pensivement :

— Elle l'aimait beaucoup.

— Maintenant, c'est le mien et je l'aime, moi aussi. J'y viendrai tous les jours, déclara Colin. Mais il faut que cela reste un secret entre nous. Je veux que personne ne sache que nous venons ici. Voilà quels sont mes ordres. Dickon et ma cousine ont beaucoup travaillé pour redonner vie au jardin. Je vous demanderai de venir les aider de temps en temps, mais il faudra veiller à ce que personne ne vous voie.

Le visage du vieux Ben se tordit en un sourire plein de malice.

— Ce n' sera pas la première fois, dit-il.

— Comment? s'étonna Colin. Quand donc êtes-vous venu?

— La dernière fois, fit-il en se frottant le menton, c'était il y a deux ans environ.

— Mais cela fait dix ans que personne n'a mis les pieds dans ce jardin, se récria Colin. Il n'y avait pas de porte!

— Alors, c'est que j' suis personne! déclara le vieux Ben d'un air pince-sans-rire. Ce n'est pas par la porte que je suis passé, mais par-dessus le mur. C'est à cause de mes rhumatismes que je ne suis pas revenu plus tôt.

— C'est donc vous qui avez taillé les rosiers, laissa échapper Dickon. Je m' disais bien que c'était pas possible autrement.

— Elle aimait tellement son jardin, dit lentement Ben Weatherstaff. Et c'était une si jolie p'tite dame. Un jour, elle m'a dit : « Ben », et elle riait, la pauvre, « si jamais j'étais malade ou qu'il m'arrivait quelque chose, promettez-moi de vous occuper de mes roses ». Et puis elle est morte, et personne n'a plus eu le droit de venir ici, c'étaient les ordres. Mais, ajouta-t-il, buté, moi, je suis venu quand même, en passant pardessus le mur, jusqu'à ce que je puisse plus, rapport à mes rhumatismes. Tous les ans, j'ai fait un peu de travail ici. Après tout, je n'ai fait qu'obéir à ses ordres. Elle avait parlé en premier.

— Les rosiers auraient pas aussi bien résisté, si vous étiez pas venu, fit remarquer Dickon. Ah, je m'en suis posé des questions !

— Vous avez bien fait, Weatherstaff, dit Colin, je suis content de vous. Je pense qu'on peut vous faire confiance pour garder notre secret.

— Oh ! Y a pas de danger, répondit Ben. Et pour moi, ça sera bien plus facile, avec mes rhumatismes, de passer par la porte !

Mary avait laissé tomber son plantoir sur l'herbe, près de l'arbre. Etendant la main, Colin s'en empara. Une curieuse expression passa sur son visage et il se mit à gratter la terre. Sa petite main fine manquait de force ; mais sous le regard étonné de Ben, de Mary et Dickon, il réussit au bout d'un moment à enfoncer l'outil dans le sol et à retourner un peu de terre. De plus en plus intéressée, Mary retenait son souffle.

— Tu en es capable, tu en es capable, tu en es capable, ne cessait-elle de répéter dans sa tête. Je t'assure, tu le peux.

Les yeux ronds de Dickon étaient pleins de curiosité, mais il ne disait rien. Quant à Ben Weatherstaff, il se contentait de regarder, l'air satisfait. Colin continuait à creuser et après avoir retourné quelques pelletées de terre, il s'adressa, exultant, à Dickon dans son meilleur patois :

— Tu disais qu'on m' verrait bientôt marcher dans l' jardin, comme tout un chacun, et puis aussi qu' je ferais du jardinage. J' croyais que c'était juste pour m' faire plaisir. C'est la première fois aujourd'hui que j' sors et v'là que j' marche et maintenant que je jardine...

En l'entendant, Ben Weatherstaff ouvrit de nouveau tout grand la bouche, puis il finit par se mettre à rire doucement.

— Eh bien, dit-il, t'es rudement futé, dis donc! T'es un vrai gars du Yorkshire, toi. Et v'là qu' tu jardines aussi. Ça t' plairait de planter une p'tite fleur? Je peux aller t' chercher un pied de rosier à la serre, si tu veux.

— Allez-y! dit Colin qui creusait fébrilement. Faites vite!

Et tout se passa très vite, en effet. Oubliant ses rhumatismes, Ben Weatherstaff partit en hâte. Dickon prit sa pelle et creusa la terre pour approfondir et élargir le trou qui n'était pas assez grand, car Colin était novice en la matière et manquait de force. Mary s'éclipsa pour revenir aussitôt avec un arrosoir. Lorsque Dickon eut fini, Colin continua à remuer la terre meuble. Puis il leva les yeux au ciel, le visage empourpré après cet exercice qui, s'il n'était guère fatiguant, était nouveau pour lui.

— Je veux planter le rosier avant que le soleil soit couché et disparaisse complètement, dit-il.

Mary pensa que le soleil allait peut-être s'attarder quelques minutes dans le ciel pour satisfaire Colin. Heureusement, Ben revenait de la serre, portant un rosier en pot. Il les rejoignit le plus vite qu'il put de sa démarche clopinante. Il commençait, lui aussi, à se laisser gagner par l'excitation générale. S'agenouillant près du trou, il dépota la plante.

— Tiens, mon gars, dit-il, tendant le rosier à Colin. Mets-le en terre toi-même, comme le roi quand il inaugure quelque chose.

Les fines mains blanches tremblaient un peu et Colin rougit de plus belle quand il mit le rosier dans le trou et le tint droit pendant que le vieux Ben tassait la terre tout autour. Mary était à quatre pattes et se penchait en avant pour mieux voir. Suie était descendu de sa branche et s'était approché pour assister à la scène. Quant à Casse et Noisette, ils commentaient l'événement du haut du cerisier.

— Il est planté! dit enfin Colin. Et le soleil commence à peine à descendre derrière le mur. Aide-moi à me lever, Dickon. Je veux être debout quand il va disparaître. Cela fait partie de la magie.

Dickon l'aida, et la magie — s'il s'agissait bien de cela — insuffla à Colin une telle force qu'au moment précis où le soleil sombrait derrière l'horizon, mettant fin à cet étrange et merveilleux après-midi, le garçon se tenait bel et bien campé sur ses deux jambes, et il riait.

CHAPITRE 23

MAGIE

Cela faisait un bon moment que le docteur Craven attendait à la maison lorsque les enfants rentrèrent enfin. Il commençait à se demander s'il ne fallait pas envoyer quelqu'un les chercher dans les allées du parc. Quand Colin fut ramené dans sa chambre, le pauvre homme l'examina attentivement.

— Vous n'auriez pas dû rester si longtemps dehors, dit-il. Il ne faut pas vous surmener.

— Je ne suis pas du tout fatigué, dit Colin. Cette sortie m'a fait du bien. Demain, je passerai non seulement l'après-midi, mais aussi la matinée dehors.

— Je ne suis pas sûr de pouvoir l'autoriser, répondit le docteur. Je crains que ce ne soit pas raisonnable.

— Ce le serait encore moins de tenter de m'en empêcher, déclara très sérieusement Colin. Je sortirai.

Même Mary avait découvert que l'une des particularités du caractère de Colin résidait dans le fait qu'il ignorait totalement combien il se conduisait en grossière petite brute avec les gens à qui il donnait des ordres. Toute sa vie, il avait vécu comme dans une île déserte, et puisqu'il était le seul à y régner en maître, il avait établi ses propres règles de conduite, sans jamais pouvoir se comparer à qui que ce fût. Mary, bien sûr, avait été comme lui, mais depuis qu'elle vivait à Misselthwaite, elle s'était rendu compte que ses manières n'étaient pas celles de tout le monde et que personne ne les appréciait. Ayant fait cette découverte, elle pensa tout naturellement que cela valait la peine d'en faire part à Colin. Elle s'assit donc, et quand le docteur Craven fut parti, elle regarda son cousin avec insistance pendant quelques instants. Elle voulait qu'il lui demande pourquoi elle se comportait ainsi, et il n'y manqua pas.

— Pourquoi me regardes-tu de cette façon? dit Colin.

— J'étais en train de plaindre le pauvre docteur Craven.

— Moi aussi, répondit calmement Colin, mais son regard exprimait une certaine satisfaction. Il n'héritera pas du manoir maintenant que je ne vais plus mourir.

— Evidemment, cela me fait de la peine pour

lui, dit Mary, mais je pensais surtout que cela a dû être horrible d'être poli pendant dix ans avec un garçon qui s'est toujours conduit d'une façon grossière. A sa place, je n'aurais jamais supporté cela.

— Est-ce que je suis grossier? lui demanda Colin, imperturbable.

— Si tu étais son fils et qu'il ait la main leste, dit Mary, il y a longtemps qu'il t'aurait giflé.

— Mais il n'a jamais osé le faire, dit Colin.

— Oui, c'est vrai, répondit Mary sans aucune

malice. Personne n'a jamais osé faire quoi que ce soit qui te déplaise parce que tu allais mourir et pour d'autres raisons du même genre. Tu étais tellement chétif.

— Mais, déclara Colin, têtu, je ne vais plus l'être. Je ne veux pas que les gens pensent cela de moi. Aujourd'hui, j'ai réussi à me mettre debout.

— C'est parce qu'on t'a toujours laissé faire tes quatre volontés que tu n'es pas comme tout le monde, reprit Mary qui poursuivait son idée.

Colin tourna la tête et fronça les sourcils.

— Je ne suis pas comme tout le monde? demanda-t-il.

— Non, répondit Mary. Mais ce n'est pas la peine de te fâcher, ajouta-t-elle avec impartialité, parce que moi non plus, je ne suis pas comme tout le monde, ni Ben non plus. Mais depuis que je me suis mise à aimer les gens et que j'ai trouvé le jardin secret, j'ai un peu changé.

— Moi aussi, je veux changer, dit Colin. Moi aussi, et il fronça de nouveau les sourcils, l'air décidé.

C'était un garçon très fier. Il réfléchit un moment, puis Mary vit un magnifique sourire naître lentement sur ses lèvres et modifier peu à peu l'expression de son visage.

— Je changerai, dit-il, si je vais tous les jours au jardin. Il y a quelque chose de magique, là-bas — qui agit en bien, tu sais, Mary. J'en suis sûr.

— Moi aussi, j'en suis sûre, répondit Mary.

— Même si ce n'est pas vraiment magique, poursuivit Colin, on peut faire semblant d'y croire. En tout cas, il y a quelque chose.

— C'est vraiment magique, affirma Mary. Mais ce n'est pas de la magie noire. C'est de la magie blanche, blanche comme neige.

Ils disaient tout le temps que c'était magique, et c'est un fait que les mois qui suivirent ne manquèrent pas de l'être. Ce furent des mois radieux, fabuleux, surprenants. Ah! Combien de merveilles s'accomplirent entre les quatre murs du jardin secret! Si vous n'avez jamais eu de jardin, vous ne pouvez pas comprendre ce que c'est. Et si vous en avez un, vous savez qu'il faudrait tout un livre pour décrire ce qu'il advint en ces lieux. Tout d'abord, on aurait dit que la végétation n'allait pas cesser de s'étendre, des milliers de petites pousses vertes jaillissant du sol pour envahir le jardin tout entier, l'herbe, les plates-bandes et jusqu'aux moindres fissures des vieux murs. Puis ce fut le tour des boutons qui se mirent à éclore, déployant toute la gamme de leurs riches couleurs, toute une palette de bleus, tous les tons de pourpre et toutes les nuances de mauve. Au bon vieux temps, on avait planté des fleurs jusque dans les moindres recoins du jardin. Ben Weatherstaff avait été présent et il avait lui-même enlevé un peu de mortier entre les pierres du mur et l'avait remplacé par de la terre pour y faire pousser des plantes grimpantes. Dans l'herbe jaillissaient des gerbes d'iris et de lis blancs, et dans les cabinets de verdure fleurissaient des légions étonnantes de grandes hampes aux corolles bleues et blanches, celle des delphiniums, des ancolies et des campanules.

— C'étaient ses fleurs préférées, dit le vieux jardinier. Elle aimait bien les fleurs qui montent vers le ciel bleu, comme elle disait toujours. Ce n'est pas qu'elle n'aimait pas la terre, ce n'était pas son genre. Elle l'aimait bien, au contraire. Mais le ciel bleu, qu'elle disait, ça rend tout joyeux.

Les graines que Dickon et Mary avaient plantées poussèrent comme si c'étaient des fées qui les avaient mises en terre. Des centaines de pavots à la robe de satin de toutes les couleurs dansaient au vent, défiant gaiement les fleurs qui poussaient depuis des années dans le jardin et qui — il faut l'avouer — semblaient se demander comment ces intruses avaient bien pu parvenir jusqu'ici. Et les roses — ah, les roses! Emergeant de l'herbe, s'enroulant autour du cadran solaire, enlaçant les troncs d'arbres et passant par-dessus les branches, escaladant les murs pour s'y épanouir en longues guirlandes et retomber en cascades — jour après jour, d'heure en heure, il en naissait de nouvelles. C'étaient d'abord de belles petites feuilles toutes neuves qui apparaissaient, puis des boutons, minuscules au début, mais qui grossissaient comme par magie pour éclore un jour et s'épanouir en un calice odorant dont les senteurs raffinées allaient parfumer l'air du jardin.

Colin assista à cette merveilleuse transformation, attentif au moindre changement qui avait lieu. Tous les matins, on le sortait et quand il ne pleuvait pas, il passait la journée entière dans le jardin. Il ne s'ennuyait pas un instant, même les jours de pluie. Il restait allongé dans l'herbe à « regarder les plantes pousser », comme il disait lui-même. Si on avait la patience de bien observer, affirmait-il, on pouvait voir s'ouvrir les boutons de fleurs. On apprenait à connaître d'étranges insectes qui, très affairés, allaient et venaient, accomplissant des tâches mystérieuses, mais certainement très utiles. Ces petites bêtes portaient parfois de minuscules bouts de paille ou de plume, ou des miettes de nourriture et grimpaient le long d'un brin d'herbe pour admirer le paysage, comme du haut d'un arbre. Colin passa toute une matinée à observer une taupe qui, à l'aide de ses pattes griffues, étonnamment semblables aux mains d'un elfe, avait creusé une galerie et rejetait de la terre en formant un petit monticule. Il découvrait tout un univers nouveau en observant les mœurs des fourmis, des scarabées et des abeilles, en regardant vivre les grenouilles et les oiseaux et en voyant pousser les plantes. Quand Dickon lui eut révélé tout ce qu'il savait à ce sujet, il se mit à lui parler des renards, des loutres et des furets, des écureuils, des truites, des rats d'eau et des blaireaux. Il y avait là une mine inépuisable de sujets de conversation et de réflexion.

Et la magie du jardin ne s'arrêtait pas là. Le fait qu'il soit bel et bien parvenu à tenir sur ses jambes avait fait énormément réfléchir Colin. Quand Mary lui parla de l'incantation magique qu'elle avait utilisée, il fut enthousiasmé et la félicita de son idée. Il en parlait sans cesse.

— Bien sûr, le monde est plein de magie, déclara-t-il un jour, sur un ton réfléchi, mais les gens ignorent son existence et ne savent pas la pratiquer. Peut-être suffit-il simplement, pour commencer, de répéter que des événements heureux vont avoir lieu pour qu'ils se produisent vraiment. Je vais tenter une expérience.

Le lendemain matin, quand les enfants arrivèrent au jardin, Colin envoya chercher Ben Weatherstaff. Ben accourut pour trouver notre petit maharadjah debout sous un arbre, l'air très grand seigneur, mais sourire aux lèvres.

— Bonjour, Weatherstaff, dit Colin. Allez-vous mettre à côté de Mary et de Dickon et écoutez bien car j'ai une communication très importante à vous faire.

— Ouep, ouep, cap'taine, répondit le vieux Ben en portant la main à son front. (Dans sa jeunesse, le jardinier s'était enfui de chez lui pour devenir matelot. Il avait sillonné toutes les mers du globe et c'était un de ses charmes secrets que de pouvoir s'exprimer comme un vieux loup de mer.)

— Je vais tenter une expérience scientifique, expliqua notre prince. Quand je serai grand, je ferai des découvertes scientifiques de la plus haute importance et je vais commencer aujourd'hui même.

— Ouep, ouep, cap'taine, dit Ben qui n'avait jamais entendu parler de découvertes scientifiques.

Mary non plus n'en avait jamais entendu parler, mais elle avait déjà compris que Colin, bien qu'il ne fût pas « comme tout le monde », avait beaucoup lu et avait acquis de ce fait un grand pouvoir de persuasion. Quand il levait la tête et vous fixait de ses étranges yeux gris, vous ne pouviez pas vous empêcher de le croire, semblait-il, bien qu'il n'eût pas encore onze ans. A cet instant précis, il était particulièrement convaincant parce qu'il se sentait grisé à l'idée qu'il était en train de prononcer un véritable discours, comme une grande personne.

— Les importantes découvertes que j'ai l'intention de faire, poursuivit-il, concernent la magie. La magie est une chose merveilleuse, et rares sont les gens qui y connaissent quelque chose, si ce n'est les auteurs de quelques livres très anciens, et Mary, parce qu'elle est née aux Indes et qu'il y a des fakirs, là-bas. Je crois que Dickon est un peu magicien, mais il ne s'en doute peut-être pas lui-même. Il charme les animaux et les gens. Je ne l'aurais jamais laissé venir me voir s'il n'avait pas su apprivoiser les bêtes — et aussi les garçons de mon âge qui ne sont pas très différents des animaux. Je suis persuadé qu'il y a de la magie dans tout, mais que nous ne sommes pas assez intelligents pour la maîtriser et la faire travailler pour nous, comme l'électricité, les chevaux et la vapeur.

Ben Weatherstaff était si impressionné qu'il ne tenait plus en place.

— Ouep, ouep, cap'taine, se crut-il obligé de dire avant de se mettre au garde-à-vous.

— Quand Mary a trouvé ce jardin, il semblait complètement mort, poursuivit notre orateur. Puis une force inconnue a fait jaillir du sol des fleurs, là où il n'y avait rien, et cela du jour au lendemain. Je n'avais jamais observé la nature auparavant et ce phénomène a éveillé ma curiosité, parce que je veux devenir savant et que les savants sont des gens curieux de nature. Je n'arrête pas de me demander : « Qu'est-ce que c'est? Qu'est-ce que ça peut bien être? » Ça doit bien avoir un nom, tout a un nom. Mais comme j'ignore ce nom, je dis que c'est de la magie. Je n'ai jamais vu le soleil se lever, mais Mary et Dickon l'ont vu, eux, et d'après ce qu'ils m'ont raconté, je suis sûr que c'est magique, ça aussi. C'est une force magique qui le fait se lever, qui le pousse et le tire. Depuis que je viens dans ce jardin, il m'arrive de regarder le ciel à travers les arbres et j'éprouve à ce moment-là un étrange sentiment de bonheur, comme si une force magique me soulevait la poitrine et faisait battre mon cœur plus vite. La magie est une force qui fait bouger le monde et fait apparaître des choses là où il n'y avait rien. La magie est partout, dans les feuilles et dans les arbres, dans les fleurs et chez les oiseaux, chez les blaireaux et les renards et les écureuils, et aussi chez les hommes. Il y en a tout autour de nous, dans ce jardin même et dans le monde entier. C'est le pouvoir magique qui m'a fait me mettre debout et comprendre que j'atteindrai l'âge adulte. Alors, je vais tenter l'expérience scientifique suivante : je vais essayer de m'emparer d'un peu de cette magie pour la faire entrer en moi afin qu'elle m'aide à grandir et à devenir fort. Je ne sais pas encore comment je vais m'y prendre, mais à mon avis, si je n'arrête pas d'y penser et de l'invoquer, la magie viendra peut-être en moi. Je crois que c'est le moyen le plus simple d'y parvenir. Quand j'ai essayé de me tenir debout la première fois, Mary n'arrêtait pas de répéter le plus vite possible dans sa tête « Tu en es capable, tu en es capable, tu en es capable » — et, en effet, j'y suis arrivé. Ce n'était pas suffisant, bien sûr, car il a aussi fallu que j'y mette du mien. Mais sa formule magique m'a aidé, comme également le pouvoir de Dickon. Donc, tous les matins et tous les soirs et aussi souvent que j'y penserai dans la journée, je vais invoquer la magie et je dirai : « La magie est en moi. La magie me fait du bien. Je vais devenir aussi fort que Dickon, aussi fort que Dickon. » Et il faudra que vous fassiez la même chose, vous aussi. Voilà l'expérience que je veux tenter. M'aiderez-vous, Ben Weatherstaff?

— Ouep, ouep, cap'taine, dit le vieux Ben. Tu peux compter sur moi.

— Si vous le faites tous les jours, aussi régulièrement que les soldats vont à l'exercice, nous verrons bien ce qui va se passer et si l'expérience réussit. On apprend les choses en les répétant souvent et en y pensant jusqu'à ce qu'elles restent fixées dans votre mémoire, et à mon avis, il doit en être de même pour la magie.

Si vous n'arrêtez pas de l'invoquer pour qu'elle vienne en vous et vous aide, elle finira par faire partie de vous, par ne plus vous quitter et par accomplir des miracles.

— Une fois, dit Mary, j'ai entendu aux Indes un officier raconter à ma mère que certains fakirs répètent les mêmes mots plus de mille fois.

— Moi aussi, j'ai entendu la femme de Jem Fettleworth dire mille fois la même chose — quand elle traite son mari de vieil ivrogne, dit Ben d'un ton narquois. Et on ne peut pas dire que ça ne sert à rien. A chaque fois, il lui donne une bonne volée et s'en retourne au Lion Bleu pour prendre une bonne cuite.

Colin fronça les sourcils et réfléchit quelques minutes. Puis il retrouva sa bonne humeur.

— Eh bien, fit-il, vous voyez que cela donne quand même un résultat. Seulement Mme Fettleworth se trompe de magie et c'est pour cela que son mari la bat. Si elle utilisait la bonne magie, si elle disait des gentillesses, M. Fettleworth ne se saoulerait sans doute plus de cette façon et il lui offrirait peut-être un bonnet neuf!

Ben Weatherstaff eut un petit rire et son regard exprima une vive admiration.

— Il a la tête aussi bien faite que les jambes, notre M'sieur Colin, dit le jardinier. La prochaine fois que j' verrai Bess, je lui en toucherai

deux mots de cette magie, et je lui expliquerai ce qu'elle peut faire pour elle. Elle sera rudement contente si l'espérience sinétifique réussit, et son Jem aussi.

Dickon avait écouté le discours de Colin avec une attention passionnée, les yeux brillant de curiosité. Casse et Noisette étaient juchés sur ses épaules, et il tenait dans ses bras un petit lapin blanc, qu'il ne cessait de caresser doucement. De plaisir, l'animal avait rabattu ses grandes oreilles le long de son dos.

— Crois-tu que mon expérience va réussir? lui demanda Colin, curieux de savoir ce qu'il en pensait. Il se demandait souvent à quoi Dickon songeait quand le petit paysan le regardait ou qu'il observait un de ses animaux familiers en souriant d'un air heureux.

Dickon lui fit un sourire plus radieux que jamais.

— Pour sûr qu'elle réussira, répondit-il. C'est comme pour les graines que l' soleil fait pousser. Ça peut pas rater. Tu veux qu'on commence tout d' suite?

Colin était enchanté, et Mary aussi. Se souvenant brusquement des illustrations où il avait vu des fakirs entourés de leurs adeptes, le petit maharadjah leur suggéra de s'asseoir tous en tailleur sous l'arbre qui formait un dais de feuillage.

— On aura l'impression d'être installés dans une sorte de temple, dit Colin. Asseyons-nous, je suis fatigué.

— Ah non, dit Dickon, faut surtout pas commencer par dire que t'es fatigué et que tu veux t'asseoir, sinon la magie va pas marcher!

Colin se tourna et le regarda.

— Tu as raison, dit-il lentement. Il ne faut pas penser à autre chose qu'à la magie.

Et c'est avec une grande majesté et des airs mystérieux qu'ils s'assirent tous en rond. Ben avait l'impression d'assister, contraint et forcé, à une assemblée religieuse. D'ordinaire, il était fermement « opposé » à ce genre de réunions —

comme il disait — mais comme c'était une idée du maharadjah, il ne dit rien et se sentit même honoré d'être convié à participer à la cérémonie. Pour sa part, Mary était fascinée au plus haut point. Dickon garda son lapin dans les bras et dut faire un signe magique à l'insu de tous, car au moment où il s'assit comme les autres, le corbeau, le renard, les écureuils et l'agneau s'approchèrent doucement et prirent place dans le cercle à l'endroit qui leur plaisait le plus.

— Vous avez vu, dit Colin, les animaux sont venus nous rejoindre. Ils veulent nous aider.

Colin était vraiment très beau, songeait Mary. Il se tenait la tête haute, comme un grand prêtre, et ses yeux étranges brillaient d'un éclat merveilleux. La lumière qui passait à travers les branches de l'arbre tombait directement sur lui.

— Maintenant, dit-il d'une voix grave, nous allons commencer. A ton avis, Mary, est-ce que nous devons nous balancer d'avant en arrière, comme des derviches?

— J' peux pas faire ça, moi, à cause de mes rhumatismes, dit Ben Weatherstaff.

— La magie vous en guérira, dit Colin, plus grand prêtre que jamais. Mais en attendant, nous éviterons de nous balancer. Nous nous contenterons de chanter.

— Je n' sais pas chanter non plus, dit le vieux jardinier d'un ton légèrement contrarié. La seule fois où j'ai essayé, je me suis fait renvoyer de la chorale de l'église.

Personne ne sourit. Ils prenaient tous la chose bien trop au sérieux. Le visage de Colin garda toute sa sérénité. Il ne pensait qu'à la magie.

— Alors, je chanterai tout seul, dit-il.

Et tel un jeune mage, il commença ses incantations.

— Le soleil qui brille, le soleil qui brille, c'est de la magie. Les fleurs qui poussent et les racines qui s'étendent, c'est de la magie. La magie, c'est d'être en vie. La magie, c'est d'être fort. La magie est en moi, la magie est en moi. Elle est en moi, elle est en moi. Elle est en chacun de nous, elle est dans le dos de Ben Weatherstaff. Magie, magie, aide-moi.

Il répéta ces mots un grand nombre de fois, pas mille fois comme les fakirs, mais presque. Mary l'écoutait, comme envoûtée. Elle avait l'impression de vivre des instants étranges et merveilleux, et elle aurait voulu que cela dure éternellement. Quant à Ben Weatherstaff, il commençait à s'endormir légèrement, comme dans une sorte de rêve bien agréable. Le bourdonnement des abeilles qui butinaient dans les arbres en fleurs se mêlait aux incantations de Colin, incitant doucement au sommeil. Les jambes croisées, Dickon était assis, son lapin endormi sur un bras, une main posée sur le dos de l'agneau. Suie avait écarté un des écureuils pour venir se nicher au creux de l'épaule du petit paysan et il avait baissé le voile gris de ses paupières. Enfin, Colin terminait sa prière.

— Maintenant, je vais faire le tour du jardin, déclara-t-il.

Ben Weatherstaff qui s'était assoupi, le menton reposant sur la poitrine, redressa la tête brusquement.

— Vous dormiez, dit Colin.

— Jamais d' la vie, marmonna Ben. Le sermon n'était pas mauvais, mais faut que j' m'en aille avant la quête.

De toute évidence, il n'était pas tout à fait réveillé.

— Vous n'êtes pas à l'église, lui dit Colin.

— Je sais bien, dit Ben en se secouant. Qui a dit le contraire? J'ai tout entendu, tu as dit que j'avais d' la magie dans mon dos. Le docteur, il appelle ça des rhumatismes.

D'un geste auguste, le petit maharadjah repoussa son objection.

— C'est parce qu'il se trompe de magie, dit-il. Bientôt vous irez mieux, vous verrez. Maintenant, vous pouvez retourner à votre travail. Vous reviendrez demain.

— Mais c'est que j'aimerais bien te voir faire le tour du jardin, moi, grogna Ben sans penser à mal, mais non sans véhémence.

En fait, Ben était un vieux cabochard qui n'avait pas tout a fait confiance en la magie, et il avait décidé, au cas où on ne le laisserait pas rester, de grimper sur son échelle pour surveiller par-dessus le mur la promenade de Colin, afin de pouvoir revenir en toute hâte si l'enfant venait à trébucher.

Mais, bon prince, Colin l'autorisa à assister à l'expérience, et le cortège se mit en route. On aurait vraiment dit une procession. Colin marchait en tête, entouré de Dickon et de Mary. Venait ensuite Ben Weatherstaff, suivi de tous les animaux. L'agneau et le petit renard trottinaient allègrement, le lapin blanc sautillait derrière eux, s'arrêtant de temps à autre pour grignoter une touffe d'herbe. Suie fermait la marche avec la solennité d'une personne consciente de ses devoirs. Le groupe avançait lentement, mais avec une grande dignité. Il s'arrêtait tous les dix mètres pour faire une pause. Colin s'appuyait sur le bras de Dickon et Ben Weatherstaff restait sur le qui-vive. Mais de temps en temps, Colin lâchait le bras de Dickon et faisait quelques pas tout seul. Il gardait tout le temps la tête haute et avait un air magnifique.

— La magie est en moi, répétait-il. La magie me donne des forces. Je le sens, je le sens !

Et de toute évidence, une force inconnue le soutenait et l'animait. Il se reposa sur les bancs de pierre et, deux ou trois fois, s'assit dans l'herbe. Plusieurs fois, il dut s'arrêter en chemin et s'appuyer sur Dickon, mais il ne voulut pas abandonner avant d'avoir fait le tour complet du jardin. Quand il parvint sous le dais, ses joues étaient rouges et il avait un air triomphant.

— J'ai réussi. C'est grâce à la magie, s'exclama-t-il. C'est ma première découverte scientifique !

— Que va dire le docteur Craven ? s'écria Mary.

— Il ne dira rien du tout, répondit Colin, parce qu'il n'en saura rien. Cela sera le plus grand de tous nos secrets. Il faut que personne n'en sache rien avant que je sois devenu assez fort pour marcher et courir comme les autres garçons. Je viendrai ici tous les jours dans mon fauteuil et je rentrerai de la même façon. Je ne veux pas que les gens se mettent à chuchoter et à poser des questions, et je ne veux pas non plus qu'on dise quoi que ce soit à mon père avant que l'expérience ait complètement réussi. Alors, un jour, quand il reviendra à Misselthwaite, j'entrerai simplement dans son bureau et je lui dirai : « C'est moi, Colin. Maintenant, je suis comme les autres garçons. Je vais très bien et je sais que je ne vais pas mourir. C'est grâce à une expérience scientifique. »

— Il pensera que c'est un rêve, s'écria Mary. Il n'en croira pas ses yeux.

Colin, triomphant, s'empourpra. Il avait réussi à se convaincre qu'il allait guérir, mais il ignorait que le plus dur de la bataille était déjà gagné. Et ce qui le stimulait plus que toute autre chose, c'était d'imaginer la surprise de son père quand il verrait son fils fermement campé sur ses deux jambes comme les autres garçons. Ce dont Colin avait le plus souffert, pendant les jours sombres où il était si malade, c'était de savoir que son propre père avait peur de regarder ce fils faible et souffreteux.

— Il faudra bien qu'il se rende à l'évidence, pourtant, dit Colin. La première chose que j'ai l'intention de faire lorsque la magie aura fait son œuvre et avant même de me consacrer à la science, c'est de devenir un athlète.

— D'ici une semaine ou deux, tu vas te mettre à la boxe, dit Ben Weatherstaff. Et si ça continue, tu vas gagner la coupe et devenir le plus grand champion de tout le pays.

Colin le dévisagea d'un air sévère.

— Weatherstaff, vous me manquez de respect. Ce n'est pas parce que vous êtes dans le secret qu'il faut vous croire tout permis. Quel que soit l'effet de la magie, il n'est pas question que je devienne champion de boxe. Je veux être un savant.

— Excusez-moi, cap'taine. Excusez-moi, répondit Ben, portant la main à son front en guise de salut. J'aurais dû comprendre qu'il n'y avait pas de quoi plaisanter.

Mais il clignait des yeux et se réjouissait intérieurement. Il se moquait pas mal d'avoir été rabroué, car venant de Colin, c'était une preuve de santé et de caractère.

CHAPITRE 24

« EH BIEN,
QU'ILS S'AMUSENT ! »

Dickon ne travaillait pas seulement dans le jardin secret. Il y avait autour du cottage, sur la lande, un lopin de terre clos par un muret de grosses pierres. Aux premières heures du jour et à la tombée de la nuit, et tous les jours où il ne voyait pas Colin et Mary, Dickon y travaillait. Il cultivait des pommes de terre, des choux, des navets, des carottes et des fines herbes pour sa famille. En compagnie de ses animaux apprivoisés, il faisait des miracles dans ce petit bout de jardin et il semblait infatigable. Tout en bêchant ou en arrachant les mauvaises herbes, il sifflait ou bien chantait des airs du Yorkshire, ou parlait avec Suie ou Capitaine. Ses frères et sœurs venaient parfois l'aider.

— On s'en sortirait pas aussi bien, disait Mme Sowerby, si on avait pas le jardin de Dickon. Il a vraiment les doigts verts. Ses patates et ses choux sont deux fois plus gros que ceux des voisins, et ils sont bien meilleurs.

Quand elle trouvait un moment de liberté, Mᵐᵉ Sowerby aimait aller le voir et parler avec lui. Après le dîner, Dickon pouvait encore travailler un bon moment en attendant la nuit, et c'était pour sa mère l'heure de la détente. Elle allait s'asseoir sur le petit muret et regardait son fils jardiner tandis qu'il lui racontait les événements de la journée. C'était le moment qu'elle préférait.

Il n'y avait pas que des légumes dans leur jardin. Dickon achetait de temps à autre pour un penny des graines de fleurs qu'il semait au hasard dans le jardin. Il en avait planté au beau milieu des groseilliers et même dans les rangées de choux. Les carrés de légumes étaient bordés de mignardises et de pensées et de fleurs qui repoussaient d'une année sur l'autre, ou dont Dickon pouvait recueillir les graines et qui avec le temps avaient formé des massifs de belle apparence. Le muret qui faisait le tour du jardin était un des plus beaux de tout le Yorkshire, car Dickon avait planté entre les pierres des digitales, des fougères, des capillaires et toutes sortes de fleurs des haies, si bien qu'on ne voyait presque plus le mur.

— Tout ce qu'il faut faire pour qu'elles viennent bien, maman c'est d' les aimer, avait-il coutume de dire. Les plantes, c'est comme les bêtes. Si elles ont soif, faut leur donner à boire et si elles ont faim, faut bien les nourrir. Ce qu'elles veulent, c'est vivre, tout comme nous. Et si mes fleurs mouraient, j'aurais l'impression de pas avoir été gentil avec elles et de pas avoir de cœur.

Ce fut pendant ces heures crépusculaires que Mme Sowerby apprit tout ce qui se passait au manoir de Misselthwaite. Tout d'abord, Dickon commença par lui dire que Colin s'était mis dans l'idée d'aller se promener avec Mary et que ça lui faisait du bien. Mais les enfants ne tardèrent pas à décider que la mère de Dickon pouvait être mise dans le secret. Il ne faisait pas de doute, en quelque sorte, qu'on pouvait lui faire confiance.

Aussi, par une belle soirée paisible, Dickon raconta-t-il toute l'histoire à sa mère, à commencer par la découverte, grâce au rouge-gorge, de la clé enfouie sous la terre, puis le voile gris recouvrant le jardin qui semblait mort, et le secret que Mary avait décidé de garder à tout jamais pour elle seule; la venue de Dickon et ce que Mary lui avait confié, les doutes de Colin et, pour finir, les moments exaltants où Colin était entré dans le jardin secret, sans oublier l'épisode concernant Ben Weatherstaff et son apparition au sommet du mur, et l'énergie qui avait brusquement soulevé Colin d'indignation. Ces derniers événements bouleversèrent Mme Sowerby qui pâlit plusieurs fois au cours de ce récit.

— Ma parole, dit-elle. Quelle chance que cette petite soit venue au manoir. Ça ne lui a fait que du bien, et au petit aussi. Debout sur ses jambes, mon Dieu! Et dire que tout le monde croyait que c'était qu'un pauvre garçon, à moitié idiot, avec les os tout de travers.

Elle lui posa de nombreuses questions et ses yeux bleus en étaient tout songeurs.

— Quel effet ça leur fait, au manoir, de voir qu'il se plaint plus et qu'il est en si bonne santé et de si bonne humeur? voulut-elle savoir.

— Ils comprennent rien à rien, répondit Dickon. Chaque jour que Dieu fait, son visage change de plus en plus. Il prend des joues et a l'air moins maigre et moins pâle. Mais faut qu'il continue à s' plaindre, malgré tout, ajouta Dickon avec un grand sourire tout joyeux.

— Et pourquoi ça, grands dieux? demanda Mme Sowerby.

Dickon eut un petit rire.

— Pour pas qu'on devine c' qui lui est arrivé. Si l' docteur s' doutait qu'il peut s' tenir debout sur ses deux jambes, il manquerait pas d'écrire tout d' suite à M. Craven. Et M. Colin veut garder l' secret pour l' dire lui-même à son père. Il va faire tous les jours sa magie pour ses jambes jusqu'à ce que son père soit de retour. Alors, il entrera en marchant tout seul dans son bureau et lui fera voir qu'il est comme les autres garçons d' son âge. Mais, en attendant, Mlle Mary et lui pensent qu'il vaut mieux jouer la comédie et continuer à s' plaindre et à pleurnicher pour brouiller les pistes.

Mme Sowerby s'était mise à rire doucement bien avant que Dickon ait prononcé sa dernière phrase.

— Eh bien, dit-elle, ces deux-là m'ont l'air de bien s'amuser, j' vous le garantis. Ça doit leur plaire de jouer la comédie. Tous les enfants aiment ça. Raconte-moi un peu comment ils s'y prennent, mon p'tit Dickon.

Dickon interrompit son travail et s'assit sur ses talons pour lui donner tous les détails de leur supercherie. Ses yeux pétillaient de malice.

— Chaque fois qu'il sort, M. Colin se fait descendre jusqu'à son fauteuil, au rez-de-chaussée, expliqua-t-il. Et il peste contre John, le valet de pied, parce qu'il prend pas assez de précautions quand il l' porte. Il prend l'air le plus malheureux possible, et il baisse la tête jusqu'au moment où il est hors de vue d' la maison. Il grogne et il geint tant et plus quand on l'installe dans son fauteuil. Ça leur plaît bien à Mlle Mary et à lui. Et quand il gémit et qu'il se plaint, elle dit : « Mon pauvre Colin, cela te fait donc si mal? Tu es vraiment si faible que cela, mon pauvre cousin? » Mais l'ennui, c'est que parfois, ils ont du mal à s' retenir de pouffer. Et quand on arrive dans l' jardin, ils rient à en perdre le souffle. Et il faut souvent qu'ils s' fourrent la tête dans les coussins du fauteuil pour qu' les jardiniers les entendent pas, au cas où y en aurait dans l' coin.

— Plus ils riront, mieux ça vaudra, dit Mme Sowerby qui s'amusait fort, elle aussi. Vaut mieux voir des enfants rire de bon cœur que se gaver d' remèdes tous les jours que Dieu fait. Ces deux oiseaux-là vont pas tarder à s' remplumer, c'est sûr.

— Ils ont déjà grossi, dit Dickon. Ils ont tellement faim qu'ils savent pas comment trouver d' quoi se rassasier sans attirer l'attention. M. Colin dit que s'il demande un repas plus copieux que d'habitude, on va plus croire qu'il est qu'un pauvre infirme. Mlle Mary lui a bien proposé d' lui donner sa part à elle, mais il dit que c'est elle qui aura faim dans c' cas-là, et qu'elle va maigrir. Et pour lui, faut qu'ils grossissent tous les deux en même temps.

Mme Sowerby riait de si bon cœur en entendant ces détails qu'elle en était toute secouée, et Dickon riait avec elle.

— Je vais t' dire quelque chose, mon garçon, déclara-t-elle quand elle put à nouveau parler.

J'ai trouvé un moyen d' les aider. Quand tu iras les voir le matin, tu prendras un bon seau de lait frais et moi, je leur ferai cuire une bonne miche de pain ou des brioches aux raisins, comme celles que vous aimez. Y a rien de meilleur que du lait frais et du pain. Comme ça, ils pourront calmer leur faim quand ils sont au jardin, et les bons petits plats qu'on leur sert chez eux finiront de boucher les coins...

— Ah, maman, dit Dickon, béat d'admiration. T'es vraiment merveilleuse, t'as toujours de bonnes idées. Ils étaient drôlement embêtés, hier. Ils voyaient pas comment s' débrouiller sans demander qu'on leur donne plus à table, tellement ils avaient l' ventre creux.

— C'est qu'ils grandissent vite et qu'ils ont retrouvé la santé. Dans ce cas-là, les enfants ont une faim d' loup et ils dévoreraient n'importe quoi, dit Mme Sowerby.

Elle eut alors le même sourire que Dickon avant de conclure :

— Ah, mais ils doivent bien s'amuser, c'est sûr !

La brave femme avait entièrement raison, et jamais elle n'avait été aussi près de la vérité qu'en disant que cela devait leur faire plaisir de jouer la comédie. C'était pour Colin et Mary une distraction passionnante. L'idée de se mettre à l'abri de tout soupçon leur avait été incons-

ciemment suggérée par le docteur Craven lui-même, et par un certain étonnement exprimé par l'infirmière.

— Vous avez bien plus d'appétit, monsieur Colin, lui avait dit un jour l'infirmière. Autrefois, vous n'aimiez rien et vous ne mangiez pas grand-chose.

— Tout me plaît maintenant, répondit Colin.

Mais se rendant compte que l'infirmière le regardait d'un air curieux, il se rappela tout à coup qu'il ne devait pas donner l'impression d'aller trop bien.

— Du moins, il y a moins de choses qui me déplaisent. C'est peut-être le fait de sortir.

— Peut-être, dit l'infirmière qui continuait à le regarder d'un air perplexe, mais il faut que j'en parle au docteur Craven.

— Tu as vu comment elle t'a regardé, dit Mary quand l'infirmière fut sortie. On aurait dit qu'elle se doutait de quelque chose.

— Je ne lui laisserai rien découvrir, dit Colin. Personne ne doit rien savoir.

Quand le docteur Craven vint ce matin-là, il semblait intrigué, lui aussi. Au grand déplaisir de Colin, il posa beaucoup de questions.

— Vous passez beaucoup de temps au jardin, commença-t-il par dire. Où allez-vous?

Colin afficha son plus bel air d'indifférence.

— Je ne veux pas que l'on sache où je vais, répondit-il. Je vais là où il me plaît. J'ai donné des ordres pour ne rencontrer personne sur mon chemin. Je ne veux pas qu'on me voie ni qu'on me regarde. Vous le savez bien.

— Apparemment, vous passez toutes vos journées dehors, mais je ne pense pas que cela vous fasse du mal. L'infirmière m'a dit que vous mangiez beaucoup plus qu'avant.

— Peut-être, dit Colin, pris d'une inspiration soudaine. C'est sans doute un appétit anormal.

— Je ne le crois pas, car vous semblez bien supporter votre nourriture, dit le docteur. Vous vous êtes étoffé et vous avez meilleure mine.

— Je suis peut-être fiévreux et bouffi de mauvaise graisse, dit Colin, affichant une mine désespérément sombre. Les gens qui vont mourir sont souvent... différents.

Le docteur Craven secoua la tête. Il tenait le poignet de Colin et lui releva la manche pour lui tâter le bras.

— Vous n'avez pas de fièvre, dit-il, l'air songeur, et vous avez forci de façon très saine. Si vous continuez comme ça, mon garçon, il ne sera plus question de mourir. Votre père va être très heureux d'apprendre que vous allez nettement mieux.

— Je ne veux pas qu'on lui en parle, s'écria Colin avec véhémence. Il ne pourra qu'être déçu si je fais une rechute, et cela pourrait bien se produire cette nuit même. Je pourrais attraper une fièvre épouvantable. D'ailleurs, j'ai l'impression que cela me prend maintenant. Je ne veux pas qu'on envoie des lettres à mon père. Je ne veux pas, je ne veux pas! Vous me mettez en colère, et vous savez que c'est mauvais pour moi. Je commence à me sentir fiévreux. J'ai horreur qu'on écrive des choses sur mon compte ou qu'on parle de moi, tout autant que je déteste qu'on me regarde.

— Doucement, mon garçon, dit le docteur Craven sur un ton rassurant. On n'écrira rien sans votre permission. Vous prenez les choses beaucoup trop à cœur. Il ne faudrait pas avoir une rechute alors que vous allez mieux.

Il ne parla plus d'écrire à M. Craven et quand il vit l'infirmière, il la prévint discrètement qu'il valait mieux éviter d'aborder ce sujet devant son patient.

— L'enfant a fait des progrès extraordinaires, dit-il. Cela semble presque anormal. Mais bien sûr, maintenant il fait de son plein gré ce que nous n'arrivions pas à lui faire faire auparavant. Malgré tout, il s'emporte toujours aussi facilement, et il faut lui éviter tout sujet de contrariété.

Mary et Colin s'inquiétèrent sérieusement à cette occasion et ils en parlèrent anxieusement entre eux. C'est de ce jour-là que data leur décision de « jouer la comédie ».

— Il va falloir que je leur fasse une bonne crise d'hystérie, dit Colin d'une voix toute contrite. Dieu sait que je n'en ai pas la moindre envie. Je ne me sens plus assez malheureux à l'heure qu'il est pour me mettre volontairement dans des états pareils. Je ne sais même pas si j'en serais encore capable. Je ne sens plus cette boule dans ma gorge et je pense tout le temps à des choses agréables, plus jamais à des choses horribles. Mais s'ils ont l'intention d'écrire à mon père, il faudra bien que je fasse quelque chose.

Colin décida donc de manger moins, mais malheureusement il fut incapable de mener à bien cette excellente résolution. Tous les matins, il se réveillait avec une faim de loup et ne pouvait résister en voyant sur la table près de son divan son petit déjeuner composé de pain fait à la maison, de beurre frais, avec des œufs bien blancs, de la confiture de framboises et de la crème fouettée. Mary prenait toujours son petit déjeuner avec lui, et quand ils étaient à table, surtout les jours où de délicates odeurs de jambon frit s'échappaient d'un plat à couvercle d'argent, ils échangeaient des regards profondément désespérés.

— Je crois, Mary, que nous allons encore tout dévorer, ce matin, finissait par dire Colin. Nous pourrons toujours refuser une partie du déjeuner et une plus grande part encore du dîner.

Mais ils ne renvoyaient jamais quoi que ce soit à l'office, et quand les assiettes retournaient complètement vides à la cuisine, les langues allaient bon train.

— Je voudrais bien, se plaisait à dire Colin, que les tranches de jambon soient plus épaisses, et puis, une brioche par personne, ce n'est pas suffisant.

— C'est bien assez pour un mourant, lui répondit Mary quand il lui en fit pour la première fois la remarque, mais pour quelqu'un qui a envie de vivre, c'est plutôt maigre. Parfois, j'ai l'impression que je pourrais en manger trois quand la fenêtre est ouverte et que je sens ces merveilleuses odeurs de bruyère et de genêt qui viennent de la lande.

Le matin où, après qu'ils eurent passé deux bonnes heures à s'amuser dans le jardin, Dickon alla chercher derrière un buisson de roses, deux seaux en fer blanc. l'un rempli de bon lait frais tout crémeux, l'autre contenant des brioches aux myrtilles de la lande, préparées par sa mère et bien enveloppées dans un joli torchon bleu et blanc, si bien serrées qu'elles étaient encore chaudes, ce fut une véritable explosion de joie. Quelle bonne idée avait eu Mme Sowerby! Comme elle était gentille et avisée! Quel régal que ses brioches accompagnées de délicieux lait frais!

— Elle est aussi magicienne que Dickon, dit Colin. La magie lui donne de merveilleuses idées pour faire des choses agréables. Dis-lui merci de notre part, Dickon, un grand merci.

De temps à autre, il arrivait à Colin de s'exprimer comme une grande personne. Il aimait bien cela et cela lui plaisait tellement qu'il en devenait parfois grandiloquent.

— Dis-lui qu'elle a été plus que généreuse envers nous et que nous lui sommes extrêmement reconnaissants.

Et oubliant ses grands airs, il attaqua gaillardement les provisions et se mit à dévorer les brioches et à boire à grandes goulées le lait à même le seau, comme l'aurait fait n'importe quel garçon venant de se dépenser au grand air et dont le petit déjeuner n'était plus qu'un souvenir.

Ce genre de surprises agréables se reproduisit souvent. Les enfants se rendirent alors compte que Mme Sowerby, ayant déjà quatorze bouches à nourrir, ne pouvait peut-être pas en satisfaire quotidiennement deux de plus. Ils la prièrent donc de bien vouloir accepter quelques shillings pour ses achats.

Dickon fit une merveilleuse découverte dans les bois du parc où Mary l'avait rencontré la première fois, jouant du pipeau, entouré de ses animaux apprivoisés. Il y avait un petit renfoncement de terrain où il construisit, à l'aide de quelques pierres, une sorte de four de campagne pour faire cuire sous la cendre des pommes de terre et des œufs. Les œufs cuits de cette façon étaient pour eux un luxe inconnu jusqu'alors, et les pommes de terre bien chaudes, accompagnées de sel et de beurre frais constituaient un repas digne d'un roi champêtre, tout en comblant leur appétit féroce. En outre, ils pouvaient acheter tous les œufs et les pommes de terre qu'ils désiraient, sans avoir la pénible impression d'affamer une famille de quatorze personnes.

Tous les matins, le petit cercle mystique se

réunissait sous le dais de feuilles vertes que leur offrait le prunier dont les fleurs étaient maintenant passées. C'était là qu'avait lieu la cérémonie magique, après laquelle Colin s'entraînait à marcher. Tout au long de la journée, il exerçait ses nouveaux pouvoirs à intervalles réguliers. Il prenait des forces de jour en jour, assurant sa démarche et couvrant des distances de plus en plus grandes. Et sa croyance à la magie croissait avec ses forces. Comme il se sentait de plus en plus résistant, il tentait une expérience après l'autre, et ce fut Dickon qui lui apprit le meilleur de tous les exercices.

— Hier, lui dit-il un matin, alors qu'il n'était pas venu la veille, j' suis allé à Thwaite faire des courses pour ma mère, et près de l'auberge de la Vache Bleue, j'ai vu Bob Haworth. C'est l' gars le plus fort d' la lande. Il est champion d' lutte et il peut sauter plus haut et lancer l' marteau plus loin que n'importe qui. Une fois il est même allé s' battre en Ecosse. Il m' connaît depuis que j' suis tout p'tit, et comme il est gentil, j' lui ai posé des tas d' questions. Les gens disent que c'est un athlète. Alors, j'ai pensé à toi, Colin, et j' lui ai dit : « Comment vous faites pour avoir des muscles gros comme ça, Bob? Faut faire quelque chose de spécial pour d'venir aussi fort que vous? » Alors il m'a répondu : « Ben, oui, mon gars. C'est un lutteur de foire qui m'a appris à fortifier mes bras et mes jambes et à faire travailler tous mes muscles. » Et je lui ai demandé : « Est-ce qu'un p'tit garçon fragile pourrait d'venir fort en faisant la même chose que vous, Bob ? » Ça l'a fait rire, et il m'a répondu : « C'est toi, le p'tit garçon fragile ? » « Non », que j' lui ai dit, « mais j' connais un p'tit monsieur qui sort d'une longue maladie, et j'aimerais bien lui montrer comment faire pour s' remettre ». J' lui ai pas dit qui c'était, et il m'a rien demandé, non plus. C'est un brave gars, comme j' vous l'ai dit, et il s'est levé pour me faire une démonstration, sans façon, et j' l'ai imité jusqu'à ce que j' sache les mouvements par cœur.

Colin l'avait écouté avec un intérêt grandissant.

— Peux-tu me faire une démonstration ? s'écria-t-il. Tu veux bien, Dickon ?

— Mais pour sûr, répondit Dickon en se levant. Mais il m'a prévenu qu'au début, fallait y aller doucement et pas trop s' fatiguer. Faut s' reposer entre les mouvements et respirer très fort, et surtout pas forcer.

— Je ferai attention, dit Colin. Montre-moi cela maintenant, va. Tu es vraiment le plus grand magicien du monde, Dickon.

Dickon s'installa sur l'herbe et fit successivement toute une série d'exercices musculaires simples, mais soigneusement étudiés. Colin le regardait avec des yeux de plus en plus grands. Certains exercices pouvaient être faits assis. Il y en avait aussi que Colin pouvait exécuter debout sans difficulté, ce qu'il fit sur-le-champ, imité par Mary. Suie, qui assistait à la représentation, en fut tout troublé. Il quitta sa branche et n'arrivant pas à les imiter lui aussi, il se mit à sautiller inlassablement autour d'eux.

Désormais, la culture physique fit partie du programme de leurs journées, au même titre que la magie. Colin et Mary furent bientôt capables de faire de plus en plus d'exercices à chaque séance, ce qui leur donnait un appétit si féroce qu'ils auraient été perdus sans le panier que Dickon déposait chaque matin derrière le buisson de roses. Et grâce au four de campagne et aux gentillesses de Mme Sowerby, ils pouvaient calmer leur faim de loup, mystifiant une fois de plus Mme Medlock, l'infirmière et le docteur Craven. Il est facile de chipoter son petit déjeuner et d'avoir l'air de dédaigner son dîner quand on est gavé de pommes de terre et de bons œufs, accompagnés de lait frais et mousseux à souhait, sans parler des gâteaux d'avoine, des brioches, du miel de bruyère et de la crème fouettée.

— Ils ne mangent presque plus rien, disait l'infirmière. Si on n'arrive pas à les convaincre

de s'alimenter, ils vont mourir d'inanition. Comment font-ils pour avoir si bonne mine?

— Allez, s'indignait Mme Medlock. Ces enfants me feront mourir à petit feu. Ce sont de jeunes démons. Un jour, ils vont dévorer à en faire craquer leur ceinture; le lendemain, ils n'accorderont pas un regard aux meilleurs plats que la cuisinière aura préparés. Hier, ils n'ont pas pris une seule bouchée de ce délicieux faisan en sauce, et la cuisinière avait inventé un nouveau pudding spécialement pour eux. Eh bien, il est revenu tel quel à la cuisine. Elle en pleurait presque. Elle a peur qu'on l'accuse de les avoir laissés mourir de faim.

Le docteur Craven vint voir Colin et l'examina longuement et attentivement. Il prit un air extrêmement soucieux quand l'infirmière lui montra le plateau du petit déjeuner quasiment intact qu'elle avait conservé pour le lui faire voir. Mais il parut encore plus ennuyé quand, une fois assis près du divan de Colin, il procéda à son auscultation. Il avait dû se rendre à Londres pour affaires et cela faisait deux bonnes semaines qu'il n'avait pas vu le jeune garçon. Quand les enfants retrouvent la santé, les progrès sont très rapides. Colin avait perdu son teint d'ivoire et prenait de belles couleurs roses. Ses yeux n'étaient plus aussi sombres et son visage s'était rempli. Ses cernes avaient disparu, et ses joues et ses tempes n'étaient plus aussi creuses. Les lourdes boucles de ses cheveux noirs paraissaient plus saines et plus vigoureuses qu'autrefois et ne pendaient plus tristement sur son front. Ses lèvres avaient pris une teinte naturelle et étaient devenues plus charnues. En fait, il n'était guère convaincant dans son rôle de pauvre petit infirme. Le docteur Craven se tenait le menton et réfléchissait à son cas.

— Je suis désolé d'apprendre que vous ne mangez rien, dit-il. Ce n'est pas bien. Vous allez perdre tout ce que vous avez repris. Pourtant, vous aviez grossi de façon spectaculaire. Vous aviez si bon appétit, il y a quelque temps.

— Je vous avais bien dit que ce n'était pas naturel, répondit Colin.

Mary était assise sur son tabouret, près d'eux, et émit alors un son très étrange qu'elle tenta de réprimer si violemment qu'elle faillit s'étrangler.

— Que vous arrive-t-il? demanda le docteur Craven en se tournant vers elle.

— Quelque chose s'est coincé dans ma gorge, répliqua-t-elle avec une dignité pleine de reproches, et je crois que j'ai éternué et toussé tout en même temps.

— C'était plus fort que moi, expliqua-t-elle par la suite à Colin. J'ai failli éclater de rire en me rappelant tout à coup comment tu as englouti la dernière pomme de terre et la tête que tu faisais en dévorant cette énorme tartine débordant de crème et de confiture...

— Pensez-vous que ces enfants aient trouvé un moyen de se nourrir en cachette? s'enquit le docteur Craven auprès de Mme Medlock.

— Je ne vois pas comment, à moins de creuser la terre ou de faire la cueillette sur les arbres, répondit Mme Medlock. Ils passent leurs journées dehors seuls tous les deux. Et s'ils ont envie de manger quelque chose d'autre, ils n'ont qu'à le demander.

— Eh bien, dit le docteur Craven, tant qu'ils continuent à bien se porter, il est inutile de s'inquiéter parce qu'ils ne mangent pas. Le petit est complètement transformé.

— La petite aussi, ajouta la gouvernante. Elle est presque jolie maintenant qu'elle s'est remplumée et a perdu son vilain petit air revêche. Ses cheveux ont épaissi et sont devenus plus sains et elle a une mine superbe. C'était vraiment l'enfant la plus maussade et maladive que j'aie jamais vue, et voilà que maintenant, M. Colin et elle rient comme des fous tous les deux. C'est peut-être de cela qu'ils vivent.

— Peut-être, répondit le docteur. Eh bien, qu'ils s'amusent!

CHAPITRE 25

LE RIDEAU

Le jardin secret croulait sous les fleurs qui jaillissaient de partout, et tous les jours, il s'y passait de nouveaux miracles. Il y avait des œufs dans le nid du rouge-gorge et sa compagne les couvait, les tenant bien au chaud sous son petit poitrail duveteux et ses ailes protectrices. Au début, elle était très nerveuse et le rouge-gorge lui-même était extrêmement vigilant. Même Dickon n'approchait pas, à ce moment-là, du taillis où nichait le couple d'oiseaux, mais attendait que les deux rouges-gorges aient saisi le message qu'il semblait leur avoir mystérieusement adressé pour leur faire comprendre que tout dans le jardin s'accordait avec eux pour partager la solennelle beauté, la terrible tendresse et l'immense bonheur de la couvée. Qu'une seule personne au jardin ne sût pas au plus profond d'elle-même que si un œuf disparaissait ou était cassé, le monde entier se mettrait à tourner de travers pour s'abîmer dans l'espace avant d'être complètement anéanti — qu'une seule personne, donc, l'ignorât et fît comme si de rien n'était, et le bonheur aurait cessé d'exister, même pendant ces jours bénis du printemps. Mais tous en étaient bien conscients, et le rouge-gorge et sa compagne ne tardèrent pas à s'en rendre compte.

Au début, le rouge-gorge observa Mary et Colin d'un air inquiet. Il savait, pour une raison inconnue, qu'il n'avait pas à se méfier de Dickon. Au premier regard, il avait compris qu'il ne s'agissait pas d'un étranger, mais plutôt d'une sorte de rouge-gorge comme lui, mais sans bec, ni plumes. Le petit paysan parlait à l'oiseau dans sa langue (qui n'est pas celle de tout le monde). Et parler à un rouge-gorge dans sa langue, c'est comme parler français à un Français. Dickon s'adressait toujours à lui en langage rouge-gorge, aussi l'oiseau se moquait-il bien que le petit paysan parlât en charabia aux autres habitants du jardin. S'il leur parlait ainsi, c'est qu'ils ne devaient pas être assez intelligents pour comprendre le langage des oiseaux. Dickon se mouvait aussi comme un rouge-gorge. Il n'avait jamais de gestes brusques qui surprennent ou paraissent effrayants ou menaçants. Le premier rouge-gorge venu comprenait Dickon; aussi sa présence n'était-elle pas gênante.

Mais, les premiers jours, il lui parut nécessaire de se méfier des deux autres enfants. Tout d'abord, le garçon n'entrait pas dans le jardin sur ses deux jambes, mais dans une machine à roues, avec des peaux de bêtes sauvages sur les genoux. Cela seul suffisait à le rendre suspect. Puis, le jour où il commença à se lever et à marcher, il le fit d'une façon étrange et inhabituelle. Il semblait avoir besoin d'aide. Le rouge-gorge se dissimulait dans un taillis et l'observait anxieusement, penchant la tête d'un côté, puis de l'autre. L'oiseau se disait que le garçon avançait lentement parce qu'il se préparait peut-être à bondir comme un chat. Quand les chats s'apprêtent à sauter sur leur proie, ils ont une façon très lente de ramper sur le sol. Pendant quelques jours, le rouge-gorge en parla longuement à sa compagne, mais très vite, il décida de ne plus lui en dire un mot, car le sujet l'effrayait tellement qu'il craignit pour les œufs.

Lorsque le garçon commença à marcher seul et de plus en plus vite, le couple d'oiseaux se sentit soulagé. Mais pendant encore longtemps — du moins, c'est ce qu'il parut au rouge-gorge — ils s'en méfièrent. L'étrange garçon ne se conduisait pas comme les autres humains. Il semblait beaucoup aimer la marche, mais il avait une façon déconcertante de s'asseoir ou de s'allonger pendant un instant avant de se remettre en route.

Un jour, le rouge-gorge se rappela qu'il avait, lui aussi, eu de ces mouvements désordonnés quand ses parents lui avaient appris à voler. Il faisait de petits bonds de quelques mètres, puis s'arrêtait pour se reposer. C'est ainsi qu'il comprit que le garçon devait apprendre à voler — ou plutôt à marcher. Il fit alors part de sa découverte à sa compagne et quand il lui expliqua que ses petits se conduiraient sans doute de la même façon, elle se sentit rassurée et commença à s'intéresser sérieusement au jeune garçon qu'elle observait avec grand plaisir du haut de son nid — intimement persuadée, malgré tout, que sa couvée serait certainement plus débrouillarde et apprendrait plus vite que le petit homme. Mais, pleine d'indulgence, Mme Rouge-Gorge reconnut que les hommes étaient toujours plus maladroits et plus lents que les oiseaux et que la plupart ne semblaient même pas chercher à apprendre à voler. D'ailleurs, on n'en voyait jamais en haut des arbres, ni dans les airs.

Au bout d'un certain temps, l'étrange garçon se mit à marcher tout comme les autres, mais alors, les trois enfants se livrèrent ensemble à une activité inhabituelle. Ils allaient sous les arbres et bougeaient les bras et les jambes, mais ce n'était ni pour s'asseoir, ni pour marcher ou courir. Ils faisaient ces mouvements à intervalles réguliers dans la journée, et le rouge-gorge était incapable d'expliquer à sa compagne ce qu'ils faisaient ou cherchaient à faire. La seule chose dont il était certain, c'est que jamais ses petits ne se conduiraient ainsi. Mais étant donné que le garçon qui parlait couramment rouge-gorge s'agitait de la même façon que les autres, les oiseaux pouvaient être assurés que cette activité n'avait rien de dangereux pour eux. Evidemment, ni le rouge-gorge ni sa compagne n'avaient jamais entendu parler de Bob Haworth, le champion de lutte, ni des exercices qu'il préconisait pour obtenir de beaux muscles saillants. Les rouges-gorges ne sont pas comme les hommes. Dès la naissance, ils font travailler tous leurs muscles qui se développent de manière tout à fait naturelle et continue. Quand pour chaque repas, il faut voler de-ci de-là pour trouver de quoi se nourrir, les muscles n'ont pas le temps de s'atrophier.

Quand le garçon fut capable de marcher et de courir, jardinant comme les autres et arrachant les mauvaises herbes, la paix et la joie revinrent chez les rouges-gorges. La crainte qu'ils avaient éprouvée pour leurs œufs devenait de l'histoire ancienne. Quand on sait que ses œufs ne risquent pas plus que s'ils étaient enfermés dans un coffre-fort et qu'on a en permanence un spectacle aussi étonnant sous les yeux, la couvaison devient une activité des plus agréables. Les jours de pluie, il arrivait même à la future maman rouge-gorge de s'ennuyer un peu parce que les enfants ne venaient pas au jardin.

Mais même quand il pleuvait, Colin et Mary n'avaient pas le temps de s'ennuyer, eux. Un matin où la pluie ne cessait de tomber à verse et que Colin commençait à s'énerver quelque peu, obligé qu'il était de rester sur son divan et de ne pas en bouger pour ne pas attirer l'attention, Mary eut une idée lumineuse.

— Maintenant que je suis guéri, lui avait dit Colin, je sens qu'il y a tellement de magie dans mes bras et dans mes jambes que je n'arrive pas à tenir en place. J'ai tout le temps envie de bouger. Tu sais, Mary, quand je m'éveille le matin, au lever du jour, au moment où les oiseaux commencent tout juste à chanter et que le monde entier semble éclater de joie — même les arbres et toutes les choses que nous ne pouvons pas vraiment entendre — j'ai une envie terrible de bondir hors du lit et de me mettre à crier, moi aussi. Et que se passerait-il si on me voyait, tu te rends compte!

Mary en gloussa de rire.

— L'infirmière viendrait en courant, et Mme Medlock aussi. Toutes les deux seraient persuadées que tu es devenu fou et elles enverraient chercher le docteur Craven, dit-elle.

Colin éclata de rire à son tour. Il imaginait la figure qu'ils feraient tous, horrifiés par son éclat et stupéfaits de le voir sur ses jambes.

— J'aimerais que mon père revienne maintenant, dit Colin. Je veux lui annoncer la bonne nouvelle. J'y pense tout le temps, car nous n'allons pas pouvoir continuer ce petit jeu éternellement. J'en ai assez d'être allongé et de jouer la comédie, et d'ailleurs j'ai trop changé. Ah! Pourquoi pleut-il aujourd'hui?

Ce fut cette dernière réflexion qui inspira subitement Mary. Elle prit un air mystérieux et lui dit :

— Colin, sais-tu combien il y a de pièces dans cette maison?

— Un bon millier, je suppose, lui répondit-il.

— Il y en a une centaine où personne ne va jamais, précisa Mary. Un jour qu'il pleuvait, je suis allée les visiter. Personne ne l'a su, bien que Mᵐᵉ Medlock ait failli me découvrir. Je me suis perdue en revenant, et je m'étais arrêtée juste au bout du couloir qui mène à ta chambre. C'est à ce moment-là que je t'ai entendu pleurer pour la deuxième fois.

Colin se redressa sur son divan.

— Une centaine de pièces où personne ne va jamais, répéta-t-il. Cela fait presque penser à un jardin secret. Si nous allions les visiter? Tu pourrais pousser mon fauteuil, ainsi personne ne saurait où nous allons.

— C'est exactement ce que je pensais, dit Mary. Personne n'osera nous suivre. Tu pourrais courir dans les galeries et nous pourrions même faire notre gymnastique. Je connais un petit salon meublé à l'indienne où il y a une vitrine remplie d'éléphants en ivoire. Il y a des pièces de toutes sortes.

— Tu veux bien sonner, Mary? dit Colin.

Quand l'infirmière entra, Colin lui donna ses instructions.

— Qu'on amène mon fauteuil roulant, dit-il. Mademoiselle Mary et moi allons visiter la partie de la maison qui n'est pas habitée. John poussera mon fauteuil jusqu'à la galerie de

tableaux parce qu'il y a des escaliers. Ensuite, il nous laissera et ne reviendra nous chercher qu'au moment où je l'appellerai.

A partir de ce matin-là, les jours de pluie cessèrent d'être synonymes d'ennui mortel. Quand le valet de pied eut amené le fauteuil jusqu'à la galerie de tableaux et les eut laissés tous les deux, comme on le lui avait demandé, Colin et Mary échangèrent un regard ravi. Dès que Mary se fut assurée que John avait bien regagné l'office du rez-de-chaussée, Colin sortit de son fauteuil.

— Je vais aller jusqu'au bout de la galerie et revenir en courant, dit-il. Ensuite, je vais sauter en hauteur, et après, nous ferons les exercices de Bob Haworth.

Et ils suivirent ce programme et firent beaucoup d'autres choses encore. Ils regardèrent les portraits et découvrirent celui de la petite fille laide vêtue de brocart vert, qui avait un perroquet perché sur la main.

— Tous ces portraits doivent représenter des membres de ma famille, expliqua Colin. Ils sont morts depuis longtemps. La petite fille au perroquet est une de mes arrière-arrière-arrière-grands-tantes, je crois. Elle te ressemble un peu, Mary. Pas telle que tu es maintenant, mais telle que tu étais en arrivant ici. Depuis, tu as bien grossi et tu as meilleure mine.

— Toi aussi, dit Mary, et ils rirent en même temps.

Les deux enfants allèrent dans le salon indien et jouèrent avec les éléphants d'ivoire. Ils trouvèrent le boudoir aux murs tendus de brocart rose, et le coussin troué où nichaient la souris et ses six petits. Mais les souris avaient grandi et déserté l'endroit. Colin et Mary virent un grand nombre de pièces et firent plus de découvertes que la fillette n'en avait fait à sa première visite. Dévalant les escaliers, ils découvrirent de nouveaux couloirs qui menaient à des pièces qu'ils ne connaissaient pas encore et ils explorèrent de nouveaux réduits remplis de vieux tableaux et de vieux objets biscornus dont ils ignoraient l'utilité. Comme la matinée fut étrange et distrayante, et comme c'était fascinant de pouvoir se promener dans une maison habitée avec le sentiment d'être seul à l'autre bout du monde!

— Tu as eu une excellente idée, dit Colin. J'ignorais complètement que je vivais dans une vieille maison aussi immense et aussi bizarre. Cela me plaît. Nous reviendrons chaque fois qu'il pleuvra. Nous n'avons pas fini de faire des découvertes.

Ce matin-là, les deux enfants eurent tellement faim qu'en revenant dans la chambre de Colin, ils furent incapables de renvoyer leur déjeuner sans y toucher.

Quand l'infirmière descendit le plateau du déjeuner à l'office, elle le déposa bruyamment sur la desserte pour attirer l'attention de la cuisinière sur les assiettes et les plats complètement vides.

— Regardez-moi ça! dit-elle. Cette maison est pleine de mystères, et le plus grand, c'est encore ces deux enfants!

— S'ils dévorent comme ça tous les jours, dit John le valet de pied, qui était jeune et fort, ça ne m'étonne pas que M. Colin pèse deux fois plus aujourd'hui que le mois dernier. Si ça continue, il va falloir que je songe à donner mon congé d'ici peu, sinon je vais finir par me claquer un muscle!

L'après-midi, Mary remarqua que quelque chose avait changé dans la chambre de Colin. Elle s'en était déjà aperçue la veille, mais s'était dit que la chose était peut-être due au hasard. Elle ne dit rien, mais se contenta de rester assise et de fixer le tableau qui se trouvait au-dessus de la cheminée. Le rideau était tiré. Voilà le changement qu'elle avait observé.

— Je sais ce que tu veux me faire dire, déclara Colin au bout de quelques minutes. Je sais toujours quand tu veux que je t'explique quelque chose. Tu te demandes pourquoi le rideau est tiré. Parce que j'ai décidé qu'il resterait ainsi.

— Et pourquoi cela? lui demanda Mary.

— Parce que cela ne me met plus en colère de voir le sourire de maman. Il y a deux jours, je me suis réveillé au milieu de la nuit. C'était la pleine lune et j'avais l'impression que la chambre tout entière était illuminée par la magie. Tout était si beau que je ne tenais plus en place. Je me suis levé et suis allé à la fenêtre. La pièce était comme éclairée et un rayon de lune tombait juste sur le rideau, et pour une raison inconnue, je me suis approché et j'ai tiré le cordon. Maman me regardait comme si elle riait parce qu'elle était heureuse de me voir debout. C'est pour cette raison que j'aime la regarder, maintenant. Je veux tout le temps la voir rire comme cela. Elle devait être aussi un peu magicienne, à mon avis.

— Tu lui ressembles tellement maintenant, dit Mary, qu'il m'arrive de penser qu'elle revit en toi.

Cette idée parut impressionner Colin. Il y réfléchit avant de répondre d'une voix lente.

— Si c'était vrai, je crois que mon père m'aimerait, finit-il par dire.

— Tu serais content qu'il t'aime?

— Je détestais ce tableau, parce qu'il ne m'aimait pas. S'il venait à m'aimer, je crois que je lui parlerais de la magie. Cela chasserait peut-être ses idées noires.

CHAPITRE 26

« C'EST MA MÈRE »

La foi des enfants en la magie croissait de jour en jour. Après les incantations du matin, Colin faisait quelquefois une conférence sur le sujet.

— J'aime bien cela, expliquait-il à ses amis, parce que, quand je serai grand et que je ferai d'importantes découvertes scientifiques, il faudra que je donne des conférences. Alors, je m'entraîne déjà. Pour le moment, je ne suis pas capable de parler pendant longtemps, parce que je suis encore jeune. Et puis d'ailleurs, Ben Weatherstaff finirait par se croire à l'église et risquerait de s'endormir.

— Ce qui me plaît bien dans les discours, déclara Ben, c'est qu'un bonhomme n'a qu'à se lever pour dire ce qui lui passe par la tête sans que personne puisse lui répondre. Je ferais bien un petit brin de conférence de temps à autre, moi aussi.

Mais quand Colin se tenait sous un arbre, le

vieux Ben n'avait d'yeux que pour lui, le détaillant de la tête aux pieds et le jugeant d'un regard qui ne manquait pas d'affection. Ce n'était pas tant la conférence qui intéressait le jardinier, mais plutôt les jambes de Colin qui s'affermissaient de jour en jour. L'enfant tenait la tête bien droite. Son petit menton autrefois pointu s'était adouci et ses joues n'étaient plus creuses, mais toutes rondes. Dans ses yeux, brillait la même lueur qui animait ceux de la dame que Ben avait servie jadis. Quand Colin voyait au regard sérieux de Ben que ce dernier était impressionné, le garçon se demandait à quoi le jardinier pouvait bien penser, et un jour où le vieil homme avait paru particulièrement fasciné, il l'interrogea :

— A quoi pensez-vous, Ben Weatherstaff? lui demanda-t-il.

— J'étais en train de me dire, répondit Ben, que tu avais sûrement pris au moins trois ou quatre livres, cette semaine. Ça se voit à tes mollets et à tes épaules. Je serais curieux de savoir combien tu pèses.

— C'est grâce à la magie, et aussi grâce à Mme Sowerby qui nous donne des brioches, du lait et bien d'autres gourmandises. Comme vous le constatez, l'expérience scientifique a réussi.

Ce matin-là, Dickon arriva en retard et manqua la conférence de Colin. Le petit paysan était tout rouge d'avoir couru et son curieux visage était encore plus rubicond que d'habitude. Comme il y avait beaucoup de désherbage à faire après les pluies, les enfants se mirent tout de suite au travail. Ils avaient toujours fort à faire après une bonne période de pluie chaude. L'humidité qui réussissait tant aux fleurs, faisait également pousser les mauvaises herbes, et il valait mieux arracher tout de suite ces vilaines intruses avant que leurs racines ne soient trop vigoureuses. Cette activité convenait parfaitement à Colin qui pouvait discourir tout en travaillant.

— La magie est plus efficace quand on travaille soi-même, déclara-t-il ce matin-là. On ressent son effet jusque dans ses muscles et ses os. Plus tard, je lirai des traités d'anatomie, mais c'est sur la magie que j'écrirai un livre. J'y pense déjà, je n'arrête pas de faire des découvertes.

Ce fut peu de temps après avoir prononcé ces paroles que Colin, laissant tomber son plantoir, se mit soudain debout. Il se taisait depuis quelques minutes, et Dickon et Mary avaient compris qu'il était en train de préparer un discours, comme il avait l'habitude de le faire. Lorsqu'il lâcha son outil pour se dresser d'un bond, il leur sembla que Colin obéissait à une inspiration subite. Il se redressa de toute sa taille et, exultant, leva les bras au ciel. Son visage avait pris des couleurs et la joie faisait paraître encore plus grands ses yeux étranges. D'un seul coup, il venait de prendre pleinement conscience d'un fait capital.

— Mary! Dickon! s'écria-t-il. Regardez-moi!

Les deux enfants interrompirent leur travail et se tournèrent vers lui.

— Vous rappelez-vous le premier matin où vous m'avez amené ici? demanda-t-il.

Dickon le fixait intensément. Ses dons de magicien lui permettaient de voir des choses que la majorité des gens ne remarquaient pas, mais la plupart du temps, il n'en parlait pas. En ce moment, il comprenait parfaitement ce que ressentait Colin.

— Pour sûr que oui, répondit-il.

Mary avait aussi les yeux fixés sur Colin, mais elle ne disait rien.

— A l'instant, dit Colin, je viens de m'en souvenir brusquement, quand j'ai compris que je travaillais la terre de mes propres mains. Et je n'ai pas pu m'empêcher de bondir sur mes pieds pour vérifier que ce n'était pas un rêve. Et je ne rêve pas. Je suis guéri, je suis guéri!

— Ça, c'est bien vrai, affirma Dickon.

— Je suis guéri, je suis guéri! répéta Colin, et le rouge envahit son visage.

Il s'en était douté d'une certaine façon. Il avait mis tous ses espoirs dans sa guérison qu'il avait sentie venir sans jamais cesser d'y penser, mais à l'instant même, la certitude d'être guéri s'était imposée à lui avec une force si impétueuse qu'il ne put s'empêcher de s'exclamer :

— Je vivrai pendant des siècles, des siècles et des siècles, déclara-t-il d'un ton solennel. Je vais faire des milliers de découvertes dans tous les domaines, sur les hommes, les animaux et les plantes, comme Dickon. Et jamais je ne cesserai de pratiquer la magie. Je suis guéri, je suis guéri! Je sens, je sens que j'ai envie de crier, pour exprimer mon bonheur et ma reconnaissance.

Ben Weatherstaff, qui travaillait près d'un buisson de roses, se tourna vers lui.

— T'as qu'à chanter le Gloria, grogna-t-il, plus bourru que jamais.

Ben n'était pas un paroissien modèle, mais il n'avait mis aucun irrespect dans sa proposition.

Cependant, Colin, qui avait l'esprit curieux, ignorait tout du Gloria.

— Qu'est-ce que c'est? demanda-t-il.

— Je suis sûr que Dickon peut te le chanter, répondit Ben.

Dickon, souriant comme il le faisait pour apprivoiser les animaux, lui expliqua.

— On l' chante à l'église, dit-il. Ma mère dit que c'est la même chose que c' que chantent les alouettes, au lever du jour.

— Alors, cela doit être un beau chant, répon-

dit Colin. Je ne suis jamais allé à l'église parce que j'étais toujours trop malade. Chante-le-nous, Dickon. Cela me ferait plaisir.

Dickon ne se fit pas prier. Il comprenait ce que Colin ressentait mieux que Colin lui-même. Il avait une sorte d'instinct naturel pour ce genre de choses. Otant sa casquette, il regarda autour de lui, souriant toujours.

— Faut enlever ton chapeau, dit-il à Colin, et vous aussi, Ben, et puis faut vous lever.

Colin se mit tête nue, et sous son abondante chevelure, il ne tarda pas à ressentir la chaleur du soleil. Il regardait Dickon avec une attention soutenue. Ben se mit péniblement debout et se découvrit à son tour, avec un air mi-bougon, mi-étonné, comme s'il ne savait pas très bien pourquoi il obéissait à cette curieuse injonction.

Et au beau milieu des arbres et des fleurs, Dickon se mit à chanter avec une grande simplicité, d'une belle voix claire et distincte :

Gloire à Dieu au plus haut des cieux
Et Paix sur la terre aux hommes qu'il aime.
Nous te louons, nous te bénissons, nous t'adorons,
Nous te glorifions, nous te rendons grâce pour ton
immense gloire,
Seigneur Dieu, Roi du Ciel, Dieu le Père tout
puissant.
Amen.

Quand Dickon eut fini, Ben Weatherstaff resta un moment sans bouger et ne desserra pas les lèvres, tout en gardant les yeux fixés sur Colin. L'enfant semblait songeur et ému.

— Quel beau cantique, dit-il. Il exprime exactement ce que je ressens quand j'ai envie de clamer ma reconnaissance à la magie.

S'interrompant un instant, il réfléchit, perplexe.

— C'est aussi un chant de bonheur. Recommence, Dickon. Mary, essayons de nous joindre à lui. Je veux chanter, moi aussi. Ce cantique est fait pour moi. Répète-moi le premier vers : « Gloire à Dieu au plus haut des cieux. » C'est bien cela?

Et ils chantèrent à l'unisson, Mary et Colin prenant leur plus belle voix pour accompagner Dickon dans un doux flot de notes mélodieuses. Dès le second vers, Ben s'éclaircit la gorge, et au troisième vers, il les soutint avec une force presque sauvage. Quand ils eurent lancé l' « Amen », Mary remarqua que Ben était aussi ému que le jour où il avait découvert que Colin n'était pas infirme. Son menton tremblait, et il clignait des yeux en regardant fixement devant lui. Des larmes roulaient sur ses vieilles joues tannées.

— Je n'ai jamais compris ce que voulait dire le Gloria avant ce jour, prononça-t-il d'une voix rauque, mais il n'est jamais trop tard pour comprendre. Tu as pris au moins cinq livres, cette semaine, mon petit bonhomme!

Soudain, des pas attirèrent l'attention de Colin de l'autre côté du jardin.

— Qui va là? dit-il aussitôt, alarmé. Qui est-ce?

Poussant doucement la porte enfouie sous le lierre, une femme venait d'entrer dans le jardin. Elle était arrivée juste au moment où ils finissaient de chanter et elle les avait écoutés sans bouger. Dans la lumière du soleil qui passait sous les arbres, sa silhouette enveloppée d'une longue cape bleue se détachait sur le mur de feuillage et son frais visage souriant leur apparut au milieu de la verdure. Elle ressemblait à une de ces magnifiques illustrations aux couleurs douces que Colin aimait regarder dans ses livres. Elle avait de beaux yeux aimants qui semblaient capables de tout comprendre, tout ce qui pousse et qui vit, les enfants, et même Ben Weatherstaff, et les animaux et toutes les fleurs. Bien qu'on ne l'attendît pas, ce n'était pas une intruse. En la voyant, les yeux de Dickon se mirent à étinceler.

— C'est ma mère! Voilà qui c'est! s'écria-t-il, et il traversa l'herbe pour aller à sa rencontre en courant.

Colin, accompagné de Mary, se dirigea également vers elle. Tous deux avaient le cœur battant.

— C'est ma mère, répéta Dickon, quand ils se rencontrèrent. J' savais bien que vous aviez envie d' la voir ; alors, j' lui ai dit où était la porte du jardin.

Rougissant de timidité, Colin tendit la main à Mme Sowerby. Il la dévorait des yeux.

— Même quand j'étais malade, je rêvais de vous connaître, dit-il, vous, et Dickon, et le jardin secret. Jamais je n'avais eu envie de connaître quelqu'un ou quelque chose, auparavant.

L'expression de Mme Sowerby se modifia brusquement lorsqu'elle vit les yeux de Colin levés vers elle. Elle rougit, ses lèvres tremblaient légèrement, tandis que son regard se brouillait.

— Ah, mon cher petit, s'exclama-t-elle, tout émue. Ah, mon cher petit, ne put-elle s'empêcher de répéter impulsivement.

Elle ne dit pas « Monsieur Colin », mais simplement « mon petit », comme elle l'aurait fait pour Dickon si elle avait vu sur son visage quelque chose qui l'émeuve. Colin en fut touché.

— Etes-vous étonnée de me voir bien portant ? demanda-t-il.

Elle posa la main sur son épaule et son regard retrouva toute sa clarté.

— Ah, pour ça oui, dit Mme Sowerby. Tu

ressembles tellement à ta mère que j'en suis toute retournée.

— Pensez-vous, dit un peu gauchement Colin, que cela incitera mon père à m'aimer?

— Pour sûr, mon cher petit, répondit-elle en lui tapotant légèrement l'épaule. Il faut qu'il revienne, maintenant. Il faut qu'il revienne.

— Susan Sowerby, dit Ben Weatherstaff, s'approchant d'elle, vous avez vu ses jambes? Vous avez vu? Il y a deux mois, elles étaient maigres comme des baguettes de tambour, et on disait partout qu'il avait les jambes arquées et cagneuses tout à la fois. Regardez-moi ça, maintenant!

Susan Sowerby eut un rire réconfortant.

— Ce garçon aura bientôt de bonnes jambes, bien solides, dit-elle. Qu'il continue à jouer et à travailler au jardin et qu'il mange à sa faim et se régale de bon lait frais, et ce s'ra bientôt la plus solide paire de jambes de tout le Yorkshire, grâce à Dieu!

Prenant alors Mary par les épaules, elle examina son petit visage d'un regard maternel.

— Et toi aussi, ajouta-t-elle. Tu es presqu'aussi grande que ma Lizabeth Ellen. Je suis sûre que tu vas ressembler à ta mère, toi aussi. D'après Martha, Mme Medlock a dit que c'était une jolie femme. Tu vas devenir une vraie rose, ma petite fille. Que Dieu te bénisse!

En fait, quand Martha était venue passer son jour de congé au cottage, elle avait décrit à sa famille la petite fille ingrate et revêche qui arrivait des Indes. Elle avait alors avoué qu'elle ne pouvait pas croire ce que racontait Mme Medlock.

— C'est pas possible qu'une jolie femme ait mis au monde un tel laideron, avait-elle ajouté, l'air buté.

Mais cela, la bonne Mme Sowerby se garda bien de le rapporter à la fillette.

Mary n'avait pas le temps de prêter grande attention à sa propre transformation. Elle savait seulement qu'elle avait un air « différent », et que ses cheveux semblaient s'être épaissis et poussaient plus vite. Mais se rappelant le plaisir qu'elle avait éprouvé à contempler sa mère, elle était heureuse d'apprendre qu'elle pourrait lui ressembler un jour.

Les enfants firent le tour du jardin avec Mme Sowerby, lui racontant toute son histoire, s'arrêtant devant le moindre rosier et lui montrant tous les arbres et toutes les plantes qui y poussaient. Colin marchait à sa droite, Mary à sa gauche. Tous les deux étaient tout surpris de se sentir si heureux en sa présence et ne quittaient pas des yeux son visage avenant au teint rose. On aurait dit qu'elle les comprenait, comme Dickon comprenait ses animaux. Elle se penchait sur les fleurs et parlait d'elles comme si c'étaient des enfants. Le corbeau la suivait et lui croassa deux ou trois fois quelque chose à l'oreille, voletant au-dessus de son épaule, comme il avait l'habitude de le faire avec Dickon. Quand les enfants lui parlèrent du rouge-gorge et de ses petits qui apprenaient à voler, Mme Sowerby eut un petit rire charmant.

— Je suppose que c'est aussi difficile que d'apprendre à marcher à des enfants, mais moi, je serais morte de peur si mes petits avaient des ailes, dit-elle.

La simplicité toute rustique de cette femme merveilleuse inspirait une telle confiance aux enfants qu'ils finirent par lui parler de la magie.

— Croyez-vous à la magie? lui demanda Colin après lui avoir parlé des fakirs des Indes. J'espère que oui.

— Bien sûr, mon petit, répondit-elle. Je ne savais pas que ça s'appelait ainsi, mais je connais bien la chose. Ça porte un autre nom en France, et en Allemagne aussi. Mais c'est bien la même chose qui fait que les plantes poussent et que le soleil brille et que tu as retrouvé la santé. Et c'est une chose bénéfique. Peu importe le nom qu'on lui donne. Ça lui est bien égal et ça l'empêche pas de mettre de la vie partout, dans des millions de mondes. Que Dieu te bénisse. Il ne faut pas cesser de croire à la magie, mon

petit, et de se dire que le monde en est plein. Tu peux appeler ça comme il te plaît. C'est bien en l'honneur de cette bonne et grande chose que vous chantiez quand je suis entrée dans le jardin?

— Je me suis senti tellement joyeux, lui expliqua Colin, levant vers elle ses yeux étranges et magnifiques, quand j'ai compris soudain à quel point j'avais changé. Mes jambes et mes bras ont pris tellement de force, vous savez, que je suis capable de marcher et de jardiner, maintenant. Alors, je n'ai pas pu m'empêcher de bondir d'allégresse et de crier mon bonheur à qui voulait l'entendre.

— La magie a dû vous entendre chanter le Gloria, mais n'importe quel autre chant aurait fait l'affaire. Ce qui compte, c'est votre joie à tous. Ah! Mon cher petit! Ce qui vous rend joyeux n'a pas besoin de nom.

Et, de nouveau, elle lui tapota l'épaule.

Ce matin-là, Mme Sowerby avait préparé un véritable festin pour les enfants et quand ils commencèrent à avoir faim, Dickon alla chercher le panier de provisions dans la cachette habituelle. Sa mère s'assit avec eux sous leur arbre et les regarda dévorer les bonnes choses qu'elle avait apportées, riant de leur appétit qui la mettait en joie. C'était une femme pleine de drôlerie, et elle les fit tous rire en leur racontant toutes sortes d'histoires. Elle leur parla en patois et leur apprit des mots nouveaux. A son tour, elle ne put s'empêcher de rire quand les enfants lui révélèrent qu'il était de plus en plus difficile à Colin de continuer à feindre et de jouer les pauvres petits infirmes.

— Vous comprenez, lui expliqua Colin, dès que nous sommes ensemble, nous ne cessons pratiquement pas de rire. Et c'est difficile de passer pour un malade dans ces conditions. C'est plus fort que nous, et quand nous essayons de nous retenir, c'est encore pire.

— Il y a une pensée qui me trotte souvent dans la tête, ajouta Mary, et quand j'y songe, j'ai du mal à maîtriser mon fou-rire. Supposez que Colin ait une tête de pleine lune. Ce n'est pas encore le cas, mais comme il grossit de jour en jour... Alors, si un matin il se réveillait avec une face de lune, je me demande ce que nous ferions.

— Dieu soit loué, je vois que vous avez fort à faire pour tromper votre monde, dit Mme Sowerby. Mais ça ne durera plus très longtemps, maintenant. M. Craven va bientôt revenir.

— Vous croyez? demanda Colin. Qu'est-ce qui vous le fait penser?

Susan Sowerby eut un petit rire entendu.

— Je suppose que ça te briserait le cœur que ton père apprenne la bonne nouvelle avant que tu aies eu le temps de la lui annoncer toi-même, dit-elle. Tu dois souvent y penser, la nuit.

— Je ne supporterais pas que ce soit quelqu'un d'autre qui le mette au courant, déclara Colin. Chaque jour, j'imagine de nouvelles manières de lui dire la vérité. En ce moment, je me dis que je me contenterai d'entrer en courant dans son bureau.

— Il sera drôlement surpris, dit Mme Sowerby. J'aimerais être là pour voir sa tête, mon petit. Quelle scène! Il faut qu'il revienne, oui, absolument!

Puis, on parla de la visite que les enfants comptaient faire prochainement au cottage. Le programme de la journée fut soigneusement établi : traversée de la lande en voiture et déjeuner en plein air parmi les bruyères. Ils feraient la connaissance des douze enfants de Mme Sowerby, puis visiteraient le jardin de Dickon, et enfin, ils rentreraient au manoir, morts de fatigue.

Mme Sowerby finit par se lever pour aller voir Mme Medlock. Pour Colin, c'était également l'heure de rentrer à la maison. Mais avant de monter dans son fauteuil, il s'approcha de la mère de Dickon et, la regardant avec des yeux remplis d'adoration, il la retint par un pan de sa cape et lui dit :

— Vous êtes exactement comme je vous imaginais. Ah ! Si vous pouviez être ma mère, et Dickon, mon frère !

Susan Sowerby se pencha et l'attira brusquement à elle, l'entourant affectueusement de ses bras maternels, comme s'il s'agissait de son propre fils. Elle avait le regard brouillé de larmes.

— Ah ! Mon cher enfant, dit-elle. Ta vraie mère est dans ce jardin, j'en suis sûre. Elle ne pouvait le quitter, elle l'adorait. Il faut absolument que ton père revienne, le plus tôt possible.

CHAPITRE 27

DANS LE JARDIN

Depuis que le monde est monde, chaque siècle a vu de nouvelles découvertes, et le siècle dernier a été particulièrement fertile dans ce domaine. Mais cela n'est rien en comparaison de ce que nous réserve l'époque actuelle. Face à la nouveauté, les gens ont tous la même réaction : ils commencent par refuser tout changement, niant que ce puisse être un progrès. Puis, une fois qu'ils s'y sont habitués, ils se demandent pourquoi il leur a fallu tant de temps pour en arriver là. Une des découvertes du siècle dernier concerne les pouvoirs de la pensée. On s'est alors aperçu que la pensée possédait une énergie semblable à celle de l'électricité, tantôt aussi bénéfique que les rayons du soleil, tantôt aussi maléfique que le pire des poisons. Une mauvaise pensée peut avoir des effets aussi pernicieux sur l'esprit qu'une mauvaise fièvre sur le corps humain. Et si vous ne chassez pas à temps cette intruse de votre tête, cela peut gâcher toute votre vie.

Aussi longtemps que Mary avait eu le cœur lourd de mépris et de rancœur pour le monde et les gens qui l'entouraient, refusant de se laisser séduire ou d'être passionnée par quoi que ce fût, elle avait gardé l'apparence d'une enfant maladive au teint jaune et à l'air malheureux et triste. Mais cependant, la vie allait, sans que la fillette s'en rendît compte, se montrer très généreuse à son égard. Les circonstances malheureuses qu'elle connaissait lui firent le plus grand bien. Quand Mary n'eut plus en tête que le rouge-gorge, la maisonnette sur la lande avec sa tribu d'enfants, sans oublier ce drôle de vieux jardinier bougon et la petite paysanne du Yorkshire qui lui servait de bonne, quand elle ne pensa plus qu'au jardin secret qui renaissait avec la venue du printemps, à Dickon et à ses animaux, elle n'accorda plus la moindre attention aux idées moroses qui la rendaient si bilieuse, troublaient sa digestion et lui donnaient le teint jaune et un air fatigué.

Quant à Colin, menant une vie de reclus, il avait passé des années dans la crainte, terrifié à l'idée de devenir bossu et de mourir précocement. Il haïssait les gens qui le regardaient et était devenu un petit garçon hystérique et dépressif, un demi-fou, insensible aux charmes du soleil et du printemps et qui ne savait pas qu'il lui aurait suffi de se lever pour tenir sur ses jambes et retrouver la santé. Lorsque, oubliant ses idées noires, Colin se mit à songer à la beauté des choses, il commença à revivre et à reprendre des forces. Un sang neuf coula dans ses veines. L'expérience scientifique qu'il avait tentée était d'une grande simplicité et elle n'avait rien de mystérieux. Vous seriez surpris de voir ce qui peut se produire quand, au lieu de se laisser abattre par de sombres pensées et de se laisser aller, on a le bon sens de réagir à temps et de s'armer de courage et de bonnes résolutions. Il y a un vieux dicton qui dit :

Là où tu plantes une rose, mon garçon,
Le chardon ne poussera pas.

Tandis que le jardin secret renaissait à la vie, entraînant avec lui deux enfants, un homme visitait les fjords magnifiques de la lointaine Norvège et parcourait les vallées et les montagnes de Suisse. Depuis dix ans, le cœur brisé, il avait abandonné son âme aux pensées les plus sombres. Manquant de courage, cet homme n'avait jamais essayé de chasser ses idées noires. Jusque sur les lacs bleus, il s'était laissé assiéger par ses funestes pensées, et même au cœur des montagnes, il avait contemplé la gentiane en fleurs sans jamais oublier son propre malheur.

Frappé en plein bonheur, il n'avait pas eu le courage de surmonter sa peine, oubliant ses devoirs de père et négligeant sa maison. Quand il voyageait, partout où il allait, son désespoir était tellement évident que l'air semblait s'assombrir sur son passage. La plupart des étrangers le prenaient soit pour un fou soit pour quelqu'un que sa conscience tourmentait. C'était un homme de haute taille, aux traits tirés et aux épaules voûtées. A son arrivée dans les hôtels, il inscrivait sur les registres : « Archibald Craven, Manoir de Misselthwaite, Yorkshire, Angleterre. »

Depuis le jour où il avait convoqué Mary dans son bureau et lui avait donné la permission d'avoir « un peu de terre », Archibald Craven avait accompli de nombreux et lointains voyages. Choisissant toujours les lieux les plus isolés et les plus calmes, il s'était arrêté, sans jamais s'attarder, dans les plus beaux endroits d'Europe. Du haut des sommets, au milieu des nuages, il avait contemplé les montagnes à l'aurore, quand le soleil se lève comme au premier jour du monde. Mais jamais la beauté du spectacle n'avait su l'arracher à ses sombres pensées.

Jusqu'au jour où, après dix années d'errance, M. Craven se rendit compte qu'une chose étrange se passait en lui. Il se trouvait alors dans une merveilleuse vallée du Tyrol autrichien, dans un paysage si radieux qu'on ne pouvait s'empêcher de se sentir transporté. Mais lui n'y était pas sensible. Un jour, après une longue promenade, il se sentit fatigué et s'allongea sur un tapis de mousse près d'un petit ruisseau. Suivant la pente, l'eau courait joyeusement à travers l'herbe fraîche et bondissait de pierre en pierre en un léger gazouillis. Des oiseaux venaient y boire et plongeaient la tête dans l'eau pour s'ébrouer dans une nuée de gouttelettes avant de s'envoler. Le cours d'eau semblait posséder une vie propre et son doux clapotis soulignait le silence qui régnait dans toute la vallée.

Alors qu'il contemplait le filet d'eau claire, Archibald Craven sentit peu à peu le calme de la vallée descendre en lui. Il crut qu'il s'endormait, mais il n'en était rien. Assis dans l'herbe, il regardait les reflets du soleil à la surface de l'eau et c'est alors qu'il aperçut les fleurs qui bordaient la rive. Il y avait une énorme touffe de myosotis qui poussaient si près de l'eau que leurs feuilles en étaient tout humides. Il ne se rappelait pas avoir contemplé un tel spectacle depuis bien longtemps. Tout ému, il s'émerveillait devant les centaines de petites fleurs bleues et ne se rendait pas compte que, ce faisant, les sombres pensées qui l'habitaient étaient en train de le quitter, comme balayées par un vent de printemps, comme si une source claire avait jailli dans son cœur pour chasser son profond désespoir. Mais bien sûr, il n'avait pas conscience de ce changement qui s'opérait en lui. La seule chose dont il fût conscient, c'était que le silence semblait de plus en plus profond, tandis qu'il fixait le bleu éclatant et fragile des myosotis. Assis sur son tapis de mousse, il resta longtemps immobile, ignorant le temps qui s'écoulait et ce qui se passait en lui. Mais il finit par se lever lentement comme au sortir d'un rêve. M. Craven respira longuement l'air frais et doux de la vallée et se mit à réfléchir et à se poser des questions sur lui-même. Un étrange sentiment de paix l'envahissait comme si ses tensions internes venaient de se relâcher.

— Que m'arrive-t-il? murmura-t-il en se passant la main sur le front. J'ai l'impression de revivre.

Nos connaissances actuelles sont bien trop limitées pour pouvoir expliquer un phénomène aussi étrange que celui qui se passait en Archibald Craven.

Sur l'instant, il n'y comprit rien lui-même, mais une fois de retour à Misselthwaite, plusieurs mois plus tard, il se rappela ce moment étrange et découvrit tout à fait par hasard que

438

c'était ce jour-là précisément que son fils s'était écrié en entrant dans le jardin secret : « Je vivrai pendant des siècles et des siècles. »

Jusqu'au soir, M. Craven se sentit étrangement calme, et il passa une nuit paisible. Mais cette trêve fut de courte durée, car il ignorait qu'il aurait pu conserver cette paix de l'esprit. Dès le lendemain, il laissa de nouveau cours à ses sombres pensées qui revinrent en force. Le maître de Misselthwaite quitta alors la vallée et poursuivit son voyage. Mais aussi curieux que cela lui parût, il éprouvait par moments (cela pouvait durer parfois jusqu'à une demi-heure) un étrange soulagement comme si le lourd fardeau de noires pensées qui l'accablait, le quittait pour un temps. Il avait alors la certitude d'être vivant. Et petit à petit, sans qu'il en sût la raison, M. Craven, comme le jardin, renaissait à la vie.

Lorsque l'or de l'été laissa la place aux teintes rousses de l'automne, le père de Colin se rendit au lac de Côme. Là, il vécut comme dans un rêve. Il passait ses journées sur les eaux bleues du lac ou sur les vertes collines des alentours. Il faisait de longues promenades, marchant jusqu'à la limite de ses forces dans l'espoir de trouver le sommeil. Mais déjà ses nuits étaient meilleures, il s'en rendait compte, et il ne craignait plus ses propres rêves. « Peut-être, se disait-il, ai-je repris des forces? »

En effet, il reprenait des forces, mais grâce à ces rares heures de paix où ses pensées changeaient, son âme se fortifiait, elle aussi. M. Craven songea de nouveau à Misselthwaite. N'était-il pas temps de rentrer au manoir? De temps à autre, il pensait à Colin et se demandait quelle serait sa réaction en revoyant, au fond du grand lit à colonnes, le visage d'ivoire finement ciselé de son fils endormi, et ses longs cils noirs bordant ses yeux clos. Cette vision le faisait frémir.

Par une radieuse journée, sa promenade l'avait mené si loin qu'à son retour, la pleine lune était haute dans le ciel. Le monde entier baignait dans une ombre de pourpre et d'argent. Sur le lac et la rive, et jusque dans les bois, régnait un calme merveilleux, M. Craven décida de ne pas regagner la villa où il logeait, mais de descendre jusqu'au bord de l'eau pour aller s'asseoir sur une petite terrasse ombragée et respirer l'air parfumé du soir. Un calme étrange l'envahit, de plus en plus profond, jusqu'au moment où il glissa dans le sommeil.

L'homme ne se rendit pas compte qu'il s'endormait et commençait à rêver. Son rêve avait une telle intensité qu'il n'avait pas l'impression de rêver. Après coup, M. Craven se rappela qu'il s'était alors senti bien éveillé et totalement conscient. Tandis qu'il était assis là et respirait le doux parfum des dernières roses de la saison, tout en écoutant le clapotis de l'eau qui battait à ses pieds, il crut entendre une voix qui l'appelait, une voix douce et claire, heureuse et lointaine. Elle paraissait venir de loin, mais il l'entendait aussi distinctement que si elle avait été toute proche.

— Archie, Archie, Archie, disait-elle.

Et prenant des inflexions plus tendres et se faisant plus distincte encore, elle répéta :

— Archie, Archie.

Archibald Craven crut bondir sur ses pieds, sans éprouver la moindre peur.

La voix paraissait si réelle qu'il trouvait tout naturel de l'entendre.

— Lilias, Lilias, répondit-il, Lilias, où es-tu?

— Dans le jardin, répondit la voix, comme une flûte d'or. Dans le jardin!

Et le rêve s'arrêta sans qu'il se réveillât. M. Craven dormit profondément tout le reste de la nuit. Quand il se réveilla enfin, la matinée était bien avancée. Un domestique italien attendait auprès de lui. Comme tous les autres serviteurs de la villa, l'homme avait l'habitude d'accepter sans broncher les extravagances de son maître étranger. Ce dernier ne disait jamais quand il comptait sortir ou rentrer ou s'il allait passer la nuit dans le jardin ou dormir sur un bateau voguant sur le lac. Le domestique lui apportait des lettres sur un plateau et attendait patiemment que M. Craven les prît. Après son départ, le maître de Misselthwaite garda un moment son courrier à la main, sans l'ouvrir. Il regardait le lac, éprouvant toujours le même calme étrange. Mais pour la première fois il se sentait le cœur plus léger, comme s'il commençait une vie nouvelle. Il se rappela alors son rêve de la veille, ce rêve si réel, si vrai.

— Dans le jardin, dit-il, étonné. Dans le jardin! Mais la porte est fermée et la clé enfouie profondément sous la terre!

Quelques minutes plus tard, il jeta un coup d'œil à sa correspondance et vit que la première lettre de la pile provenait du Yorkshire. L'adresse était libellée en anglais, d'une écriture qu'il ne connaissait pas, certainement celle d'une femme sans beaucoup d'instruction. Ignorant

442

quel pouvait être l'expéditeur, il ouvrit la lettre, mais dès les premiers mots, son intérêt fut éveillé.

Cher Monsieur,

Je suis Susan Sowerby et j'ai eu l'audace de vous parler sur la lande il y a quelque temps. C'était au sujet de Mlle Mary. Je vais être assez hardie pour vous parler encore. S'il vous plaît, Monsieur, je reviendrais à la maison, si j'étais vous. Je crois que vous seriez content de revenir et — si vous le permettez, Monsieur — je crois que votre dame, si elle était encore de ce monde, vous demanderait de le faire.

Votre servante dévouée
Susan Sowerby.

M. Craven relut la lettre avant de la remettre dans son enveloppe. Il pensait toujours à son rêve.

— Il faut que je rentre à Misselthwaite, dit-il. J'y retourne sur-le-champ.

Et, traversant les jardins, il regagna la villa et ordonna à Pitcher de faire ses bagages pour rentrer en Angleterre.

Quelques jours plus tard, M. Craven était de retour dans le Yorkshire, et dans le train qui le ramenait chez lui, il se mit à penser à son fils, comme jamais cela ne lui était arrivé en dix ans. Pendant tout ce temps-là, il n'avait cherché qu'à l'oublier. Maintenant, sans qu'il le voulût, les souvenirs affluaient dans son esprit. Il se rappela les tristes heures où il avait cru devenir fou en apprenant que l'enfant était vivant alors que sa mère était morte. Il avait refusé de voir le bébé, et quand il s'était enfin décidé à lui accorder un regard, il n'avait vu qu'un petit être faible dont les gens disaient qu'il allait mourir dans les jours qui suivraient. Mais à la surprise générale, Colin grandit. Alors, tout le monde pensa qu'il deviendrait difforme et bossu.

M. Craven n'avait pas eu l'intention d'être un mauvais père, mais il ne se sentait pas le moins du monde l'âme paternelle. Il avait entouré son enfant de luxe, lui procurant docteurs et infirmières, mais le seul fait de penser à lui le faisait frémir et il avait sombré dans le plus noir désespoir.

La première fois qu'il était revenu au manoir après un an d'absence, il n'avait pu supporter la vue de ce petit être malheureux qui levait vers lui, d'un air dolent et résigné, de grands yeux gris aux cils noirs, si semblables à ceux qu'il avait adorés et pourtant si tristement différents, et il avait fui, pâle comme la mort. Après cela, il ne revit presque jamais son fils, sauf quand il dormait, et tout ce qu'il savait de lui se résumait à peu de choses : c'était un infirme pour la vie, au caractère sournois, hystérique et à demi-fou. Le seul moyen d'éviter les crises d'hystérie qui mettaient sa vie en danger consistait à céder au moindre de ses caprices.

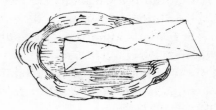

Ces souvenirs n'avaient rien d'encourageant, mais dans le train qui l'emportait à toute vitesse par monts et par vaux, l'homme qui « renaissait à la vie » commença à penser différemment, ne cessant de réfléchir longuement et de s'interroger au plus profond de lui-même.

— Peut-être ai-je vécu ces dix dernières années dans l'erreur, se disait-il. Dix ans, c'est bien long. Il est peut-être trop tard pour faire quelque chose, bien trop tard. A quoi pensais-je donc?

Bien sûr, le père de Colin n'utilisait pas la bonne magie en disant qu'il était trop tard. C'est ce que son fils aurait pu lui apprendre. Mais M. Craven ignorait tout de la magie. Magie blanche, magie noire, il avait tout à découvrir dans ce domaine. Il se demandait ce qui avait donné à Mme Sowerby le courage de lui écrire. L'état de son fils avait-il empiré, approchant de l'issue fatale? Heureusement, l'étrange calme qui avait pris possession de lui continuait à faire de l'effet et il ne se laissa pas abattre par ses idées noires et retrouva un regain de courage et d'espoir en pensant à un avenir meilleur.

— Elle pense peut-être que ma présence fera du bien à Colin et l'aidera à se maîtriser, se disait-il. J'irai la voir sur le chemin du manoir.

En traversant la lande, M. Craven fit arrêter la voiture devant le cottage des Sowerby. Sept ou huit enfants qui jouaient près de la maison s'approchèrent pour le saluer tous bien poliment et lui apprirent que leur mère était partie de bonne heure le matin même pour aller à l'autre bout de la lande aider une jeune femme qui venait d'avoir un bébé. Leur frère Dickon, s'empressèrent-ils d'ajouter, était au manoir où il travaillait dans un jardin, plusieurs jours par semaine.

M. Craven passa en revue la tribu de solides petits gaillards joufflus et roses, et leur trouva un sympathique air de santé. Répondant à leurs sourires, il sortit de sa poche un souverain d'or et l'offrit à Elizabeth Ellen, l'aînée des enfants.

— Vous le partagerez entre vous, dit-il. Cela

fera une demi-couronne pour chacun d'entre vous.

Les enfants n'étaient qu'un sourire. Ils se confondirent en remerciements. Puis M. Craven s'éloigna, laissant les petits savourer leur joie, trépignant et se poussant du coude.

La traversée de la lande lui procura une grande sensation d'apaisement. Il se sentait enfin chez lui, sentiment qu'il s'était cru à tout jamais incapable d'éprouver de nouveau — sur cette terre de beauté où la bruyère empourprait l'horizon. Et plus il approchait de la vieille demeure de ses pères, berceau de sa famille depuis près de six siècles, plus il était ému. Comme c'était étrange! La dernière fois qu'il avait quitté le manoir, il avait voulu fuir toutes ces pièces closes et le petit garçon qui gisait derrière les rideaux de brocart de son lit à colonnes. Etait-il possible que son fils allât un peu mieux aujourd'hui? Peut-être M. Craven arriverait-il alors à surmonter l'effroi que l'enfant lui inspirait?

Ce rêve qu'il avait fait était si réel. Oh! qu'elle était douce et claire, cette voix qui lui avait dit : « Dans le jardin! Dans le jardin! »

— Il faut que je trouve cette clé, dit-il. J'essayerai d'ouvrir la porte. Je ne sais pas pourquoi, mais il faut que je le fasse.

Quand il arriva au manoir, les domestiques qui vinrent l'accueillir trouvèrent meilleure mine à leur maître et remarquèrent qu'il ne se rendait pas directement dans ses appartements privés où, loin de tous, il avait l'habitude de se retirer avec Pitcher pour seul serviteur. M. Craven alla dans la bibliothèque et fit aussitôt appeler Mme Medlock. Quelque peu excitée, la gouvernante du manoir vint le voir, curieuse et troublée tout à la fois.

— Comment va M. Colin, Medlock? demanda-t-il.

— Ma foi, monsieur, lui répondit la gouvernante. Il a changé, pour ainsi dire.

— Son état a empiré? demanda le maître de Misselthwaite.

Mme Medlock rougit, embarrassée.

— Eh bien, vous voyez, monsieur, tenta-t-elle de lui expliquer, ni le docteur Craven, ni l'infirmière, ni moi-même d'ailleurs n'arrivons à comprendre ce qui lui arrive.

— Pourquoi donc?

— A dire vrai, monsieur, votre fils va-t-il mieux ou va-t-il moins bien, nous n'en savons rien. Il a un appétit bizarre et il se conduit d'une façon...

— Il devient de plus en plus... « original »? lui demanda son maître, fronçant les sourcils d'un air inquiet.

— Vous l'avez dit, monsieur. Il devient tout à fait original. Quand on songe à ce qu'il était!

Lui qui ne mangeait rien, s'est mis tout d'un coup à dévorer. Mais cela n'a pas duré et, depuis quelque temps, il a recommencé à renvoyer ses repas à la cuisine sans y toucher comme par le passé. Vous l'ignorez sans doute, mais M. Colin n'a jamais voulu mettre le nez dehors. Nous avons pourtant tout essayé pour le faire sortir, c'était épuisant. Il se mettait dans tous ses états et le docteur Craven avait fini par renoncer, ne voulant pas prendre la responsabilité de le forcer. Eh bien, monsieur, un beau matin, juste après une de ses plus grandes crises d'hystérie, M. Colin a décidé, sans prévenir, qu'il sortirait tous les jours avec Mlle Mary et Dickon, un des fils de Mme Sowerby, qui pousserait son fauteuil. Votre fils s'est entiché d'eux, et le petit Sowerby vient ici avec toute sa ménagerie. Vous me croirez si vous le voulez, mais M. Colin passe maintenant toutes ses journées dehors.

— Comment est-il? voulut ensuite savoir M. Craven.

— S'il mangeait normalement, on pourrait croire qu'il grossit, mais il est plutôt à craindre que ce soit de la mauvaise graisse. Et par moments, il a une façon de rire, quand il est seul avec Mlle Mary, qui est assez inquiétante. Il ne riait jamais, auparavant. Mais, si vous le permettez, le docteur Craven viendra vous en parler en personne. Jamais il n'a vu un cas aussi bizarre.

— Où est M. Colin, en ce moment? demanda M. Craven.

— Dans le jardin, monsieur. Il est tout le temps dans le jardin. Mais personne n'a le droit d'approcher, car il ne veut pas qu'on le regarde.

M. Craven n'écoutait déjà plus.

— Dans le jardin! dit-il, et après le départ de Mme Medlock il ne cessa de répéter ces mots.

— Dans le jardin!

Le maître du manoir dut faire un effort considérable pour revenir à la réalité et lorsqu'il eut retrouvé ses esprits, il quitta la bibliothèque. Prenant le même chemin que Mary, il franchit la porte qui menait aux potagers et longea les massifs de lauriers et les parterres fleuris qui entouraient le bassin. La fontaine jaillissait au milieu de fleurs d'automne aux couleurs flamboyantes. Il traversa la pelouse, puis emprunta la grande allée qui suivait le mur de lierre. Il allait d'un pas lent, les yeux fixés sur le chemin. Sans savoir pourquoi, M. Craven se sentait comme attiré vers ce lieu qu'il avait déserté depuis si longtemps. Plus il approchait du jardin, plus il ralentissait le pas. La porte avait beau être dissimulée sous le lierre, il savait où la trouver, mais il ne se rappelait plus exactement où était enterrée la clé.

Il s'arrêta donc et regarda autour de lui. Tout de suite après, il sursauta et tendit l'oreille, se demandant s'il n'était pas en train de rêver. L'épais rideau de lierre recouvrait bien la porte, et la clé était sous la terre dans les massifs et cela

faisait dix ans que personne n'avait pu franchir ce seuil.

Et pourtant... il y avait des bruits dans le jardin. Des bruits de pas précipités comme si quelqu'un courait en rond sous les arbres, des bruits étranges de conversations à voix basse, de rires étouffés et de cris joyeux. Cela ressemblait à des rires d'enfants essayant sans succès de se retenir et dont l'excitation perçait malgré eux. Mais c'était impossible! Il devait rêver, entendre des voix. M. Craven crut perdre la raison, persuadé que c'étaient des voix surnaturelles. Etait-ce là ce que la douce petite voix avait voulu lui faire comprendre?

Et puis le moment arriva où les bruits se déchaînèrent comme si rien ne pouvait plus les maîtriser. Les pas étaient de plus en plus rapides, ils approchaient de la porte du jardin. Il y eut alors un fort bruit de respiration haletante, et au milieu des éclats de rire incontrôlés, la porte s'ouvrit à la volée et le rideau de lierre livra passage à un garçon qui courait à toute vitesse et qui, n'ayant pas vu l'inconnu, se jeta littéralement dans ses bras.

Prévoyant le danger, M. Craven avait tendu les bras juste à temps pour l'empêcher de tomber. Et quand, stupéfait par cette apparition, il recula pour mieux regarder l'enfant, le souffle lui manqua.

C'était un grand garçon très fin. Il était débordant de vitalité et la course lui avait donné de superbes couleurs. Repoussant sa longue frange de boucles noires, il fit voir deux étranges yeux gris — des yeux rieurs, bordés de longs cils noirs. C'étaient ces yeux-là qui laissaient M. Craven sans voix.

452

— Mais, m... mais, bégaya-t-il.

Ce n'était pas la rencontre que Colin avait prévue, ce n'était pas exactement ce qu'il avait espéré, mais finir une course en vainqueur dans les bras de son père, que pouvait-il trouver de mieux? Colin se redressa de toute sa taille. Mary, qui avait fait la course avec lui, venait de franchir la porte à son tour. A ses yeux, jamais Colin n'avait paru plus grand qu'à ce moment-là.

— Père, dit-il, c'est moi, Colin. Quelle surprise, n'est-ce pas? Je n'en reviens pas moi-même.

— Dans le jardin! Dans le jardin! répétait M. Craven d'une voix pressante.

Comme Mᵐᵉ Medlock, Colin ne comprit pas ce que son père voulait dire, mais il s'empressa d'ajouter :

— Oui, c'est bien grâce au jardin que vous me voyez ainsi. Mary et Dickon et ses animaux y sont aussi pour quelque chose, sans oublier la magie. Personne ici n'est encore au courant. Nous avons voulu que vous soyez le premier à apprendre la bonne nouvelle : je suis guéri. Je bats Mary à la course et j'ai décidé de devenir un athlète.

Colin avait parlé avec fougue, comme un enfant plein de santé. Il était rouge d'excitation et les mots se bousculaient dans sa bouche.

Abasourdi, M. Craven sentit son cœur bondir de joie.

Colin posa la main sur le bras de son père.

— Etes-vous content, père? conclut-il. Etes-vous content? Je vivrai pendant des siècles et des siècles!

M. Craven saisit son fils par les épaules. Il se sentait incapable de lui répondre tout de suite.

— Emmène-moi dans le jardin, finit-il par lui dire. Et raconte-moi tout.

Et ils entrèrent dans leur domaine.

L'automne y brillait de tous ses feux. Dans le jardin, la pourpre et le violet le disputaient au flambant écarlate. De toutes parts, les lis tardifs jaillissaient en gerbes blanches et rouges. M. Craven se rappela que les premiers d'entre eux avaient été plantés pour que l'on puisse jouir de leur splendeur juste en fin de saison. Des flots de roses tardives grimpaient et retombaient en grappes harmonieuses. Le soleil accentuait les tons chauds des arbres jaunissants et la voûte des feuilles d'automne formait un temple d'or. Le nouveau venu resta interdit comme les enfants lorsqu'ils avaient pénétré pour la première fois dans la grisaille du jardin. M. Craven regardait autour de lui.

— Je le croyais mort, dit-il.

— Mary l'a cru aussi, au début, dit Colin, mais il est revenu à la vie.

Ils allèrent ensuite s'asseoir sous leur arbre, excepté Colin qui voulut rester debout pour raconter toute leur histoire. Quant à Archibald Craven, jamais aventure plus surprenante ne lui avait été contée. Colin ne cessait de parler avec une passion toute enfantine. Le mystère et la magie tenaient une grande place dans son récit. Les animaux de Dickon, la rencontre avec Mary au beau milieu de la nuit, la venue du printemps, l'orgueil insulté qui avait arraché notre maharadjah à son fauteuil d'infirme pour défier le vieux Ben Weatherstaff, l'étrange confrérie des magiciens, la petite comédie destinée à garder le grand secret : rien ne fut oublié. Son père l'écoutait, riant aux larmes, mais, par moment, son rire s'éteignait, et les pleurs qu'il versait étaient bien réels. Comme il aimait ce grand garçon rieur et bien portant, cet athlète, ce conférencier, ce grand savant en herbe!

— Maintenant, dit Colin en guise de conclusion, nous n'avons plus que faire du secret. Quitte à provoquer une véritable révolution au manoir, je ne monterai plus jamais dans ce fauteuil. Je vous accompagne à pied, père, jusqu'à la maison.

Ben Weatherstaff avait rarement à faire à la cuisine, mais ce jour-là, il trouva tout de même le moyen d'y porter des légumes. Mme Medlock lui ayant proposé un verre de bière à l'office, il était aux premières loges, comme il l'avait escompté, pour assister à l'événement le plus sensationnel qu'ait connu le manoir depuis fort longtemps.

Une des fenêtres qui donnait sur la cour permettait de voir un bout de la pelouse.

Sachant que Ben venait des jardins, Mme Medlock espérait qu'il aurait aperçu le maître du manoir et peut-être même assisté à la rencontre entre le père et le fils.

— Les avez-vous vus, Weatherstaff? demanda-t-elle.

Reposant son verre, Ben s'essuya les lèvres du revers de la main.

— Pour sûr que j' les ai vus, répondit le fin matois d'un air entendu.

— Tous les deux? demanda Mme Medlock.

— Tous les deux, répliqua le jardinier. Merci beaucoup pour la bière, M'dame. J'en reprendrais bien un p'tit verre.

— Ils étaient ensemble? dit Mme Medlock en lui versant un second verre.

La gouvernante était dans un tel état d'excitation qu'elle laissait déborder la bière.

— Ensemble, M'dame!

Et d'une seule lampée, Ben engloutit la moitié de son deuxième verre.

— Où était M. Colin? Comment était-il? Que se sont-ils dit, son père et lui?

— Je n'ai pas entendu, dit Ben. J' les ai seulement vus par-dessus le mur, du haut de mon échelle. Mais ce que je peux vous dire, c'est qu'il s'est passé des choses comme vous n'en avez pas idée. Et vous n'allez pas tarder à savoir ce que c'est.

Le vieil homme avait à peine fini sa bière qu'il tendit son verre en direction de la fenêtre qui donnait sur la pelouse.

— Venez voir, dit-il, si vous voulez savoir. Regardez qui traverse la pelouse.

Mme Medlock s'approcha. Jetant un coup d'œil au dehors, elle leva les bras au ciel et poussa un cri perçant. En l'entendant, tous les domestiques du manoir, hommes et femmes, accoururent à l'office et s'attroupèrent devant la fenêtre. Les yeux leur sortaient de la tête.

Le maître de Misselthwaite traversait la pelouse, méconnaissable. A ses côtés, la tête fièrement dressée, les yeux rieurs, se tenait un solide petit bonhomme du Yorkshire — Colin!

TABLE DES MATIÈRES

l'Atelier du Père Castor présente

la collection Castor Poche

La collection Castor Poche vous propose :

- des textes écrits avec passion par des auteurs
  du monde entier,
  par des écrivains qui aiment la vie,
  qui défendent et respectent les différences;
- des textes où la complicité et la connivence
  entre l'auteur et vous se nouent et se
  développent au fil des pages;
- des récits qui vous concernent parce qu'ils
  mettent en scène des enfants et des adultes dans
  leurs rapports avec le monde qui les entoure;
- des histoires sincères où, comme dans la réalité,
  les moments dramatiques côtoient
  les moments de joie;
- une variété de ton et de style où l'humour,
  la gravité, la fantaisie, l'émotion, la poésie
  se passent le relais;
- des illustrations soignées, dessinées par des
  artistes d'aujourd'hui;
- des livres qui touchent les lecteurs à différents
  âges et aussi les adultes.

Un texte au dos de chaque couverture vous présente les héros, leur âge, les thèmes abordés dans le récit. Vous pourrez ainsi choisir votre livre selon vos interrogations et vos curiosités du moment.

Au début de chaque ouvrage, l'auteur, le traducteur, l'illustrateur sont présentés. Ils vous invitent à communiquer, à correspondre avec eux.

CASTOR POCHE
Atelier du Père Castor
7, rue Corneille
75006 PARIS

217 **Saute-Caruche (senior)**
par Anne Pierjean

Du jour au lendemain, Romain Bréton, le sans famille que tous appèllent Saute-Caruche, se trouve nanti d'ancêtres. En remuant le passé, la vieille Delphine se souvient : n'a-t-il pas dansé, autrefois, d'un peu trop près avec Toinette ? En tout cas, à la ferme des Quatre-Peupliers, il y a une Marion de 15 ans qui lui ressemble...

218 **La frontière interdite (senior)**
par Werner J. Egli

Diego vit à Santa Valera, un village mexicain niché dans les montagnes. Comme tous les habitants, Antonio Flores, son père, s'est endetté et ne peut rembourser. Il ne voit pas d'autre solution que d'abandonner sa terre et d'emmener les siens chercher du travail aux États-Unis. Un passeur leur fait franchir clandestinement la frontière. Mais les voilà déposés en plein désert...

219 **Le dernier des vampires**
par Willis Hall

La famille Hollins traverse la Manche pour la première fois. Quinze jours de vacances sur le continent, c'est l'aventure, surtout lorsqu'on ne sait pas lire une carte ! Un soir, Albert, Euphemia et leur fils Edgar plantent leur tente au pied d'un château biscornu. D'une tourelle s'échappe une étrange musique. Des yeux luisent dans la nuit...

220 **Le nouveau**
par Ingrid Kötter

"Je m'appelle Thomas Bott, j'ai neuf ans, et dans le quartier de Berlin où nous venons d'emménager, on m'appelle le Nouveau. Nous n'avions aucune envie de déménager, mais Papa au chômage, la décision a été vite prise. Ici, personne ne se parle, alors pour faire connaissance avec les voisins, nous avons sonné à toutes les portes.
          Et cela nous a réservé quelques surprises...

221 **Le propriétaire de cathédrale (senior)**
par Roger Judenne

Le professeur Jean-Baptiste Dieu prend possession de la cathédrale de Chartres, achetée par l'un de ses ancêtres comme bien national en 1789. Depuis ce jour, les portes restent closes, toutes les tentatives pour y pénétrer tournent mal. Jean-Baptiste Dieu reste invisible... Seul un chat noir au regard inquiétant rôde sur le toit de l'édifice. Bientôt on parle de diableries...

222 **Les dépanneurs invisibles**
par Edouard Ouspenski

Dès la livraison du nouveau réfrigérateur, Frigori part à la rencontre de ses collègues, les dépanneurs invisibles. Chacun a installé dans un coin de son appareil ménager un petit domaine à lui. Ils ont leur propre système de communication pour la commande des pièces détachées... Tout fonctionne à merveille jusqu'au jour où les petits hommes garantie doivent affronter une armée de souris...

223 **Quatorze jours sur un banc de glace**
par Miek Dorrestein

En Hollande, le 13 janvier 1849, Klaas Bording et ses deux fils partent pêcher dans le Zuiderzee gelé. La pêche est si miraculeuse que les trois hommes décident de continuer malgré la nuit. Mais au petit matin, le dégel a commencé, la glace dérive ! Durant quatorze jours les trois pêcheurs vont errer sur la glace...

224 **Marika**
par Anne Pierjean

Dans une école de montagne, Marianne Arly accueille une nouvelle parmi ses élèves. Mais Marika est différente des autres, avec son regard de renard pris au piège et elle se montre agressive. D'où vient-elle ? se demande Chris, pourtant prêt à lui offrir son amitié. Avec l'aide de Marianne, il tente d'apprivoiser la "sauvageonne"...

225 **Sycomore du petit peuple**
par Andrée Malifaud

Sycomore et sa famille sont les derniers représentants du Petit Peuple. Pas plus hauts qu'une main, ils habitent un terrier de souris, dans la maison d'une vieille dame. Un jour, la maison est vendue. Sycomore, le musicien prodige, rencontre les enfants des nouveaux propriétaires eux aussi musiciens, et c'est le début d'une merveilleuse aventure...

226 **Chien perdu**
par Marilyn Sachs

Je ne me souvenais plus de mon oncle ni de ma tante. Bien qu'ils m'aient accueillie gentiment, je ne me sentais pas chez moi dans leur appartement tout blanc. L'ennui, c'est que je n'avais nulle part où aller. Mes parents étaient morts. Personne d'autre ne voulait de moi. Et quand j'ai retrouvé Gus, le chien de quand-j'étais-petite, les choses se sont encore compliquées...

227 **Mon pays sous les eaux**
par Jean-Côme Noguès

Juillet 1672, Peet quitte la maison familiale pour se placer comme garçon d'auberge. La Hollande est paisible quand tout à coup, c'est la nouvelle : Louis XIV envahit le pays... Un soir, Peet monte un pot de bière à un étrange voyageur. Qui est-il ? Quel est son secret ? Quand le jeune homme l'apprendra, il en frémira...

228 **Lucien et le chimpanzé (senior)**
par Marie-Christine Helgerson

Dans un village près de Mâcon vivent le Grand-père et Lucien, un garçon de neuf ans dont les yeux immenses ignorent les gens et que tous appellent « la bête ». Au château, deux jeunes professeurs s'installent pour tenter une expérience : communiquer par gestes avec un chimpanzé. Et si, au contact du singe, Lucien apprenait à parler avec les gens... ?

229 **Anna dans les coulisses**
par Betsy Byars

Anna ne monte jamais sur la scène. C'est dur de chanter faux dans une famille de choristes ! Anna se sent rejetée, exclue. Un jour, un oncle oublié, tout juste sorti de prison, surgit dans la vie des Glory. Grâce à lui, et à la suite d'un drame, Anna va prendre confiance en elle.

230 **Un poney pour l'été**
par Jean Slaughter Doty

Ginny est prête à pleurer. Elle qui a toujours rêvé d'avoir un poney, voilà que le seul qu'elle peut louer pour l'été est une drôle de petite jument, à moitié morte de faim. Mais à force de soins et d'affection, le poney prospère et transforme des vacances qui promettaient d'être décevantes, en un merveilleux été.

231 **Mélodine et le clochard**
par Thalie de Molènes

Un clochard sort de l'ombre, se penche sur la vitrine éclairée de la librairie et lit passionnément un ouvrage d'astronomie... Il reviendra chaque jour et sa présence insolite servira de révélateur aux habitants de l'immeuble, en particulier à Mélodine et à Florence sa grand-mère qui l'a élevée...

232 **Personne ne m'a demandé mon avis**
par Isolde Heyne

Inka vit dans un foyer pour enfants en R.D.A. A l'occasion de son dixième anniversaire, elle exprime deux souhaits : avoir des parents adoptifs et être admise à l'École de sport. Un jour, dans la rue, une femme l'aborde à la dérobée, et lui annonce que sa mère, qu'elle croyait morte, vit en R.F.A. Loin de la réjouir, cette révélation inquiète Inka qui craint que sa vie n'en soit bouleversée. .

233 Une famille à secrets (senior)
par Berlie Doherty

L'adolescence de Jeannie n'a rien de facile. Un père ombrageux, une mère qui s'enferme dans le silence. Dans sa famille, on se déchire d'autant mieux qu'on s'aime pour de bon. Pour les trois aînés, accéder à l'indépendance ne se fera pas sans heurts ni choix douloureux.

234 Les trois louis d'or de Maria (senior)
par Anne Pierjean

Maria pleure devant les œufs qu'elle vient de casser. Mandrin, qui passait par là, lui donne un louis d'or et la traite de « fille à marier ». Subjuguée, Maria pense à Benoît, le confident de toujours. Mais il y a d'autres filles et d'autres garçons sur les routes de leurs vies...

235 Mon ami le clandestin
par Ilse-Margret Vogel

Arkhip avait besoin d'aide pour pouvoir retourner dans son pays, en Russie et Papa l'a caché chez nous. Cet inconnu est devenu un ami merveilleux. Nous ne parlions pas la même langue et pourtant nous partagions tout. Nous étions complices, dans les joies comme dans les peines. Complices, même si la vie un jour nous séparait...

236 Caribou et le renne aux yeux d'or (senior)
par Mérédith Ann Pierce

A treize ans, Caribou se voit confier, contre son gré, un étrange bébé. Elle s'attache à l'enfant, et refuse longtemps de voir que ce ne sont pas seulement son teint clair et ses cheveux d'herbe sèche qui le rendent différent. Cet être qu'elle aime farouchement, est-il humain ? La tragédie qui frappe alors son peuple entier lui permettra de le découvrir...

237 **Coutcho**
par José Luis Olaizola

La grand-mère de Coutcho n'y voit pas grand chose et a de plus en plus de mal à exécuter des travaux de couture. Débrouillard, Coutcho, à neuf ans, trouve des petits métiers pour rapporter un peu d'argent à la maison. Les rencontres qu'il fera dans les rues de Madrid résoudront finalement bien des problèmes...

238 **Virage en ligne droite**
par Gérard Hubert-Richou

Après une partie de bicross, je faisais une pause sur le pont qui enjambe l'autoroute quand je vis une Golf noire perdre une roue. Et ce fut le carambolage, les voitures qui se heurtent, hurlent, s'encastrent à n'en plus finir. Puis l'atroce silence. Et les jappements affolés de ce petit caniche doré. Alors que s'est-il passé dans ma tête ? J'ai dévalé la pente de l'autoroute et ma vie a pris un grand virage...

239 **Si on jetait l'ancre**
par Simon French

Changer de cadre, changer d'école, Trevor en a l'habitude : depuis l'âge de quatre ans, il vit en caravane, avec ses parents qui sillonnent l'Australie au gré des emplois saisonniers. Le temps de se faire des amis, et déjà il faut repartir... Jusqu'ici, Trevor a réussi à s'adapter partout. Mais cette fois tout se passe différemment...

240 **Son premier souffle**
par Gérard Hubert-Richou

Cécilia, douze ans, et ses parents passent le mois d'août à la campagne. Sa maman, enceinte, a souhaité l'isolement. Son père doit s'absenter laissant Cécilia et sa mère seules quarante-huit heures. Il n'y a pas à s'inquiéter : le bébé n'est prévu que pour le mois prochain. Oui, mais voilà, un orage coupe le téléphone et le bébé s'annonce...

245 **Les manèges de la vie** (senior)
par Andrée Chedid

Sept nouvelles composées d'actualités, de mémoires, de faits divers, qui se déplacent en divers points du globe pour toujours parler d'amitié, d'amour, de ces vies ordinaires métamorphosées par la souffrance, l'émotion.

246 **Les voleurs de lumière** (senior)
par Victor Carvajal

Dans chacun de ces huit récits, un enfant prend la parole. Selon ce qu'il est - son courage, ses rêves et sa propre expérience -, il raconte la vie dans les bidonvilles du Chili quand, pour survivre, il faut résoudre autant de problèmes qu'il y a de jours dans l'année. Un fil conducteur relie toutes ces histoires : l'espoir, le goût de vivre et d'aimer...

247 **Une chouette, ça vole!**
par Molly Burkett

Une petite chouette dans une cage qui n'a même pas de porte... Emue, la famille Burkett l'achète dans l'intention de la relâcher. Mais Tchivett n'a pas plus de vie qu'une plante en pot. Jusqu'au jour où une femelle chevêche, soignée chez les Burkett se prend d'intérêt pour lui, le force à bouger, lui apprend à voler. Et peu à peu, Tchivett reprend goût à la vie...

248 **Vif-Argent**
par Josep Vallverdu

Vif-Argent, le jeune chiot, s'est échappé de la voiture de ses maîtres. Après une nuit à la belle étoile, il est recueilli par Louison qui l'emmène vivre avec lui à la ferme. Jour après jour, le chiot fait son apprentissage de la vie. Mais il lui reste de dures épreuves à affronter...

249 A bientôt Maman !
par Henryk Lothamer

Tous les enfants sont fous de joie de préparer leur départ pour la colonie de vacances. Seul, dans son coin, Alek écrit à sa mère. Même ses meilleurs amis ignorent cette correspondance. Alek a un second secret : un petit miroir rond qu'il prétend tenir de sa mère. Avant de s'endormir, Alek le presse contre sa joue et vit des aventures étonnantes...

250 Une vie de chien
par Marie-Noëlle Blin-Blunden

Pour ses onze ans, Jérémie n'arrive pas à convaincre ses parents de lui offrir un chien. Son désir devient si grand qu'il vole un chiot au voisin et l'élève en cachette dans une cabane nichée dans un arbre. Se met alors en route un engrenage de mensonges, accidents et catastrophes, où l'humour ne perd pas ses droits.

251 Les esprits du monde vert
par Anne Guilhomon-Lamaze

Un jour enfin, Émile est en âge d'accompagner son oncle à la chasse. Mais Emile se retrouve bientôt seul au cœur de la profonde forêt guyanaise, son oncle ayant mystérieusement disparu. Comment survivre dans ce monde vert, à la fois inquiétant et envoûtant ?

252 La malédiction des opales (senior)
par Colin Thiele

Ernie Ryan, 14 ans, vit avec son père dans l'une des régions les plus rudes du monde, là où se trouvent les mines d'opales d'Australie. Avec l'espoir fou de trouver quelques éclats, Ernie creuse dans une mine abandonnée. Et un jour, c'est la chance inespérée : il découvre des opales superbes. Mais son rêve se transforme vite en cauchemar.

253 **Pour une barre de chocolat**
par John Branfield

Sarah est diabétique depuis l'âge de neuf ans, mais elle a beau savoir qu'il y va de sa vie, qu'il lui faut ces injections d'insuline, elle clame sa révolte : c'est injuste, pourquoi elle ? Crises de larmes et scènes familiales, trêves et reprises des hostilités, l'univers de Sarah n'est que montagnes russes...

254 **Le héron bleu (senior)**
par Cynthia Voigt

Jeff a sept ans lorsque sa mère quitte la maison. Le garçon grandit dans la hantise de décevoir son père qu'il appelle "le Professeur". Invité par sa mère, le temps des vacances, Jeff est à nouveau séduit par son charme et sa vivacité. Il ne vit plus que dans l'attente d'une nouvelle rencontre. Un rêve ruiné l'été suivant...

255 **Zahra**
par Evelyne Kuhn

Zahra, 10 ans, vit à Nancy avec sa famille venue du Maroc à sa naissance. Depuis le 15 mars, Zahra élève de CM1 entretient une correspondance régulière avec Sandrine qui a son âge et vit à Paris. Les deux filles, qui ne se sont jamais vues, échangent leurs joies et leurs soucis quotidiens...

256 **Chère camarade (senior)**
par Frances Thomas

Tout a commencé lors de la boum de Simon. Kate disait qu'elle était pensionnaire dans une école qu'elle détestait et que personne ne lui écrivait jamais. Paul s'était tout de suite dit qu'il fallait que cela change. Au début Kate ne l'encourage guère. Au fond, elle ne partage avec lui qu'une aversion totale pour les études. Mais lettre après lettre, leur amitié grandit.

257 **Diatorix et Marcus**
par Bertrand Solet

Il y a 73 ans que Vercingétorix s'est rendu à Jules César ; nous sommes en l'an 21 de notre ère. Diatorix, fils d'un grand chef gaulois, a été élevé par Titus Prolimus le Romain. Mais aujourd'hui, Diatorix doit choisir son camp car le pays s'agite. Les peuples celtes se soulèvent contre l'occupation romaine.

258 **Singularité** (senior)
par William Sleator

Barry entraîne Harry, son frère jumeau, dans une vieille bâtisse isolée. Mais la maison leur réserve d'inquiétantes surprises. Il s'est produit d'étranges choses dans la pinède voisine et l'aventure tourne bientôt à la lutte sourde, non plus seulement entre les deux frères, mais contre des forces inexpliquées.

259 **Le téléphérique de la peur**
par Robert Kellett

Au lieu d'emprunter avec leur père le tunnel du Mont-Blanc, Liza, 11 ans, a réussi à convaincre sa sœur aînée de faire le trajet en téléphérique par les sommets. Elles se retrouvent dans la dernière cabine avec Christian et Mark, deux garçons de leur âge. Mais après le passage du premier pylône, une détonation claque et c'est l'accident...

260 **Moi, Alfredo Perez**
par Marie-Christine Helgerson

Ma famille et moi avons quitté le Mexique pour un pays riche : les États-Unis. Riche ? Pas pour tout le monde. J'ai été ramasseur de fruits, laveur de vaisselle. Mais j'ai mis aussi en route un vieux projet : dénicher des choses rares et les vendre. J'ai longtemps trié des masses de camelote, jusqu'au jour où...

261 **Rendez-vous sous l'horloge**
par Isolde Heyne

Inka vit avec sa mère en RFA depuis maintenant quatre ans.
Un voyage de classe va lui permettre de retourner dans son pays
natal, la RDA et de retrouver à Berlin Est son amie Tutty. Pour
Inka, il est bien difficile de se faire une nouvelle vie...

262 **L'armoire magique**
par C.S. Lewis

Quatre enfants pénètrent dans une armoire et se retrouvent
plongés dans un monde magique. Devenus rois et reines de
Narnia, ils vivent de longues années pleines de rebondis-
sements. Pourtant, lorsqu'ils repassent la porte de l'armoire,
personne n'a eu le temps de remarquer leur absence...

263 **Ratafia**
par Alain Coudert

Fuyant la misère et le froid, le rat Ratafia embarque sur un
navire en partance pour les îles des Caravelles. Mais au terme
d'une traversée mouvementée, Ratafia et ses compagnons doivent affronter bien des difficultés avant de pouvoir installer leur
petite colonie. La nature et les hommes se montrent hostiles et
souvent imprévisibles...

264 **Brave petit grille-pain**
par Thomas M. Disch

Un aspirateur, un radio-réveil, une lampe de bureau, une
couverture et un petit grille-pain sont abandonnés depuis des
mois. Désolés de se sentir inutiles, ils partent à la recherche de
leur maître. En chemin, les difficultés ne manquent pas, mais le
grille-pain soutiendra le moral de la petite troupe dans sa quête
d'un foyer et d'un emploi digne de son ardeur à l'ouvrage...

265 **Sauvons les dragons**
par Willis Hall

Le vieux magicien enferme Edgar Hollins dans une armoire magique. Le numéro de disparition laisse le public bouche bée tandis que le jeune Edgar se réveille au temps du roi Arthur et dès chevaliers de la Table Ronde. Là, Merlin l'Enchanteur le charge d'une mission de la plus haute importance : sauver les derniers dragons.

266 **Gaufrette, Petit-Beurre et Chocolat**
par François Schoeser

Gaufrette, Petit-Beurre et Chocolat, ce n'est pas seulement un bon goûter, mais aussi trois amies inséparables qui ont des idées plein les poches. Il y a Elsa, la blonde aux taches de rousseur, Fatima, café au lait, et Eugénie, noire et crépue. Difficile de faire accepter cette amitié aux copains, aux parents surtout !

267 **Aventure en plein ciel** (senior)
par Ivan Southall

Six jeunes Australiens s'envolent à bord d'un petit avion monoplan. Au cours du vol, c'est l'épouvante : le pilote s'écroule, victime d'une crise cardiaque et un violent orage se déchaîne... Gerald, 14 ans, prend les commandes. Il ne connaît pas grand-chose au maniement de l'avion. Comment et où atterrir ?

268 **Un éléphant pour Mouthou**
par Carolyn Sloan

Dans le sud de l'Inde. Mouthou rêve de devenir conducteur d'éléphants comme son père. Un jour, il apprend une terrible nouvelle : le gouvernement n'autorise plus la capture d'éléphants sauvages pour les domestiquer. Alors, lorsque Mouthou découvre dans la forêt une éléphante blessée et son petit, il décide de s'occuper d'eux, en cachette...

269 **Ma grand-mère et moi**
par Achim Bröger

Au retour de l'école, Julia s'étonne de ne pas voir sa grand-mère à la fenêtre comme tous les jours. Elle se précipite et la trouve endormie sur son lit, très pâle. Grand-mère est malade. Est-ce grave ? Julia découvre en Dirk un véritable ami qui comprend tout, même l'inquiétude de Julia.

270 **Debout, Cosaques !**
par Bertrand Solet

Parce que le tsar a fait tuer son frère dans la tour des supplices, le Cosaque Stenka Razine se révolte. Avec ses compagnons, les "Cosaques voleurs", il pille les villes, soulève la foule des paysans qui souffrent et peinent le long des grands fleuves russes...

271 **Les étoiles cachées**
par Régine Soszewicz

Juillet 1939. Régine, 8 ans, vit heureuse à Paris avec sa petite sœur. Mais la déclaration de guerre bouleverse son horizon et lui fait comprendre qu'elle est différente des autres enfants. Fuyant les persécutions, ses parents sont venus de Pologne il y a quelques années et pensaient trouver la sécurité en France. Mais les rafles se multiplient et l'inquiétude grandit....

272 **Panique à bord !**
par Florence Parry Heide

Noah se lamentait d'être enfant unique. La venue prochaine d'un petit frère ne l'enthousiasme pas davantage. Arrive une petite sœur et, avec elle, le chaos complet... Pourtant, Noah découvre bientôt qu'un bébé à la maison n'est pas uniquement un fléau...

277 **La clairière** (senior)
par Alan Arkin

Bubber le lemming et ses amis, les animaux de la forêt, se posent des questions bien compliquées pour eux. Couguar, obéissant aux mystérieux ordres de l'ours, déclenche une suite d'événements qui conduit les animaux à une remise en cause de tout ce qui, jusqu'ici, avait paru si simple.

278 **Merci, Barnabé !**
par Christine Arbogast

Lorsque Jonathan décide d'abandonner ses études pour ouvrir un restaurant réservé aux enfants, Barnabé, son jeune frère, est enthousiasmé et n'a qu'un désir : participer, lui aussi, à cette entreprise passionnante! Mais tout ne se déroule pas aussi facilement que prévu...

279 **Le fennec et le Paris-Dakar**
par Jean-Pierre Espéret

Laklak la cigogne revient du Sud avec une triste nouvelle. Srir le fennec a été kidnappé et vendu à des étrangers du rallye Paris-Dakar. Taleb le renard n'hésite pas un instant : il lui faut sauver son cousin. Il entraîne Dib le chacal dans une aventure où ce dernier fera souvent les frais des idées saugrenues de son compère. Jusqu'où l'amitié les mènera-t-elle ?

280 **Prête-moi ta plume**
par les ambassadeurs de l'amitié

Des jeunes de sept à quinze ans disent ce qui leur tient à cœur. A travers ces quarante témoignages aux accents authentiques, parfois drôles, souvent pathétiques, toujours émouvants, se dégage un message d'amour et de respect.

Cet
ouvrage,
le deux cent
quatre-vingt-quinzième
de la collection
CASTOR POCHE,
a été achevé d'imprimer
sur les presses de l'imprimerie
Brodard et Taupin
à La Flèche
en avril
1990

Dépôt légal : mai 1990.
N° d'Édition : 16357. Imprimé en France.
ISBN : 2-08-162138-X
ISSN : 1147-3533
Loi n° 49-956 du 16 juillet 1949
sur les publications destinées à la jeunesse.

CASTOR
POCHE
295